CLINIQUE MAYO

Vieillir en santé

CLINIQUE MAYO

Vieillir en santé

Edward T. Creagan, M.D.

Révision scientifique de la version française

Andrée Lavoie, inf., B. Sc., M. Ed.

 **Broquet**

97-B, Montée des Bouleaux
Saint-Constant, Qc, J5A 1A9
Tél.: (450) 638-3338 Fax: (450) 638-4338
Web: www.broquet.qc.ca / Courriel: info@broquet.qc.ca

Catalogage avant publication de Bibliothèque et Archives Canada

Vedette principale au titre :

Vieillir en santé

Traduction de: Mayo Clinic on healthy aging.
Comprend un index.

ISBN 2-89000-700-6

1. Personnes âgées - Santé et hygiène. 2. Vieillissement.
3. Vieillissement - Prévention. I. Creagan, Edward T. II. Mayo Clinic.

RA777.6.M3914 2005   613'.0438   C2005-942081-2

POUR L'AIDE À LA RÉALISATION DE SON PROGRAMME ÉDITORIAL, L'ÉDITEUR REMERCIE :

Le Gouvernement du Canada par l'entremise du Programme d'Aide au Développement de l'Industrie de l'Édition (PADIÉ) ; La Société de Développement des Entreprises Culturelles (SODEC) ; L'Association pour l'Exportation du Livre Canadien (AELC).
Le Gouvernement du Québec - Programme de crédit d'impôt pour l'édition de livres - Gestion SODEC.

Traduction : Erika Duchesne
Révision : Andrée Lavoie, inf., B. Sc., M. Ed., Denis Poulet
Directrice artistique : Brigit Levesque
Infographie : Sandra Martel, Chantal Greer

Titre original : Mayo Clinic on Healthy Aging
Publié par Mayo Clinic
Copyright © 2001 Mayo Foundation
for Medical Education and Research
All rights reserved

**Pour l'édition en langue
française :** Copyright © Ottawa 2005
Broquet Inc.
Dépôt légal — Bibliothèque nationale du Québec
4e trimestre 2005

ISBN : 2-89000-700-6

Imprimé au Québec

Équipe éditoriale

Rédacteur en chef
Edward T. Creagan, M.D.

Rédacteur principal
David E. Swanson

Réviseure
Mary Duerson

Recherchistes
Deirdre A. Herman
Michelle K. Hewlett

Rédacteurs
Howard E. Bell
Linda Kephart Flynn
Michael J. Flynn
D. R. Martin

Stephen M. Miller
Robin Silverman
Catherine LaMarca Stroebel
Susan Wichmann

Directeur artistique
Daniel W. Brevick

Dessinateur-maquettiste
Craig R. King

Adjointe à la rédaction
Carol A. Olson

Auteur de l'index
Larry Harrison

Réviseurs et collaborateurs

Kim M. Anderson, C.F.P.
Rev. Warren D. Anderson,
   M.Div.
Carolyn S. Beck, Ph.D.
M. Kim Bryan, J.D., C.F.P.
Rev. Jane H. Chelf, M.Div., R.N.
Darryl S. Chutka, M.D.
Richard C. Edwards
Andrew E. Good, M.D.
Marita Heller
Edward R. Laskowski, M.D.
Roger A. Lindahl

Rev. Dean V. Marek
Paul S. Mueller, M.D.
Leon D. Rabe
Teresa A. Rummans, M.D.
Yogesh Shah, M.D.
Ray W. Squires, Ph.D.
Michael J. Stuart, M.D.
Jeffrey M. Thompson, M.D.
Marchant Woodhouse Van
   Gerpen, M.D.
Janet L. Vittone, M.D.

Table des matières

Préface

Nous sommes à l'aube de l'un des évènements les plus extraordinaires de l'histoire de la civilisation. Des millions de baby-boomers (les personnes nées à la fin de la Deuxième Guerre mondiale) approchent de la retraite. Si vous faites partie de ce groupe, ce livre est fait pour vous.

Il y a une centaine d'années, l'individu moyen vivait moins de 50 ans. Si vous êtes né dans les années 40, vous vivrez probablement une vie intéressante et productive à 70 et même à 80 ans. Le segment des 85 ans et plus est celui qui grossit le plus au sein de la population. Comme le célèbre pianiste de ragtime Eubie Blake l'a dit le jour de son centième anniversaire : « Si j'avais su que je vivrais aussi longtemps, j'aurais mieux pris soin de moi. »

Prendre mieux soin de vous physiquement, émotionnellement, socialement, spirituellement et financièrement, c'est le cœur de ce livre. Les possibilités qui s'offrent à vous pour renouveler votre vie à la retraite peuvent s'envoler si vous n'êtes pas bien préparé. Jamais auparavant une approche proactive du vieillissement n'aura été si cruciale pour la qualité de vie de ce qui pourrait devenir une aventure extraordinaire pour plusieurs : les dernières décennies.

Les informations contenues dans ce livre vous permettront de prendre des décisions éclairées sur les questions qui vous touchent le plus, alors que vous et vos proches tentez de vous retrouver dans le labyrinthe des informations fausses et véridiques sur la santé et le vieillissement. Vous y trouverez aussi des récits de gens comme vous qui ont fait quelques erreurs de parcours et des conseils utiles pour apprendre de leurs expériences.

Edward T. Creagan, M.D.
Rédacteur en chef

Chapitre 1

Faits et périodes de la vie

Messages à retenir

- **Présumez que vous allez vivre très longtemps.**
- **Vos années de vieillesse peuvent être les plus belles.**
- **Planifiez maintenant la dernière décennie de votre vie.**

S i vous avez plus de 40 ans, vous avez sans doute déjà remarqué certains faits liés au vieillissement. Devant le miroir, vous avez sûrement relevé de nouvelles rides. Vous avez peut-être constaté que la douleur persiste un peu plus longtemps lorsque vous jouez une partie de golf de trop. Fort probablement, vous avez commencé à planifier le montant que vous devez mettre de côté chaque mois pour vous assurer une retraite confortable.

Jusqu'à ce qu'on atteigne la quarantaine ou la cinquantaine, le vieillissement ne signifie généralement pas grand-chose, bien que ce processus commence la journée de notre naissance. Lorsqu'on est enfant, adolescent ou jeune adulte, on se sent immortel. Ce n'est qu'au moment où l'on constate des changements physiques dans notre corps que l'on accepte l'idée du vieillissement. Ce n'est qu'au moment où l'on voit nos parents et amis prendre de l'âge et parfois mourir que l'on entrevoit alors la possibilité de notre propre fin.

Si vous avez plus de 60 ans, vous connaissez probablement déjà les réalités du vieillissement, mais vous vous êtes peut-être rendu compte aussi qu'il reste en vous une plus grande vitalité que vous ne l'auriez cru possible. Peut-être prenez-vous soin de vos parents qui ont plus de 80 ans et qui n'avaient jamais imaginé dans leur jeunesse atteindre une telle longévité. Vous songez peut-être à la retraite et vous n'avez aucune idée de la manière dont vous occuperez vos temps libres. Vous craignez peut-être que les voyages et le golf ne suffisent pas à vous satisfaire.

Que vous soyez dans une période de votre vie ou dans une autre, vous ne pouvez échapper au vieillissement. Par contre, vous pouvez faire bien plus que prendre de l'âge. En fait, vos années de vieillesse peuvent être les plus belles de votre vie. Pour ce faire, vous devrez peut-être modifier certains comportements ou changer certaines attitudes bien ancrées. Ce qu'il faut retenir, c'est que vous pouvez choisir la façon dont vous vieillirez. Comme le célèbre pianiste de ragtime Eubie Blake l'a dit le jour de son centième anniversaire : « Si j'avais su que je vivrais aussi longtemps, j'aurais mieux pris soin de moi. »

Jusqu'à quel âge vivrez-vous ?

Année	Espérance de vie à la naissance		Années supplémentaires après 65 ans	
	Hommes	Femmes	Hommes	Femmes
1900	46,4	49,0	11,4	11,7
1920	54,5	56,3	11,8	12,3
1940	61,4	65,7	11,9	13,4
1960	66,7	73,2	12,9	15,9
1980	69,9	77,5	14,0	18,4
2000	73,2	79,7	15,8	19,3

Le moment de votre naissance peut s'avérer déterminant. Un bébé né au début du XXᵉ siècle pouvait espérer vivre jusqu'à la fin de la quarantaine. S'il survivait à l'assaut des maladies infantiles et vivait jusqu'à 65 ans, il pouvait espérer vivre encore une dizaine d'années. En revanche, ceux qui sont nés au début de ce nouveau siècle et qui atteindront 65 ans peuvent espérer vivre jusqu'à 85 ans.

Source : Office of the Chief Actuary, Social Security Administration

Qu'est-ce que le vieillissement ?

Les réalités du vieillissement ont bien changé, mais plusieurs idées toutes faites à ce sujet sont restées les mêmes. Auparavant, la retraite à 65 ans équivalait presque à la fin de la vie. Par exemple, en 1935, l'espérance de vie était de 63 ans. Les programmes de sécurité sociale implantés au cours du siècle dernier misaient sur le fait qu'il y aurait assez de travailleurs pour faire vivre les rares aînés qui vivraient au-delà de 65 ans, et ce, pour quelques années de plus seulement. Aujourd'hui, toutefois, l'augmentation de l'espérance de vie signifie que la plupart des retraités vont recevoir leur pension de vieillesse pendant deux décennies environ. Autrement dit, les gens de 65 ans ne sont pas encore des personnes âgées.

Depuis un siècle, les progrès de la médecine, de la science et de la technologie permettent de vivre plus longtemps et en meilleure santé. Entre 1900 et 2000, l'espérance de vie à la naissance est passée de 47 à 76 ans, la durée de notre passage sur la planète a donc connu une croissance de 62 %. Et si vous évitez les maladies infantiles, les cancers et les maladies cardiovasculaires, c'est encore mieux. À titre d'exemple, une

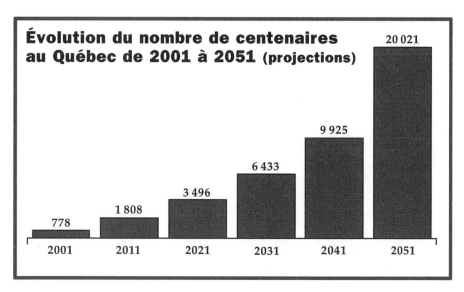

Évolution du nombre de centenaires au Québec de 2001 à 2051 (projections)

2001	2011	2021	2031	2041	2051
778	1 808	3 496	6 433	9 925	20 021

Source : *Statistique Canada ; Institut de la statistique du Québec, scénarios démographiques, février 2001. http://www.briller.gouv.qc.ca/documentation/publications/ briller_changements.pdf*

femme qui a 50 ans aujourd'hui et qui ne souffre ni de cancer ni d'une maladie du cœur peut s'attendre à vivre jusqu'à 92 ans. Une femme en santé de 65 ans peut vivre, en moyenne, jusqu'à 84 ans.

De toutes les personnes qui ont atteint 65 ans, la moitié est encore en vie. Le groupe des 85 ans et plus constitue un segment de la population dont le nombre croît sans cesse. En 2001, au Québec, on comptait 778 centenaires ; on prévoit qu'en 2051, ce nombre atteindra 20 021 !

Au cours de la dernière décennie, les scientifiques ont fait des percées importantes dans la lutte contre le vieillissement. En ce moment, plus de 100 000 projets de recherche sur les moyens de ralentir le vieil-

Ne pas mettre tous ses œufs dans le même panier

Mes parents m'ont appris que si je travaillais dur et que je donnais mon 110 %, mon employeur prendrait soin de moi. Ce fut le cas au début, mais cela a changé du tout au tout depuis.

Pendant des années, je suis arrivé tôt au travail et je suis resté tard le soir. Je faisais toujours un petit effort supplémentaire pour les clients. J'assurais un suivi téléphonique, je me rendais en personne pour vérifier la livraison de notre produit à la date promise et la satisfaction du client. Au bureau, j'avais le don de naviguer entre les intérêts divergents. Rapidement, je suis devenu cadre intermédiaire. J'avais réussi, j'étais à l'aise dans ce rôle et j'imaginais rester là jusqu'à ma retraite. Je m'étais mis le doigt dans l'œil.

Les premiers signaux d'alarme ont pris la forme de mémos expliquant « les compressions de coûts nécessaires » et « l'efficacité de la sous-traitance ». L'entretien, l'alimentation, la sécurité... Un par un, des services entiers étaient confiés à la sous-traitance. Les nouveaux venus, qui traînaient dans les corridors avec leur MBA sous le bras, étaient tous jeunes et n'avaient aucune espèce de loyauté. Ils ne prenaient même pas le temps de nous connaître.

Enfin, ça m'a frappé. J'ai compris que c'était le moyen utilisé par la compagnie pour montrer la porte aux vieux employés. Ils nous remplaçaient par des jeunes qui recevaient un salaire plus bas et moins d'avantages, ce qui leur faisait économiser une fortune. Aux yeux de la compagnie, j'étais dépassé. Je n'avais plus de valeur, j'étais devenu un boulet. Il fallait que j'élargisse mes horizons.

J'ai fait l'inventaire de mes intérêts et de mes talents. Je suis à l'aise avec les gens et j'adore la lecture. J'ai souvent pensé faire du

lissement dans diverses disciplines sont en cours à travers le monde, que ce soit par le clonage d'organes de rechange, les mutations de l'ADN qui affectent le vieillissement ou les virus qui combattraient le cancer.

À l'évidence, être vieux ne veut plus dire la même chose qu'autrefois. Comme des millions de baby-boomers en Amérique arrivent à l'âge de la retraite, cette définition continuera à évoluer. Les Nations Unies prévoient qu'en 2050, près de deux milliards de personnes auront au moins 60 ans, un nombre équivalent aux populations actuelles de l'Amérique du Nord, de l'Europe et de l'Inde réunies. Les experts débattent souvent de l'effet de cet afflux sans

bénévolat à la bibliothèque à ma retraite. Pourraient-ils me payer pour un travail qui me plairait ?

J'ai rencontré la superviseure de la bibliothèque de ma région et je lui ai expliqué que j'allais quitter mon emploi dans quelques années, peut-être même avant. Elle m'a répondu qu'il n'y a pas souvent de postes offerts et que lorsque cela se produit, de nombreuses personnes postulent. Ils suivent donc une procédure d'embauche stricte dans un souci d'équité. Je lui ai quand même donné mon curriculum vitæ et je me suis fait un devoir de lui rappeler mon intérêt régulièrement sans forcer la note. De savoir que je ne mettais pas tous mes œufs dans le même panier m'aidait à tolérer l'ambiance au travail.

Deux ans après ce premier entretien, ma persévérance a été récompensée. Un poste de bibliothécaire adjoint s'est ouvert à la bibliothèque de ma région. J'ai postulé et ils m'ont choisi même si je suis dans la cinquantaine. La vie me sourit à nouveau.

Richard, ex-directeur de la production

Pistes de réflexion

- La retraite peut survenir plus tôt que vous ne le pensez. Préparez-vous.
- Faites l'inventaire de vos intérêts et de vos talents. Affirmez-vous et trouvez des façons de les mettre à profit.
- Soyez prêt à vous renouveler.
- Constituez une réserve de compétences et de personnes-ressources à l'extérieur de votre travail. Si la compagnie coule, votre carrière, elle, restera à flot.

précédent de retraités sur les régimes de sécurité sociale, mais toute la société en sera affectée, des soins de santé à l'emploi en passant par les prix de l'immobilier.

Une plus longue période « entre les deux »

Une vie plus longue n'aurait pas beaucoup d'attraits si les années supplémentaires venaient simplement s'ajouter à la fin, lorsque la santé fait souvent défaut. Mais il semble que le temps s'allonge plutôt entre les deux. Les sociologues parlent même d'un second « mi-temps » pour désigner ces années en bonus, une période où l'on n'est pas tout à fait prêt à passer à une nouvelle étape de la vie.

Cette période s'échelonne de 40 à 60 ans, les années que l'on qualifiait auparavant d'âge mûr. Aujourd'hui, il s'agit souvent d'une période de croissance et de renouveau au cours de laquelle il est

Différences entre les sexes

C'est un fait, les femmes vivent plus longtemps que les hommes. Dans la plupart des pays développés, les femmes vivent en moyenne sept ans de plus que les hommes, et l'écart s'avère encore plus grand dans certains pays comme la Russie. Au Canada, près de la moitié des femmes de plus de 65 ans sont veuves.

Est-ce une différence biologique ? Les gérontologues croient que non. Ils pensent plutôt qu'il s'agit de la conséquence des habitudes de vie. Les chercheurs reconnaissent que les hommes pourraient éviter 70 % des maladies dont ils sont victimes s'ils allaient passer des examens médicaux réguliers et s'ils prenaient mieux soin d'eux.

Que font les femmes que les hommes ne font pas ? Les femmes sont plus susceptibles de surveiller leur alimentation, de faire de l'exercice, de consulter un médecin, d'acheter des livres de conseils pratiques et de s'inscrire à un centre de conditionnement physique. Elles subissent également beaucoup plus souvent des examens médicaux qui leur sauvent la vie. De plus, on apprend aux hommes à s'endurcir et, souvent, ils sont gênés de dire qu'ils ont mal.

Quand on parle d'espérance de vie, les hommes traînent loin derrière dans la bataille des sexes. Pourtant, les recherches médicales prouvent qu'à l'évidence, cette différence pourrait disparaître.

encore possible de tenter de nouvelles aventures réservées autrefois aux plus jeunes. On n'a qu'à penser au nombre de femmes qui donnent naissance à des enfants après 40 ans. Au Canada, entre 1974 et 2001, le nombre de grossesses a presque doublé chez les femmes de 40 ans et plus, passant de 7 065 à 13 032. Gail Sheehy écrivait d'ailleurs en 1995 dans son livre *Passage* que le report des grossesses de 10 à 20 ans « était peut-être l'altération volontaire du cycle de la vie la plus radicale. ».

Néanmoins, ces années de plus signifient également que certains d'entre nous passeront plus de temps dans un état de dépendance à la fin de notre vie, entre autres parce que les gouvernements n'ont pas assez mis l'accent sur l'importance de vieillir en santé. C'est ici que cet ouvrage entre en jeu. Il y a un siècle, l'adulte moyen était malade pour une durée de 1 % de sa vie. Aujourd'hui, l'adulte moyen passera plus de 10 % de sa vie à combattre la maladie. Les progrès dans le monde médical ont éradiqué un grand nombre de maladies qui fauchaient les gens dans leur jeunesse. Cependant, on n'a pas assez étudié les maladies chroniques qui viennent avec l'âge. Même si, comme société, nous prenons mieux soin de nous, les taux d'obésité, de sédentarité, de tabagisme et de surconsommation d'alcool restent trop élevés.

Vieillir, ce n'est pas une question de retraite

On ne devient pas vieux subitement à 65 ans ou lorsque l'on devient grand-parent ou que l'on traverse la ménopause. On devient vieux quand on pense qu'on l'est, quand on « accepte une attitude d'inactivité, de dépendance envers les autres, de limites importantes aux activités mentales et physiques, ainsi que de restriction du nombre de gens avec qui l'on interagit », comme l'a si bien expliqué l'ancien président des États-Unis Jimmy Carter dans son livre *The Virtues of Aging*, paru en 1998.

Autrement dit, le vieillissement se passe surtout entre les deux oreilles. Enfin, disons que même si votre corps vieillit, votre esprit restera aussi jeune que vous l'êtes à l'intérieur. Si vous prévoyez mener une longue vie remplie de vitalité, d'humour et d'interactions sociales, alors cette conviction devient un schéma interne qui déterminera en bonne partie votre avenir. Cependant, si vous êtes convaincu que la vieillesse sera une période de vide, de dépression et de maladie, vous ferez sûrement l'expérience d'un abattement qui compromettra votre santé physique. Les pensées négatives, finalement, vous feront vieillir plus vite.

Tout compte
Bien entendu, il ne s'agit pas seulement d'avoir la bonne façon de penser lorsqu'on arrive à un âge X. La qualité de votre vieillesse dépendra de l'ensemble des habitudes, des croyances et des attitudes qui ont jalonné votre vie. Par exemple, croyez-vous que l'exercice est bon pour vous ? Est-ce que vous marchez 30 minutes par jour parce que vous y croyez ? Vous serez donc plus en forme à 70 ans qu'une personne qui considère que faire de l'exercice constitue une perte de temps. Voyez-vous les revers mineurs comme un défi ou croyez-vous que les échecs découlent d'une conspiration contre vous ? Les études démontrent que les personnes optimistes vivent plus longtemps que les personnes pessimistes.

En fait, on estime que plus de la moitié de votre potentiel pour une vie en santé est déterminée par vos attitudes et vos actes. En plus de vos attitudes au sujet de l'exercice et de l'échec, posez-vous les questions suivantes. Fumez-vous ou mâchez-vous du tabac ? Buvez-vous trop d'alcool ? Avez-vous un excès de poids ? Votre qualité de vie au cours de la vieillesse peut dépendre d'actions aussi mineures que de s'enduire ou non d'écran solaire et de mettre ou non sa ceinture de sécurité. À la fin, tout compte.

Un monde de possibilités

Les femmes nées en 1940 pouvaient s'attendre alors à vivre 66 ans (environ 61 ans pour les hommes). Mais l'espérance de vie s'est modifiée. Vous avez peut-être 70 ans maintenant et vous vous sentez très bien. Pendant votre jeunesse, vous n'avez pas beaucoup réfléchi à votre retraite, car vos parents n'ont probablement jamais cessé de travailler. À l'époque, on travaillait jusqu'à la mort, c'était ça, la vie. Au début du XXe siècle, près de 90 % des hommes âgés qui étaient en mesure de travailler le faisaient, alors que ce ne sont que 20 % des hommes plus vieux qui travaillent aujourd'hui. De plus, les femmes et les hommes âgés qui travaillent aujourd'hui le font souvent par choix.

D'ailleurs, les enfants nés dans les années 1940 ont constitué l'avant-garde d'une population vieillissante qui a dû inventer une nouvelle réalité : une vieillesse assortie de nombreuses années de temps libre après la retraite. Qu'ont-ils fait ? Certains ont lancé une nouvelle entreprise ou sont retournés aux études. D'autres ont découvert de nouveaux passe-temps, ils ont appris à utiliser un ordinateur ou ils ont voyagé à travers le monde. D'autres encore ont choisi le bénévolat ou ont consacré du temps à leurs petits-enfants.

La plupart d'entre eux ont dû trouver eux-mêmes des idées. Les chercheurs, trop occupés à chercher des solutions pour combattre les maladies mortelles, ne se sont pas demandé ce que ces innombrables hommes et femmes à la retraite allaient faire des années supplémentaires dont ils ont hérité. Cela peut expliquer pourquoi tant de retraités cherchent des activités qui ont un sens et pourquoi tant de Canadiens âgés passent tant d'heures devant leur téléviseur.

Des activités sur mesure

Les activités conçues pour les personnes âgées vont certainement devenir plus nombreuses puisque les baby-boomers les plus vieux auront 65 ans en 2011. La force du nombre de cette génération a entraîné, entre autres, la création de programmes pour conserver la forme physique, puis la mise en marché d'une panoplie de crèmes contre les rides. On peut parier que leur vieillesse entraînera de nouvelles formes de bénévolat, de voyages et d'éducation.

N'allez pas croire, toutefois, que vous n'aurez qu'à attendre qu'on vous offre une nouvelle activité. Même s'il existe une kyrielle d'organismes et de programmes, il vous faudra prendre des décisions sur la façon dont vous voulez vivre la dernière période de votre vie. Vous êtes derrière le volant, mais personne ne démarrera le moteur pour vous.

Les décisions que vous prendrez sont cruciales. Après tout, votre objectif n'est pas de vivre le plus longtemps possible, mais de savourer chaque occasion d'être heureux, productif et satisfait. Les dernières années de la vie peuvent être synonymes de renouveau si vous explorez de nouvelles options et de nouvelles perspectives, surtout si vous avez la chance d'être en bonne santé. Vous pouvez vous retrouver libre de toute responsabilité, comme l'éducation des enfants, ou encore en accepter de nouvelles, comme prendre soin de vos parents. Ce que vous ferez de ces situations dépend entièrement de vous.

Quelles perspectives s'offrent à vous ?

Le principal facteur dans la qualité de votre vieillesse est la santé. Si vous êtes en forme à 65 ou à 70 ans, une grande diversité de choix de vie s'offrira à vous avec l'âge. Si vous êtes invalide, cela limitera vos choix pendant vos dernières années.

Vous serez peut-être surpris d'apprendre que les gènes ne comptent que pour un tiers des effets du vieillissement, le reste pouvant être attribué au mode de vie et à l'environnement. À titre d'exemple, si votre père et votre grand-père sont décédés prématurément d'une crise cardiaque, vous croyez peut-être que c'est également ce qui vous attend. Pourtant, même si vous avez une prédisposition génétique pour les maladies du cœur, l'alimentation, l'exercice, les médicaments et le fait de ne pas fumer jouent un rôle important dans le risque que vous développiez une maladie cardiaque. Cela signifie donc que vous avez un certain contrôle sur la manière dont vous vieillirez. De plus, vos émotions et votre esprit ont une grande influence.

Un compagnon de voyage

Lorsque j'ai rejoint les rangs de la police, mon travail me passionnait. Mais à 56 ans, j'en avais assez des gangs, de la drogue et de la violence. L'idée de ma mort me hantait et je ne voulais plus être une cible humaine pour ceux qui vivent en marge de la société.

Après six mois de retraite anticipée, je devenais fou tellement je m'ennuyais. J'avais pris 10 kilos et, croyez-le ou non, j'avais une callosité sur le doigt que j'utilisais pour la télécommande. Il y a quelques années, sur un coup de tête, j'avais obtenu un permis pour conduire des poids lourds. Je l'ai renouvelé et j'ai commencé à travailler comme chauffeur de camion-malaxeur. Pendant quelques mois, ce fut bénéfique ; malheureusement, c'était un emploi saisonnier. Puis j'ai vu une petite annonce dans le journal. On cherchait un conducteur pour un autocar. J'ai postulé et on m'a engagé. Je n'aurais jamais cru que ça me plairait autant.

Je conduis des retraités aux casinos, aux centres commerciaux, aux musées et à d'autres endroits touristiques. Après quelques semaines, certains visages m'étaient devenus familiers. J'ignore si c'est parce que je sais bien écouter ou parce que cela fait partie du rôle de chauffeur d'autocar, mais les gens aiment me parler d'eux.

Les passagers savent que je reste dans l'autocar, parfois plusieurs heures, pendant qu'ils vaquent à leurs activités. Ils viennent alors me

Tout s'additionne

On ne le répétera jamais assez, les habitudes acquises pendant la jeunesse et l'âge mûr vous suivront dans la vieillesse. Les années passées à fumer la cigarette, à boire trop d'alcool, à ne pas faire assez d'exercice et à trop manger produisent des dommages physiques qu'on attribue souvent à tort à l'âge. Une étude récente effectuée par des chercheurs de l'Université Stanford révèle que les gens d'âge mûr qui surveillent leur alimentation, font de l'exercice et ne fument pas vivent plus longtemps, mais sont également malades moins d'années et dépendent moins des autres à mesure qu'ils prennent de l'âge.

Est-il possible de réparer toute une vie de mauvaises habitudes? Les chercheurs croient qu'il n'est jamais trop tard pour bien faire. Prenons la cigarette comme exemple. Si vous cessez de fumer, votre risque de souffrir d'une maladie du cœur commence à diminuer presque sur-le-champ. Cinq ans plus tard, vous ne serez pas plus susceptible de souffrir d'une maladie cardiaque qu'une personne qui n'a jamais fumé. Il faudra attendre 15 ans

voir pour me parler de divorces, de faillites, de succès, d'échecs, de problèmes de santé, de leurs enfants devenus adultes qui leur donnent du souci, de tout et de rien. On rit beaucoup aussi. Plusieurs me disent que ces moments dans l'autocar sont plus amusants que les machines à sous. Et ils économisent en même temps!

Ce qu'ils ignorent, c'est que j'ai autant de plaisir qu'eux. Je suis devenu une sorte de psychiatre pour les 44 passagers. Je ne donne pas de conseils sur les sujets que je ne connais pas, je me contente d'être un port dans la tempête, une personne à qui ils peuvent parler. Je ne me suis jamais senti aussi utile.

Robert, ex-policier

Pistes de réflexion

- Trouvez un emploi, un passe-temps ou une activité de bénévolat qui vous apporte un sentiment de bien-être.
- Soyez créatif et ouvert, tentez de nouvelles expériences. Elles pourraient vous ouvrir de nouvelles portes.
- Restez en contact avec votre famille, vos amis et les associations auxquelles vous appartenez.

pour voir diminuer le risque de contracter une maladie pulmonaire. Une chose est sûre, le risque ne diminuera jamais si vous continuez à fumer.

Quant à l'activité physique, des études ont montré que même des résidants frêles dans les centres d'hébergement et de soins de longue durée qui font des exercices musculaires retrouvent une plus grande force dans les biceps. Leur santé globale ainsi que leur capacité à effectuer les activités de la vie quotidienne s'améliorent. Lorsqu'ils arrêtent ces exercices cependant, les effets bénéfiques se perdent. Il faut donc inclure des exercices de musculation et de résistance dans votre programme d'exercices.

Commencez dès maintenant

Peu importe votre âge, vous pouvez, et vous devriez, vous préparer pour la dernière période de votre vie. Si vous avez entre 40 et 60 ans, vous avez tout le temps qu'il faut pour vous préparer à la vieillesse, que ce soit en commençant un programme d'exercices, en mangeant mieux ou en améliorant vos habiletés sociales. Si vous êtes déjà à la retraite, il n'est pas trop tard pour décider comment vous allez vivre les 10, 20 ou 30 prochaines années. Vous pourriez voyager ou suivre un cours pour apprendre à vous servir d'un ordinateur, faire du bénévolat à l'école de votre quartier ou aller à l'église tous les dimanches. Votre qualité de vie ne dépend que de vous, vous êtes le capitaine de votre navire.

Dans ces pages, nous vous présentons des outils, des tactiques et des stratégies pour rendre vos années de vieillesse plus satisfaisantes, plus productives et plus inspirantes. Nous répondrons à des questions comme celles-ci :

- Qu'est-ce qui vous gardera en santé ?
- Qui peut faire une différence dans votre vie ?
- Comment pouvez-vous rester autonome ?

Nos experts renommés ont réuni les informations les plus récentes pour vous présenter une vue d'ensemble sur le vieillissement.

Ce que vous apprendrez

En résumé, nous vous présenterons des stratégies pour vous aider à vieillir en santé en abordant divers aspects de cette réalité.

Faites travailler votre esprit. Oubliez cette idée que les cellules du cerveau meurent lorsqu'on prend de l'âge. Des recherches montrent que les gens actifs et engagés sont plus susceptibles d'être stimulés mentalement et physiquement. Ils ont par le fait même une meilleure qualité de vie. Sautez sur toutes les occasions d'apprendre.

Restez actif. Si vous êtes un homme sédentaire de 80 ans, vous pouvez avoir besoin de la moitié de votre force uniquement pour prendre votre douche. Ce scénario peut être évité si vous faites de l'exercice régulièrement. En fait, l'exercice est probablement l'aspect le plus déterminant sur lequel vous avez du contrôle pour vieillir en santé. La forme physique vous permettra de mieux fonctionner au quotidien et de vivre plus longtemps et en meilleure forme, même si vous avez des problèmes de santé ou de mauvaises habitudes de vie. Il n'est pas nécessaire d'aller dans un centre de conditionnement pour être actif. Profitez de chaque occasion qui se présente. La marche, la natation et la bicyclette sont des activités qui ne sollicitent pas trop les articulations.

Mangez sainement. Nos mères avaient raison. Intégrer plus de fruits, de légumes et de céréales entières dans notre alimentation n'est pas seulement bon pour la santé, c'est une promesse de longévité. En même temps, il faut limiter les graisses saturées, le cholestérol, le sucre et le sel. Il faut également boire beaucoup d'eau si l'on veut vieillir en santé.

Éliminez les mauvaises habitudes. Vous ne pouvez pas éliminer tous les risques de votre vie, mais vous avez le contrôle sur certains facteurs néfastes. Si vous désirez vivre longtemps et en santé, évitez la consommation excessive d'alcool et de nicotine sous toutes ses formes (cigarette, fumée secondaire et tabac à mâcher).

Ayez une bonne attitude. Vous êtes le reflet de vos pensées. Tout au long de la vie, il est préférable de se concentrer sur ce qui compte et d'ignorer le reste. La capacité à encaisser les coups et le sens de l'humour sont des outils qui vous aideront constamment. Les inquiétudes inutiles grugent votre énergie et votre vitalité. En 1998, l'écrivaine Loretta LaRoche a écrit dans son livre *Relax : You May Only Have a Few Minutes Left* : « Sur son lit de mort, personne n'a jamais dit "Je n'aurais jamais dû rire autant". »

Nourrissez votre âme. Renforcez votre foi. Peu importe votre source d'inspiration, il est important de définir et de pratiquer une certaine spiritualité. Les recherches montrent que les gens qui comptent sur la prière ont plus de facilité à passer à travers les périodes plus sombres de la vie. De plus, les gens qui partagent votre foi peuvent aussi vous soutenir.

Restez en contact. Faire partie d'un réseau d'amis et être entouré des membres de sa famille constituent des facteurs prédictifs de longévité très importants. Vous vous demandez peut-être à quel point c'est important. Eh bien, en Amérique, les personnes de 75 ans et plus qui vivent seules ont un taux de mortalité plus de deux fois supérieur à celui des personnes qui ont un compagnon. Vous pouvez également garder le contact en faisant du bénévolat ou en adhérant à un groupe d'entraide. N'hésitez pas à nouer des amitiés avec des personnes plus jeunes. En amitié, les jeunes apportent leur enthousiasme et les adultes plus âgés, leur sagesse.

Planifiez. Peu importe ce que vous faites, vous allez vieillir, c'est ce qu'on souhaite à tout le moins. Toutefois, vous pouvez influencer certains aspects du processus. Réfléchissez à votre situation financière, à l'endroit où vous voudrez vivre plus tard et à ce que vous voulez laisser aux êtres qui vous sont chers. Assurez-vous d'établir ce qui est important pour vous en ce moment et ce que seront vos priorités avec l'âge. Il n'est pas nécessaire d'être riche pour être heureux, mais songez à votre budget en pensant au style de vie qui vous plaît et aux activités auxquelles vous tenez.

Bien entendu, avoir assez d'argent pour sa retraite est essentiel, mais il faut également se demander comment et avec qui nous voulons la vivre. Il faut se demander quel genre de vie nous désirons et quel genre de personne nous voulons être. Comme tout le monde le sait, on n'arrive pas subitement à la vieillesse. Cette période sera un prolongement de la vie que vous menez, des évènements qui la jalonnent et des modifications que vous y apporterez pour l'améliorer. Pendant que vous lisez ce livre et que vous réfléchissez sur les ajustements qui pourraient rehausser votre qualité de vie, rappelez-vous que vos dernières années peuvent être les plus riches de votre vie si vous le désirez. En grande partie, le choix vous appartient.

Votre corps

- Sachez comment le vieillissement influence votre corps.
- Vous pouvez bien vivre malgré le déclin physique.
- Agissez maintenant pour conserver votre santé.

Que va-t-il advenir de votre corps lorsque vous prendrez de l'âge ? Ce serait bien si votre médecin pouvait vous donner la liste de tous les changements à venir. Cependant, chaque personne réagit différemment selon ses gènes, son mode de vie, son environnement et une multitude d'autres facteurs.

Apprivoiser le changement

Personne ne peut prédire combien de temps vous vivrez, mais tous les humains partagent certains aspects du vieillissement. Comme l'a déjà exprimé le docteur Charles H. Mayo : « La seule chose qui est permanente, c'est le changement. » La chair, les os, les muscles, les nerfs et les organes ont une durée de vie limitée. Certaines parties du corps tendent à perdre de leur efficacité ou à flancher plus rapidement, alors que d'autres résistent mieux au passage des ans.

Ce chapitre décrit la manière dont certains organes et systèmes du corps changent avec le vieillissement, ainsi que certaines maladies et affections que l'on retrouve plus souvent chez les personnes âgées. Ces maladies et ces changements ne sont pas tous inévitables. Une bonne partie du déclin dont on rend l'âge responsable est dû, en fait, à l'inactivité et au mode de vie.

Ce chapitre fournit également des informations sur la façon de prévenir, de réduire au minimum ou, du moins, d'apprivoiser ces changements. La dernière section s'intitule « Préserver votre mode de vie » et présente des conseils sur la bonne forme physique, la nutrition, la sexualité et le sommeil qui vous permettront de maintenir ou d'améliorer votre qualité de vie avec les années.

Os, muscles et articulations

On pourrait penser que les os sont durs et rigides et ne subissent aucune altération, mais ils sont sans cesse renouvelés et réagissent aux demandes qu'on exerce sur eux. Les os atteignent leur masse maximale entre 25 et 35 ans. Ensuite, leur taille et leur densité diminuent légèrement avec les années. L'une des conséquences de ce rétrécissement est la possible diminution de votre taille. De plus, cette fragilisation des os les rend plus susceptibles de se fracturer.

Les problèmes liés aux os et aux articulations s'avèrent souvent chroniques et s'aggravent en général avec le temps. La plupart de ces problèmes ne menacent pas votre vie, mais ils peuvent vous obliger à modifer votre style de vie et mènent parfois à l'invalidité.

Les muscles, les tendons et les articulations perdent généralement de leur force et de leur souplesse avec l'âge. Si vous avez mené une vie active, à 60 ans vos muscles auront perdu un peu de leur force. Vous serez moins souple, vos réflexes seront plus lents et votre coordination sera moins efficace. Il vous faudra un peu plus de temps qu'auparavant pour vous rendre d'un point A à un point B.

Si vous souffrez d'une maladie qui gruge votre énergie ou d'une affection qui compromet votre mobilité, l'invalidité peut s'accentuer. L'arthrite et l'ostéoporose, par exemple, peuvent vous ralentir considérablement, surtout si vous meniez une vie plutôt sédentaire avant leur apparition.

Arthrite. Généralement, l'arthrite est causée par la détérioration d'une articulation. L'hérédité, l'alimentation, un poids excessif et de vieilles blessures peuvent contribuer à son apparition, tout comme l'usure quotidienne.

L'arthrose, qu'on appelle parfois ostéoarthrose ou arthrite chronique dégénérative, frappe à divers degrés plus de 80 % des aînés. Elle occasionne généralement de la douleur ou de la raideur, et apparaît d'abord dans la colonne vertébrale ou les grosses articulations, comme les hanches et les genoux, qui soutiennent le poids du corps. Elle peut également être présente ailleurs ; aux jointures, par exemple. Comme la réaction naturelle à la douleur dans une articulation est de la bouger le moins possible, les muscles de la région affectée travaillent moins, puis ils s'atrophient et s'affaiblissent.

La polyarthrite rhumatoïde est une maladie auto-immune, ce qui signifie que votre système immunitaire attaque votre corps. Dans la plupart des cas, la polyarthrite rhumatoïde, qui est beaucoup moins fréquente que l'arthrose, touche les articulations des mains, des pieds et des chevilles. Les articulations affectées sont enflées, douloureuses, sensibles et chaudes au cours de la crise initiale et lors des poussées qui suivent. Bien qu'elle soit souvent chronique, la polyarthrite rhumatoïde peut varier en gravité ainsi qu'aller et venir. La maladie frappe à n'importe quel âge, mais elle se développe plus souvent chez les personnes de 20 à 50 ans. Elle touche approximativement deux fois plus de femmes que d'hommes.

L'ostéoporose. L'ostéoporose est causée par la perte graduelle des minéraux dans les os, ce qui les rend plus frêles et plus susceptibles de se fracturer. Contrairement aux autres problèmes liés aux os et aux articulations, de prime abord, les personnes souffrant d'ostéoporose ne présentent aucun symptôme. Une fracture constitue souvent la première indication qu'il y a un problème. Si vous rapetissez, cela peut également être un signe.

Au Canada, environ une femme sur quatre et un homme sur huit âgés de plus de 50 ans souffrent d'ostéoporose. Cette maladie cause des milliers de fractures chaque année, généralement à la colonne vertébrale, à la hanche ou au poignet, chez environ deux fois plus de femmes que d'hommes. À l'âge de 75 ans, un tiers des hommes en souffrent.

Certaines fractures, comme celles de la hanche, peuvent limiter sévèrement l'autonomie, voire la faire perdre, ou encore causer la mort. Même si les interventions chirurgicales pour réparer ces fractures s'avèrent généralement efficaces, la convalescence est longue et des complications parfois fatales peuvent survenir. En fait, le taux de décès un an après une fracture de la hanche est de 12 % à 20 %.

À vous de jouer

Repos, analgésiques et chaleur. Le repos, les analgésiques et la chaleur réduisent généralement les douleurs articulaires et musculaires. L'acétaminophène (Tylenol) et les anti-inflammatoires non stéroïdiens (AINS), comme l'ibuprofène et le naproxène, sont souvent très efficaces. Si ces mesures d'autosoins ne suffisent pas pour calmer la douleur, parlez-en à votre médecin. Il pourra vous prescrire d'autres médicaments. Une nouvelle classe de médicaments pour soulager la douleur, appelée inhibiteurs de COX-2 est maintenant sur le marché (Celebrex, Mobicox). Des injections ou des interventions comme le remplacement d'une hanche peuvent également être de mise.

On a beaucoup parlé dans les médias de deux suppléments alimentaires, la glucosamine et le sulfate de chondroïtine, pour le traitement de l'arthrose. Jusqu'à ce que plus de données soient disponibles à ce sujet, les médecins de la Clinique Mayo considèrent que ces suppléments peuvent être utiles à ceux qui présentent des symptômes aigus. Comme pour n'importe quel médicament, il est préférable d'en parler à votre médecin avant de prendre ce type de suppléments.

Faites de l'exercice régulièrement. L'activité physique est l'une des meilleures armes contre l'ostéoporose et la perte de mobilité causée par l'arthrite. Si vous êtes en forme avant un accident ou une maladie, vous vous en remettrez plus rapidement. Toutes les activités que vous faites debout alors que vos os supportent votre poids et tous les exercices pour développer votre force protègent et renforcent vos os. L'aquaforme, entre autres, protège bien les articulations. (Voir « Exercices », page 43.)

Maintenez un poids santé. Si vous perdez votre excès de poids, les tensions dans vos articulations diminueront.

Envisagez l'hormonothérapie. Si vous êtes une femme, parlez à votre médecin de l'hormonothérapie substitutive pour prévenir ou traiter l'ostéoporose. L'œstrogène, une substance présente en hormonothérapie, ralentit la perte de calcium, restaure les os et réduit le risque de fracture de la colonne vertébrale et de la hanche d'au moins 50 %. C'est au cours des six à huit premières années après la ménopause qu'elle est le plus efficace. Si vous souffrez déjà d'ostéoporose, l'hormonothérapie peut tout de même faire augmenter votre densité osseuse. Si vous ne pouvez pas ou ne voulez pas prendre d'œstrogène, d'autres médicaments sur ordonnance peuvent réduire la perte osseuse et augmenter la densité des os.

Consommez suffisamment de calcium et de vitamine D. Le calcium et la vitamine D sont des nutriments essentiels pour le développement et le maintien de la masse osseuse. Les produits laitiers, tels que le lait, le yogourt et le fromage, contiennent beaucoup de calcium. Le foie, le poisson et les jaunes d'œufs sont riches en vitamine D. Une exposition de 15 minutes au soleil, au moins trois fois par semaine, favorise la production de vitamine D dans le corps.

Ne fumez pas. Le tabagisme nuit à l'absorption du calcium et réduit la quantité d'œstrogène secrété par le corps. L'œstrogène vous protège de la perte osseuse.

Consommez de l'alcool avec modération. Une consommation excessive d'alcool peut ralentir la formation des os et réduire la capacité du corps à absorber le calcium (voir page 33).

Cerveau et système nerveux

Votre cerveau a besoin d'un approvisionnement constant en oxygène et en nutriments, qui sont acheminés par le sang à travers un réseau d'artères importantes. L'un des changements majeurs liés à l'âge qui affecte votre cerveau survient dans ces artères. Avec les années, des dépôts de gras s'accumulent parfois sur les parois des artères (athérosclérose). Ces dépôts peuvent rétrécir le passage à l'intérieur des vaisseaux sanguins et ainsi faire augmenter le risque d'accident vasculaire cérébral.

Accident vasculaire cérébral. La plupart des accidents vasculaires cérébraux surviennent lorsqu'un caillot dans une artère empêche le sang de se rendre au cerveau. Si l'artère reste bloquée plus de quelques minutes, les cellules du cerveau dans la région affectée peuvent être détruites.

Au Canada, les accidents vasculaires cérébraux figurent au quatrième rang des causes de décès. Les personnes qui ont déjà eu un accident vasculaire cérébral ou qui ont fait l'expérience de symptômes légers d'accident vasculaire cérébral qui ont disparu dans les 24 heures (ce qu'on appelle un accident ischémique transitoire ou AIT) présentent plus de risque d'accident vasculaire cérébral. Parmi les autres facteurs de risque, on retrouve l'hypertension artérielle, les maladies du cœur, le diabète, le tabagisme ainsi qu'une alimentation riche en cholestérol et en graisses saturées. En général, les hommes, les personnes d'origine africaine, les gens de 55 ans et plus et ceux qui ont des antécédents familiaux d'accident vasculaire cérébral sont également plus à risque.

À vous de jouer

Sachez quels sont les signes avant-coureurs d'un accident vasculaire cérébral. Appelez immédiatement les services médicaux d'urgence si vous ressentez n'importe lequel de ces symptômes :

- engourdissement, faiblesse ou paralysie soudaine du visage, d'un bras ou d'une jambe — généralement d'un seul côté du corps ;
- perte de la parole ou difficulté à parler ou à comprendre ce qu'on dit ;
- vision brouillée ou diminuée, généralement d'un seul côté ;
- étourdissement, perte d'équilibre ou de coordination ;
- mal de tête soudain sans cause apparente.

Faites examiner votre sang et votre pression artérielle. Vous pouvez souffrir d'hypertension artérielle sans le savoir. Si votre taux de lipides sanguins est élevé, votre médecin vous recommandera d'apporter des changements à votre mode de vie et pourra vous prescrire des médicaments.

Cessez de fumer. Les fumeurs courent deux fois plus de risques d'avoir un accident vasculaire cérébral que les non-fumeurs.

Diminuez le gras et le sel. La diminution de la consommation de gras et de sel réduit le risque d'hypercholestérolémie, d'hypertension artérielle et d'obésité.

Restez actif. L'exercice renforce le cœur, améliore la circulation sanguine et diminue la pression artérielle et le taux de cholestérol. Consultez votre médecin avant de commencer un nouveau programme d'exercices. (Voir « Exercice », page 43.)

Si vous buvez de l'alcool, faites-le avec modération. Si vous consommez plus d'un ou deux verres par jour, votre pression artérielle peut augmenter (voir page 33).

Démence et maladie de Parkinson

À votre naissance, des milliards de cellules peuplaient votre cerveau. Avec l'âge, certaines de ces cellules meurent ou ne fonctionnent plus correctement. Graduellement, votre corps produit moins de certaines substances chimiques dont les cellules du cerveau ont besoin pour fonctionner. Dans la plupart des cas, vous ne remarquerez pas de changement, car les cellules avoisinantes compensent généralement cette perte. Cependant, si une détérioration progressive survient dans une partie spécifique du système nerveux, vous perdrez un peu de vos capacités. Ces pertes peuvent compromettre la coordination, les aptitudes intellectuelles, le mouvement et le contrôle des muscles. Parmi les maladies du cerveau, on retrouve la démence et la maladie de Parkinson.

Démence. La démence est un déclin progressif des aptitudes intellectuelles et sociales qui affectent la vie d'une personne au quotidien. La maladie d'Alzheimer est la forme la plus courante de démence. Le chapitre 3 présente plus d'informations sur la maladie d'Alzheimer, les pertes de mémoire et les changements mentaux liés à l'âge.

Maladie de Parkinson. La maladie de Parkinson survient généralement chez les gens de plus de 50 ans. Les tremblements sont le signe distinctif de cette maladie. Les tremblements peuvent vous perturber au point où il vous sera impossible de tenir une fourchette avec assez d'assurance pour manger ou de tenir un journal avec assez de stabilité pour le lire. Avec le temps, les problèmes d'équilibre et la rigidité musculaire peuvent vous handicaper tout autant.

On ignore ce qui cause la maladie de Parkinson. Les chercheurs savent que la maladie apparaît lorsque des cellules nerveuses, qu'on appelle neurones, meurent ou se dégradent. Lorsqu'ils sont affectés, ces neurones n'arrivent plus à produire de dopamine, une substance chimique indispensable pour que le corps assure une activité musculaire volontaire avec souplesse.

À vous de jouer

Il existe une grande diversité de médicaments pour traiter la maladie de Parkinson et ralentir sa progression. Le défi est de trouver un médicament qui soulage les symptômes avec un minimum d'effets secondaires. À un stade avancé, il faut habituellement recourir à un traitement médical ou chirurgical. Vous pouvez toutefois améliorer votre mobilité, votre équilibre et votre coordination en faisant des étirements musculaires et de la physiothérapie. (Voir « Exercice », page 43.) Des données préliminaires indiquent que les buveurs de café pourraient être moins susceptibles de contracter cette maladie. Des percées encourageantes dans la recherche suscitent de l'espoir.

Diabète

Le diabète sucré est une maladie chronique qui affecte la façon dont votre corps utilise les aliments digérés comme source d'énergie et de croissance, ce qui entraîne un taux anormalement élevé de glucose dans le sang. Le diabète de type 2, qu'on appelle parfois diabète de la maturité, se développe généralement après 40 ans. Vous risquez davantage d'en souffrir si vous êtes sédentaire, si vous avez un excès de poids ou si un membre de votre famille en souffre.

Si vous souffrez de diabète, votre corps ne produit pas ou n'utilise pas correctement l'insuline, une hormone qui permet aux tissus de tirer parti adéquatement du sucre dans le sang (glucose). S'il n'est pas traité, le diabète peut entraîner des complications parfois mortelles. Les maladies cardiovasculaires sont les plus graves, puisque le diabète augmente le risque de crise cardiaque, d'accident vasculaire cérébral, d'hypertension artérielle et de problèmes circulatoires qui peuvent mener à l'amputation des orteils ou même des membres. Une insuffisance rénale, des lésions aux nerfs et la cécité constituent d'autres complications possibles.

Attention, vieille branche !

Au milieu de la cinquantaine, j'ai commencé à me sentir fatigué physiquement. Mais je travaillais toujours malgré la fatigue et les heures interminables.

J'étais le négociateur du syndicat de l'usine de pneus où mon père a travaillé pendant 40 ans. Lorsqu'il est arrivé de Sicile, il ne bredouillait que deux ou trois mots de français. J'ai du bagou et je ne suis pas né de la dernière pluie. Je m'entendais bien avec les gars à l'usine. Certains m'appelaient le « baratineur », je le prenais comme un compliment puisque c'est ainsi qu'ils l'entendaient. C'est pour ça que je me suis retrouvé représentant syndical alors que je n'avais que 31 ans.

Au fil des ans, j'ai conclu à l'arraché de bonnes conventions collectives avec la direction. Nous avons gagné sur des points importants, comme les prestations de maladie et les indemnités de fin d'emploi. Je me souviens particulièrement d'une période de deux mois au cours de laquelle les négociations ardues et houleuses duraient de 10 à 12 heures par jour.

Certains soirs, je prenais le train de nuit pour me rendre à Montréal faire une partie de bras de fer avec les cravatés et les petits comptables de la compagnie. J'étais doué pour ça et tout le monde le savait. Même si le poids des ans se faisait sentir, je continuais parce que j'étais la voix de tant de braves personnes. Je n'aurais jamais cru qu'un accident stupide et sans aucun rapport avec mon travail allait me mettre hors-jeu.

Une grosse branche de notre chêne blanc de 80 ans frottait sur le mur de la maison. Lorsqu'il ventait, la branche frottait sur le volet de la fenêtre de notre chambre, ce qui agaçait ma femme au plus haut point. Ça durait depuis an. Ne me demandez pas pourquoi j'ai décidé de m'en occuper par un samedi venteux de début novembre. Sous la bruine, il faisait cinq degrés ce jour-là ! Je l'ai probablement vu comme une simple tâche que j'allais enfin pouvoir rayer de la liste des choses à faire. De toute façon, j'étais blindé. C'est ce que je croyais. Je suis dans l'échelle d'aluminium, les branches oscillent dans le vent. J'ai une scie à chaîne dans la main droite et la branche à ma gauche… Un peu trop à gauche, en fait. Une petite voix dans ma tête me dit : « Imbécile, descends de l'échelle et rapproche-la ! » Mais j'ai froid et je veux faire vite. J'amène la scie vers la branche, mon pied glisse et la suite se déroule au ralenti alors que je tombe de la hauteur du toit.

J'ai eu assez de présence d'esprit pour lancer la scie aussi loin que possible. J'ai senti une douleur fulgurante dans mon bras droit et c'est avec horreur que j'ai découvert qu'il était plié à un angle de 45 degrés. La jambe droite de mon pantalon flottait dans une mare de sang. Je ne me suis pas coupé avec la scie. Non, je suis tombé sur le trottoir de ciment plutôt que sur le gazon et un vaisseau sanguin dans ma jambe a éclaté. Mon bras était cassé à deux endroits.

Lorsque ma femme est revenue du magasin, j'étais sur le sol et je pâlissais à vue d'œil. Les ambulanciers sont arrivés 10 minutes après et m'ont emmené à l'hôpital. Six semaines et deux opérations plus tard, je revenais chez moi. Grâce à quatre semaines de réadaptation, j'ai retrouvé l'usage de mes jambes… Si on veut ! J'utilise une canne et j'en aurai probablement besoin le reste de ma vie. Mon bras me fait souvent mal sans que je sache pourquoi. Au moins, j'ai repris quelques kilos. Quelle malchance ! Ce n'est pas du tout comme ça que j'imaginais ma retraite.

Antoine, délégué syndical à la retraite

Pistes de réflexion

- La plupart des accidents peuvent être évités si on ne prend pas de risques inutiles.

- Avant de commencer un projet, demandez-vous ce qui peut mal tourner et quelle est la façon la plus prudente de procéder.

- Ne vous prenez pas pour un super-héros ou une super-héroïne, reconnaissez vos limites.

À vous de jouer

Sachez reconnaître les signes avant-coureurs du diabète. Ces signes apparaissent parfois progressivement, ce sont une soif excessive, un fréquent besoin d'uriner, une perte de poids inexpliqué, une vision embrouillée, des infections à la vessie, des infections vaginales à levures et des infections cutanées récurrentes, de l'irritabilité, ainsi que des picotements ou des pertes de sensations dans les mains ou les pieds.

Une alimentation équilibrée, le maintien d'un poids santé et l'activité physique peuvent prévenir l'apparition du diabète de type 2 et vous aider à vivre avec la maladie si vous en souffrez. Pour conserver un taux normal de glucose dans le sang, mesurez votre glycémie et prenez tous les médicaments prescrits par votre médecin. (Voir « Exercice », page 43, et «Alimentation», page 47.)

Système digestif

La plupart des changements qui surviennent dans le système digestif sont si subtils qu'il se peut que vous ne les remarquiez pas. La déglutition et les mouvements spontanés qui font circuler les aliments digérés dans les intestins ralentissent. La superficie de la surface interne des intestins diminue légèrement. La circulation des sécrétions de l'estomac, du foie, du pancréas et de l'intestin grêle peut ralentir. En général, ces changements ne perturbent pas la digestion.

Indigestion et brûlures d'estomac. Le terme «indigestion» est un mot vague qui décrit divers malaises à l'abdomen, la nausée et une sensation de gonflement ou de trop-plein que l'on peut ressentir après un repas. Le reflux gastro-œsophagien ou RGO constitue une forme classique de brûlure d'estomac. La sensation de brûlure survient lorsque l'acide gastrique remonte dans l'œsophage. Un goût aigre et la sensation que les aliments remontent peuvent accompagner ces brûlures derrière le sternum. L'excès de poids, le tabagisme, le fait de trop manger et certains médicaments, aliments ou boissons peuvent contribuer aux brûlures d'estomac.

Excès de gaz intestinaux. Le gros intestin produit la plupart des gaz intestinaux. Tout le monde a des gaz (flatulence), mais certaines personnes en produisent en excès, ce qui les perturbe pendant la journée. Certains adultes plus âgés éprouvent de la difficulté à digérer les produits laitiers, ils font une intolérance au lactose.

Constipation. Ce problème fréquent est souvent mal compris et traité de manière inappropriée. La constipation signifie que des selles dures sont évacuées moins de trois fois par semaine. De plus, l'évacuation des selles peut être difficile et douloureuse. Plusieurs facteurs, dont une mauvaise alimentation, des changements dans l'alimentation, la déshydratation, les médicaments, l'inactivité ou une maladie, peuvent entraîner la constipation. Parfois, la constipation signale une maladie sous-jacente, comme le cancer du côlon ou une maladie thyroïdienne.

À vous de jouer

Pour prévenir les brûlures d'estomac, maigrissez si vous avez un excédent de poids. Prenez de petits repas fréquemment et arrêtez de manger deux à trois heures avant de vous étendre ou d'aller au lit. Vous pouvez également monter la tête de votre lit de 10 à 15 centimètres.

Évitez les aliments et les boissons qui causent les brûlures, comme les aliments gras, l'alcool, les boissons gazéifiées ou contenant de la caféine, le café décaféiné, la menthe poivrée, la menthe verte, l'ail, l'oignon, la cannelle, le chocolat, les agrumes et les boissons d'agrumes ainsi que les produits de la tomate. Évitez la nicotine sous toutes ses formes.

Les antiacides en vente libre peuvent vous soulager, mais évitez d'en prendre pendant une période prolongée, car ils causent parfois de la diarrhée ou de la constipation. Lorsqu'on les prend avant de manger, les antiacides gastriques comme Pepcid et Zantac peuvent aussi soulager les brûlures. Ils sont disponibles en vente libre et sur ordonnance.

Pour des cas plus graves de reflux, deux nouvelles interventions non chirurgicales existent pour resserrer la valve qui empêche l'acide gastrique de sortir dans l'estomac. (Voir « Interventions non chirurgicales pour soulager les brûlures d'estomac », page 26.)

Pour réduire les excès de flatulence, identifiez les aliments qui vous perturbent le plus. Si ce sont des produits laitiers, essayez la lactase en comprimés ou en gouttes (Lactaid). Un recours occasionnel à des antiflatulents en vente libre contenant de la siméthicone (Mylanta) ou encore à des comprimés de charbon activé peut vous aider.

Pour diminuer le risque de constipation, mangez beaucoup d'aliments riches en fibres tels que des fruits et des légumes frais ainsi que des céréales et des pains à grains entiers. Buvez de 8 à 10 verres d'eau ou d'une autre boisson non alcoolisée par jour. Faites plus d'activité physique. Lorsque vous sentez le besoin d'aller à la selle, n'attendez pas. Évitez les laxatifs commerciaux ; avec le temps, ils peuvent aggraver la constipation. Prenez des suppléments de fibres comme le Metamucil.

Cancer colorectal. Le cancer colorectal occupe le troisième rang des cancers les plus fréquents au Canada. Environ 90 % des gens chez qui apparaît ce cancer ont plus de 50 ans. La plupart des cancers du côlon

Interventions non chirurgicales pour soulager les brûlures d'estomac

Lorsque les changements au mode de vie et les médicaments n'apportent pas un soulagement suffisant aux brûlures d'estomac, des interventions non chirurgicales innovatrices, la suture endoscopique et la radiofréquence, peuvent empêcher le reflux d'acide gastrique dans l'œsophage.

Pour la suture endoscopique, le médecin insère un endoscope (un long tube) dans la bouche et la gorge jusqu'aux muscles affaiblis de l'œsophage. Un outil spécial permet au médecin de faire deux points de suture à deux endroits de l'œsophage. Lorsqu'ils sont bien en place, ces points de suture forment une barrière qui empêche l'acide gastrique de pénétrer dans l'œsophage.

La technique de Stretta emploie l'énergie des fréquences radio au moyen d'une sonde pour réchauffer et faire fondre les tissus de la valve affaiblie à la jonction de l'estomac et de l'œsophage. Le tissu cicatriciel qui se forme semble renforcer la valve.

Ces deux interventions durent environ une heure et peuvent généralement être pratiquées en consultation externe. Leurs effets à long terme ne sont pas connus.

semblent se développer à partir de certains types de polypes (excroissances) dans le gros intestin. Les polypes sont assez fréquents, mais la plupart sont bénins (non cancéreux).

À vous de jouer

Le cancer du côlon se développe très lentement. Il peut être présent dans votre corps pendant des années avant que vous ne remarquiez des symptômes. Cependant, un dépistage précoce peut sauver des vies. C'est pourquoi le Groupe d'étude canadien sur les soins de santé préventifs recommande un dépistage du cancer colorectal à partir de 50 ans une fois par an ou par deux ans. Si vous avez des antécédents familiaux de cancer du côlon ou de polypes, votre médecin peut vous recommander de commencer ces tests annuels plus tôt.

Oreilles

Perte auditive. Même si certaines personnes conservent une ouïe parfaite toute leur vie, la plupart des gens perdent graduellement leur sensibilité auditive à partir de la vingtaine. Le tiers des Canadiennes et Canadiens de plus de 65 ans présentent une perte auditive. Les pertes auditives liées au vieillissement affectent d'abord la capacité à entendre les hautes fréquences. Généralement, à partir de 65 ans, les basses fréquences sont aussi difficiles à entendre. Certaines personnes auront de la difficulté à suivre une conversation dans une pièce bondée ou un restaurant achalandé.

Des changements dans l'oreille interne ou aux nerfs qui y sont reliés, un excédent de cérumen ou des lésions causées par une exposition au bruit ou par diverses maladies peuvent affecter votre ouïe. Si la perte auditive est importante, elle peut menacer votre sécurité ou perturber votre vie sociale.

À vous de jouer

Si un membre de votre famille ou vous-même croyez que vous avez une perte auditive, consultez un médecin. Certaines pertes auditives peuvent être rétablies par un traitement médical ou chirurgical, en particulier si le problème se situe dans l'oreille moyenne ou dans l'oreille externe.

Les prothèses auditives n'aident pas tous ceux qui présentent des pertes auditives, mais peuvent améliorer l'audition chez plusieurs. Ces appareils fonctionnent en amplifiant les sons qu'ils captent. L'inconvénient, c'est qu'ils amplifient toutes les fréquences, y compris les bruits indésirables. Les nouvelles prothèses auditives numériques réduisent ces bruits de fond et permettent de mieux régler le son. Cependant, aucune prothèse auditive ne peut éliminer tout le bruit de fond. Il existe également des prothèses auditives jetables, dont l'entretien est plus facile.

Voici quelques conseils si vous envisagez l'achat d'une prothèse auditive. Passez d'abord un examen médical et un test d'audition pour écarter les causes de perte auditive auxquelles on peut remédier. Procurez-vous la prothèse chez un distributeur de confiance et méfiez-vous de la publicité mensongère. Évitez les distributeurs qui offrent des consultations « gratuites » ou qui ne vendent qu'une marque d'appareil. Assurez-vous que la prothèse auditive est assortie d'une période d'essai de 30 à 60 jours et que vous pouvez la retourner sans frais. Les appareils devraient aussi faire l'objet d'une garantie d'un ou deux ans sur les pièces et la main-d'œuvre.

Étourdissements. Ce mot englobe une grande diversité de phénomènes, comme la sensation d'avoir la tête qui tourne, d'être sur le point de s'évanouir, d'avoir les jambes molles, d'être envahi par une grande faiblesse. Bien que la plupart des causes d'étourdissements soient bénignes, les chutes qu'ils peuvent entraîner provoquent parfois des fractures ou des traumatismes crâniens.

Vous pouvez vous sentir faible lorsque vous vous relevez trop rapidement parce que votre pression artérielle chute d'un coup. Vous pouvez éprouver la même sensation après une quinte de toux si vous êtes déshydraté ou si vous avez des problèmes cardiaques ou de circulation. Les troubles anxieux, les médicaments et l'hyperventilation (respiration trop rapide) peuvent également vous donner l'impression d'avoir la tête qui tourne.

La sensation que tout tourne autour de soi, ce qu'on appelle vertige, provient généralement d'un problème touchant les nerfs et les structures de l'oreille interne, l'organe sensible aux mouvements du corps et de la tête dans l'espace. De plus, des virus, l'alcool et la caféine peuvent causer des vertiges.

Les pertes d'équilibre ou la sensation d'avoir les jambes molles lorsque vous marchez peuvent avoir diverses causes : des anomalies à l'oreille interne, une vision déficiente, des lésions aux nerfs, l'arthrite, une faiblesse musculaire, un déconditionnement général et les médicaments (en particulier les anticonvulsivants, les sédatifs et les tranquillisants).

À vous de jouer

Si vous vous sentez défaillir, assoyez-vous et penchez-vous pour placer la tête entre les genoux, ou encore allongez-vous en élevant un peu vos jambes. Changez de position lentement lorsque vous vous levez ou que vous vous redressez pour prévenir une chute rapide de la pression artérielle. Buvez beaucoup pour éviter d'être déshydraté et pour favoriser la circulation sanguine. Si vous pratiquez une activité physique et qu'il fait chaud et humide, habillez-vous de manière à ne pas souffrir de la chaleur. Faites des pauses au cours de l'activité. Évitez de conduire ou d'utiliser les escaliers lorsque vous avez des étourdissements. L'alcool et le tabac sont également à éviter.

Si les étourdissements deviennent chroniques, parlez-en à votre médecin. La plupart des causes d'étourdissements ne sont pas alarmantes, mais le médecin vérifiera votre médication et pourra effectuer quelques tests pour mettre le doigt sur le problème.

Yeux

Une bonne vue est cruciale pour maintenir votre autonomie, c'est pourquoi il faut prendre soin de vos yeux. Comme le reste du corps, les yeux changent avec le temps. Ils deviennent moins élastiques et ont plus de mal à faire la mise au point sur des objets rapprochés. Si vous ne portez pas de lunettes après 65 ans, vous faites partie des cas exceptionnels. Les pertes de vision augmentent avec l'âge. Plus du quart des aînés de plus de 85 ans présentent une perte visuelle importante.

Cataractes. Les cataractes surviennent lorsque le cristallin à l'intérieur de l'œil devient trouble ou déformé. Environ la moitié des Canadiens âgés de 65 à 75 ans en souffrent à des degrés divers. Les cataractes entraînent parfois une vision embrouillée ou double, et rendent généralement la conduite de nuit difficile.

Glaucome. Le glaucome est causé par l'accumulation de liquide à l'intérieur du globe oculaire, ce qui provoque une augmentation de la pression. Cette maladie rétrécit le champ de vision et peut entraîner la cécité si elle n'est pas diagnostiquée et traitée adéquatement. La plupart des gens qui en souffrent ne présentent pas de symptômes, mais certains ressentiront de la douleur, auront les yeux rouges ou verront des halos colorés autour des sources de lumière. Environ 3 % des gens de plus de 65 ans souffrent de glaucome.

Dégénérescence maculaire. La dégénérescence maculaire est la principale cause de perte visuelle au Canada. Cette maladie entraîne la perte de la vision centrale, mais la vision périphérique (sur les côtés) n'est pas affectée. Parmi les symptômes, on note une vision grise et floue ainsi qu'un point central où l'on ne voit plus rien.

À vous de jouer

Même si vous ne souffrez d'aucun problème de vision, avec l'âge vous aurez besoin de plus de lumière pour voir. Servez-vous d'une lampe à bras articulé pour éclairer directement ce que vous êtes en train de lire ou de faire. Une grande diversité de lunettes bifocales, trifocales et à prescription élevée permettent de mieux voir. Des instruments grossissants existent en divers styles, certains se tiennent à la main, d'autres se portent avec une chaîne autour du cou alors que certains modèles sont autoporteurs.

Divers appareils et documents en gros caractères sont maintenant disponibles tels que des serrures, des téléphones, des cartes et des livres. Si vous désirez des renseignements à ce sujet, adressez-vous à l'Institut national canadien pour les aveugles : www.cnib.ca/frn/.

Vivre avec des cataractes, cela signifie être en mesure de déterminer quand le moment est venu de ne plus vivre avec ce problème. Habituellement, cela se produit lorsque votre style de vie est perturbé à cause de votre vue. Si vos cataractes vous font échouer à l'examen de la vue nécessaire au renouvellement de votre permis de conduire, c'est peut-être le moment de penser à vous faire opérer. Heureusement, de nos jours, les chirurgies pour guérir les cataractes figurent parmi les opérations où il y a le plus de succès.

Les examens de la vue de routine et le dépistage précoce constituent la meilleure défense contre le glaucome et la dégénérescence maculaire. Le traitement précoce, sous forme de médication ou d'intervention chirurgicale, peut prévenir des pertes visuelles importantes dans le cas du glaucome.

Aucun traitement ne peut guérir les lésions occasionnées par la dégénérescence maculaire. Une alimentation équilibrée comprenant beaucoup de légumes à feuilles vertes, le port de lunettes de soleil pour bloquer les rayons ultraviolets nuisibles et le fait de ne pas fumer peuvent diminuer le risque que vous souffriez de cette maladie. Vous pouvez vérifier si vous présentez des signes de dégénérescence maculaire en vous servant de la grille d'Amsler (voir l'encadré).

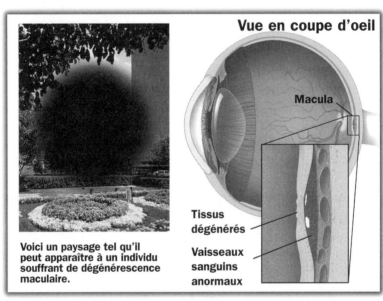

Vue en coupe d'oeil

Macula

Tissus dégénérés

Vaisseaux sanguins anormaux

Voici un paysage tel qu'il peut apparaître à un individu souffrant de dégénérescence maculaire.

La dégénérescence maculaire est une détérioration de la macula, la petite partie centrale de la rétine. Elle est parfois causée par l'expansion anormale de vaisseaux sanguins sous la macula.

La grille d'Amsler est l'un des tests dont on se sert pour le dépistage précoce de la dégénérescence maculaire. Pour l'utiliser, tenez la grille à 30 ou 35 centimètres de vos yeux dans une pièce bien éclairée. Couvrez un œil (gardez vos lunettes de lecture). Regardez directement le point au centre. Vérifiez si toutes les lignes sont droites ou si certaines régions sont ondulées, floues ou sombres. Faites la même chose avec l'autre œil. Si certaines régions sont ondulées, floues ou sombres, prenez rendez-vous avec un ophtalmologiste.

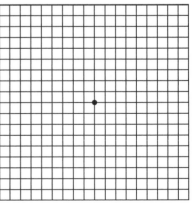

Cheveux et poils

Les cheveux changent avec le vieillissement, mais les différences entre les individus restent importantes. En moyenne, la moitié d'entre nous aura 50 % de cheveux gris à 50 ans. Le grisonnement apparaît graduellement aux tempes puis s'étend vers le sommet du crâne. Ces cheveux gris ont souvent une texture différente. Les poils des aisselles et du pubis peuvent ne pas grisonner.

Un certain amincissement de la chevelure survient généralement chez les hommes et les femmes. Les hommes perdent plus leurs cheveux et présentent une calvitie plus souvent que les femmes. Environ 60 % des hommes ont perdu des cheveux ou ont vu leurs cheveux s'amincir à 50 ans. La calvitie masculine se manifeste habituellement par la ligne de naissance des cheveux qui remonte ainsi que par une perte de cheveux sur le dessus de la tête. L'âge, les fluctuations hormonales et l'hérédité font que certaines personnes perdent plus de cheveux que d'autres.

Un petit nombre de femmes souffrent de calvitie lorsqu'elles prennent de l'âge. Les femmes ont très rarement des plaques chauves. La séparation des cheveux peut s'élargir ou la chevelure paraître moins abondante. Avec les changements hormonaux qui surviennent après la ménopause, il arrive que des poils faciaux apparaissent ou deviennent plus fournis.

À vous de jouer

Si la perte de vos cheveux vous perturbe, plusieurs options de traitement s'offrent à vous. Certains médicaments stimulent la pousse des cheveux. Des follicules pileux provenant de votre tête peuvent être greffés sur les plaques chauves. Les postiches et les perruques constituent d'autres solutions. Si les poils faciaux vous importunent, vous pouvez les décolorer ou les épiler à la cire, à l'électrolyse, à la pince ou avec une lotion épilatoire. L'épilation ne stimule pas la repousse.

Cœur et vaisseaux sanguins

Même en l'absence de maladie, votre cœur et vos vaisseaux sanguins se modifient avec l'âge. Le muscle du cœur devient moins élastique et remplit moins efficacement sa fonction de pompe ; il doit travailler plus fort pour arriver au même résultat. Il peut y avoir une légère réduction de la taille et du poids du cœur. Certaines cellules régulatrices du rythme cardiaque meurent aussi parfois.

Ces changements dans le système cardiovasculaire surviennent graduellement, ils n'apparaissent pas du jour au lendemain. Malgré tout, votre cœur devrait être assez fort pour assurer les besoins normaux de l'organisme. Cependant, il aura moins de force en réserve pour surmonter les blessures ou répondre aux demandes subites exercées par le stress ou la maladie.

Maladie coronarienne. Les vaisseaux sanguins deviennent également moins élastiques avec le vieillissement. L'accumulation de dépôts de gras sur les parois des artères, soit la maladie coronarienne (athérosclérose), entraîne le rétrécissement des parois internes des vaisseaux. Une mauvaise alimentation, l'hérédité, l'inactivité, l'hypertension artérielle et le tabagisme peuvent accélérer ce processus.

Angine de poitrine et crise cardiaque. Le rétrécissement des artères prive le cœur d'oxygène et peut entraîner des douleurs, c'est ce qu'on appelle l'angine de poitrine. Ce terme inclut les douleurs ou la pression ressenties dans la poitrine, le cou, la mâchoire ou le bras. Si l'apport en oxygène au cœur est restreint pendant plus de deux ou trois heures, certains tissus du muscle cardiaque peuvent mourir par manque de sang. C'est ce qui survient lors d'un infarctus du myocarde, c'est-à-dire une crise cardiaque. (Voir «Signes avant-coureurs d'une crise cardiaque», page 35.)

Insuffisance cardiaque. Certaines personnes peuvent ignorer qu'elles souffrent d'un problème cardiaque jusqu'à ce qu'elles présentent les symptômes de l'insuffisance cardiaque : une fatigue extrême à l'effort et des difficultés respiratoires, surtout lorsqu'elles sont allongées. L'insuffisance cardiaque survient lorsque le cœur est affaibli de manière chronique et qu'il ne peut plus pomper assez de sang pour répondre aux besoins du corps. Cette maladie est souvent accompagnée de la maladie coronarienne à un stade avancé.

Hypertension artérielle. Lorsque vos vaisseaux sanguins perdent de leur élasticité et que vous souffrez de maladie coronarienne, votre cœur doit travailler plus fort pour pomper le sang à travers le réseau de vaisseaux sanguins devenus plus rigides. Cet état peut provoquer l'hypertension artérielle (haute pression), qui rend la tâche encore plus difficile à votre cœur. L'hypertension artérielle prolongée peut endommager les vaisseaux sanguins, les reins, le cœur ou le cerveau, et peut également causer la mort. Malheureusement, c'est une maladie associée à peu de signes ou de symptômes visibles.

À vous de jouer

Les maladies cardiaques et l'hypertension artérielle ne sont pas nécessairement mortelles. Il existe des mesures pour prévenir ces maladies et bien vivre malgré leur présence.

Identifiez vos facteurs de risque. Un taux de cholestérol trop élevé, le diabète, le tabagisme, l'obésité, l'inactivité et les antécédents familiaux font augmenter le risque de maladie cardiaque et d'hypertension artérielle. À partir de 65 ans, le risque est presque aussi élevé chez les femmes que chez les hommes. Les Canadiens d'origine africaine présentent un risque plus élevé que les Canadiens d'origine européenne, hispanique ou asiatique.

Faites de l'exercice. La pratique d'activités aérobiques avec régularité et vigueur (bicyclette, natation, marche, course à pied) réduit le taux de mauvais cholestérol ou de cholestérol LDL (lipoprotéine de basse densité) et fait augmenter le taux de bon cholestérol ou cholestérol HDL (lipoprotéine de haute densité). Cela augmente la capacité du cœur à pomper le sang et à contrôler votre pression artérielle. Cela réduit aussi le risque de souffrir d'athérosclérose. (Voir « Exercice », page 43.)

Cessez de fumer. Le tabagisme augmente la pression artérielle et double le risque de maladie cardiaque.

Maintenez un poids santé. La perte de votre surplus de poids peut réduire le risque de crise cardiaque et d'hypertension artérielle.

Diminuez votre consommation de sel. Le sodium présent dans le sel et les aliments salés entraîne la rétention de liquide dans le corps, ce qui peut accentuer la pression artérielle. Essayez de limiter votre consommation de sodium à 2,4 milligrammes par jour, soit l'équivalent d'une cuillère à thé de sel de table.

Mangez sainement. Pour manger sainement, il faut réduire la consommation de gras et de cholestérol, et manger plus de fruits et de légumes. Choisissez des aliments riches en acide folique, comme les légumes à feuilles vertes, les agrumes, les légumineuses, les arachides et les céréales.

Limitez votre consommation d'alcool. Il a été démontré que la consommation quotidienne d'une petite quantité d'alcool réduit le risque de crise cardiaque. Les experts recommandent que les femmes ne dépassent pas un verre par jour et les hommes, deux verres.

Prenez vos médicaments. Une grande diversité de médicaments préviennent et contrôlent les maladies cardiaques et l'hypertension artérielle. La prise d'une simple aspirine chaque jour fait diminuer le risque de crise cardiaque, mais consultez votre médecin pour déterminer si ce traitement vous convient. Si les médicaments ne suffisent pas dans les cas de maladie coronarienne, le médecin peut suggérer une intervention chirurgicale de revascularisation, telle qu'un pontage ou une angioplastie, pour augmenter l'apport sanguin à votre cœur.

Reins, vessie et tractus urinaire

Les reins. Chaque jour, vos reins éliminent le liquide en surplus et les déchets du sang. Ils sécrètent également des hormones importantes en plus de réguler la quantité de certaines substances chimiques dans le corps.

La fonction rénale décline avec l'âge. À environ 40 ans, on commence à perdre certaines unités de filtration importantes dans les reins, qu'on appelle néphrons. Ce déclin graduel des reins peut poser problème si vous prenez des médicaments ou si vous souffrez d'une maladie chronique comme l'hypertension artérielle ou le diabète.

L'insuffisance rénale est un affaiblissement grave ou un arrêt complet de la fonction rénale. Elle est en progression, parce que les gens vivent plus longtemps avec des maladies chroniques qui peuvent endommager les reins. Ces lésions sont irréversibles.

À vous de jouer

Pour préserver la fonction rénale, il faut détecter aussitôt que possible les maladies ou les affections qui peuvent endommager les reins. Il existe diverses mesures pour diminuer les dommages et même les arrêter. Contrôlez votre hypertension artérielle s'il y a lieu et votre taux de glycémie si vous souffrez de diabète pour garder vos reins en santé. Une alimentation faible en sel et en gras ainsi qu'une plus grande consommation de liquide peuvent vous aider également. Demandez à votre médecin si les médicaments en vente libre que vous prenez sont sans danger pour vous. Si vous présentez un risque d'insuffisance rénale ou si vous souffrez déjà d'insuffisance rénale, ne prenez pas d'analgésiques en vente libre sur de longues périodes. Demandez à votre médecin si les autres médicaments et les suppléments à base d'herbes médicinales que vous prenez peuvent endommager vos reins.

Incontinence. Divers facteurs peuvent entraîner l'incontinence. Un excès de poids, la constipation fréquente, une toux chronique et une détérioration des muscles à l'intérieur et autour de la vessie peuvent jouer un rôle. Chez l'homme, l'incontinence peut résulter d'une hypertrophie bénigne de la prostate, du cancer de la prostate ou d'une intervention chirurgicale à la prostate.

Après la ménopause, plusieurs femmes souffrent d'incontinence urinaire à l'effort, car les muscles autour de l'ouverture de la vessie (les muscles du sphincter) s'affaiblissent. Avec la baisse du niveau d'œstrogènes, les tissus qui tapissent le tube dans lequel l'urine passe (l'urètre) s'amincissent. Les muscles pelviens s'affaiblissent et ne retiennent plus suffisamment la vessie.

Parmi les autres causes courantes d'incontinence, on retrouve les infections urinaires et les maladies comme le diabète, les accidents vasculaires cérébraux et la maladie de Parkinson, qui peuvent également

Signes avant-coureurs d'une crise cardiaque

La Fondation des maladies du cœur a établi une liste de signes avant-coureurs de la crise cardiaque. N'oubliez pas qu'il est possible qu'ils ne soient pas tous présents ou qu'ils apparaissent de façon intermittente. Si vous présentez n'importe lequel de ces signes, il faut voir un médecin.

- Douleur semblable à une brûlure, à un serrement, à une lourdeur, à une oppression ou à une pression dans le centre de la poitrine qui dure plus de quelques minutes.
- Douleur qui s'étend aux épaules, à la mâchoire, au cou ou aux bras.
- Difficultés à respirer, étourdissements, évanouissements, sueurs ou nausées.

Ne perdez pas de précieuses minutes à vous demander si ces signes ne sont qu'une fausse alarme. Téléphonez immédiatement au 911 ou au numéro local des services d'urgence et demandez une ambulance. Pendant que vous attendez, assoyez-vous ou étendez-vous. Respirez lentement et profondément. Prenez une aspirine si vous n'êtes pas allergique. L'aspirine éclaircit le sang et on a démontré qu'elle réduisait le taux de décès liés aux crises cardiaques.

endommager les nerfs qui contrôlent la vessie. L'incontinence peut aussi être causée par certains médicaments, l'insomnie, la dépression, l'hypertension artérielle et les maladies cardiaques.

À vous de jouer

Des changements au mode de vie suffisent souvent pour réduire l'incontinence. Vous pouvez prévenir les accidents en allant uriner selon un horaire fixe plutôt que d'attendre d'en ressentir le besoin. Essayez de ne pas consommer d'alcool et de caféine, parce qu'ils font uriner plus souvent, ni d'aliments épicés ou acides qui peuvent irriter votre vessie. Croiser les jambes lorsque l'on sent un éternuement ou une quinte de toux venir peut parfois être utile.

Les exercices de Kegel qui font travailler le plancher pelvien soulagent souvent l'incontinence urinaire à l'effort faible ou modérée chez les femmes et les hommes. Pour faire ces exercices, imaginez que vous tentez d'arrêter un jet d'urine. Serrez les muscles nécessaires et comptez jusqu'à trois. Détendez-vous en comptant jusqu'à trois et recommencez. Faites ces exercices pendant environ cinq minutes, trois fois par jour.

Si les changements au mode de vie ne suffisent pas, des médicaments, la rétroaction biologique (biofeedback) et d'autres traitements peuvent soulager l'incontinence. L'hormonothérapie substitutive peut s'avérer utile si l'incontinence découle de la ménopause. Parfois, une intervention chirurgicale est nécessaire pour repositionner la vessie, redonner du volume aux tissus ou renforcer les muscles pelviens affaiblis.

Maladies de la prostate. La prostate entoure la base de la vessie (col vésical). Au cours de leur vieillesse, un grand nombre d'hommes souffrent de problèmes à la prostate. Les symptômes vont de mineurs et moyennement agaçants à graves et douloureux.

Hypertrophie bénigne de la prostate. À partir de 45 ans environ, la prostate commence à prendre du volume. Cet accroissement s'appelle hypertrophie bénigne (non cancéreuse) de la prostate (HBP). En grossissant, les tissus de la prostate pressent l'urètre et entraînent des problèmes urinaires. De nombreux hommes vont présenter des symptômes à partir de 55 ou 60 ans, alors que chez d'autres, ils n'apparaîtront pas avant 70 ou 80 ans.

À vous de jouer

De simples changements au mode de vie suffisent souvent pour contrôler les symptômes de l'HBP tout en prévenant une aggravation de votre état.

Ne buvez pas trop. Ne buvez plus après 19 heures pour éviter de vous lever la nuit.

Videz complètement votre vessie. Essayez d'uriner le plus possible chaque fois que vous en ressentez le besoin.

Limitez votre consommation d'alcool. L'alcool augmente la production d'urine et peut causer de la congestion dans la prostate.

Faites un usage prudent des décongestionnants en vente libre. Les décongestionnants en vente libre peuvent durcir le muscle qui contrôle l'évacuation de l'urine, la rendant plus difficile.

Demeurez actif. L'inactivité entraîne une rétention de l'urine.

Restez au chaud. Le froid peut provoquer des envies d'uriner impérieuses.

Si vos symptômes s'aggravent, votre médecin peut vous recommander des médicaments ou une intervention chirurgicale pour corriger le problème.

Cancer de la prostate. Avec l'âge, le risque de cancer de la prostate augmente. On estime qu'à 50 ans, un homme sur quatre a des cellules cancéreuses dans la prostate. À 80 ans, la proportion augmente à un sur deux.

Le cancer de la prostate est le type de cancer le plus répandu chez les hommes au Canada et il figure au deuxième rang des causes de mortalité attribuables au cancer chez les Canadiens, non pas qu'il soit plus mortel que les autres cancers, mais parce qu'il est si répandu. Contrairement aux autres cancers, vous risquez davantage de mourir avec le cancer de la prostate que de ses suites. Au Canada, un homme sur sept risque d'avoir un cancer de la prostate au cours de sa vie, le plus souvent après l'âge de 70 ans. Un homme sur 26 en mourra.

Malheureusement, à un stade précoce, il y a peu de symptômes du cancer de la prostate, d'où l'importance de passer régulièrement des examens de la prostate pour dépister la maladie le plus tôt possible.

Poumons et appareil respiratoire

Pour comprendre l'effet du vieillissement sur les poumons, voyons le chemin que parcourt l'air à chaque respiration. Lorsque vous inspirez, l'air entre par la bouche et le nez et passe derrière la gorge pour atteindre le larynx et la trachée. La trachée se divise en deux bronches, qui se subdivisent en de nombreux petits tubes appelés bronchioles. Les plus petites bronchioles se terminent par un petit sac d'air appelé alvéole. De minuscules vaisseaux sanguins, les capillaires pulmonaires, amènent le sang aux alvéoles où l'oxyde de carbone est libéré et l'oxygène absorbé.

Les poumons adultes contiennent environ 300 millions de ces petits sacs d'air (alvéoles). Avec l'âge, le nombre d'alvéoles diminue. Si vous êtes en santé, vous ne remarquerez probablement pas ce changement graduel, surtout si vous êtes actif.

Difficultés respiratoires chroniques. Certains aînés développent petit à petit des difficultés respiratoires chroniques, comme la bronchite chronique ou l'emphysème. Lorsqu'il y a bronchite chronique, la paroi des bronches est irritée de façon chronique. L'emphysème, qu'on appelle aussi maladie broncho-pulmonaire chronique obstructive (BPCO), survient lorsque les petites bronches sont endommagées. Fumer sur une longue période constitue la cause principale de ces deux maladies. Dans certains cas, une exposition prolongée à des émanations chimiques, de la poussière ou d'autres irritants peut jouer un rôle.

Infections respiratoires. Les personnes âgées sont également plus vulnérables aux infections respiratoires telles que la grippe, la

Le prix à payer

Je dois avouer que je n'ai pas pris soin de ma santé. J'utilise le verbe « avouer » parce que je suis médecin et que je n'ai pas l'excuse de l'ignorance. Lorsque j'ai commencé ma résidence, j'étais svelte avec mes 70 kilos. À 50 ans, j'en pesais 93. Je ne faisais pas souvent d'exercice, je fumais un demi-paquet de cigarettes par jour et j'étais à bout de souffle si je devais monter quelques volées de marches. J'aimerais bien paraître noble en disant que j'étais trop occupé à soigner les autres pour prendre soin de moi. C'est vrai, mais le fond du problème, c'est que je me sentais invincible et que j'étais grisé par le succès. J'en ai payé le prix, j'ai souffert d'un épuisement physique et mental : un burnout magistral.

J'étais un éminent chirurgien orthopédiste et j'attirais des patients très en vue. J'aimais donner des conférences et, à plusieurs reprises, on m'a présenté comme l'un des chirurgiens les plus doués des États-Unis. J'étais fier de voir mon nom comme réviseur principal sur de nombreux articles évalués par des pairs. Je m'occupais des cas les plus difficiles, comme des personnes connues qui auraient amené de la mauvaise publicité à l'hôpital si je ne les avais pas bien soignées. J'étais compétent et j'étais arrogant. J'ai gardé ce train de vie pendant 20 ans.

Je cherche peut-être un autre coupable, mais il me semble que ma carrière a commencé à péricliter quand le gouvernement a fait des coupures dans le système de santé et que les conditions de travail se sont détériorées. Il fallait toujours faire plus, les budgets pour les

pneumonie et la tuberculose. Bien que ces infections soient le plus souvent bénignes, chaque année, la pneumonie et la grippe entraînent environ 5 000 décès au Canada. La majorité des gens qui en meurent ont plus de 65 ans. Les personnes qui souffrent de maladies cardiaques ou pulmonaires chroniques présentent un risque accru.

voyages et les conférences ont fondu, on ne parlait que de performance et de quotas.

Mes collègues plus jeunes semblaient s'adapter plus facilement, tout comme une partie des vieux de la vieille. Pour moi, ce chambardement s'est transformé en épuisement physique et psychologique. Je me suis battu contre l'administration pour retrouver une plus grande autonomie. On me répondait dans un jargon de gestionnaire que je ne comprenais pas. Le coup final m'a été porté lorsqu'on m'a signifié que je n'en faisais pas assez.

Dans un effort pour survivre à ce boulot assez longtemps pour partir avec toute ma dignité, j'ai commencé à travailler quatre jours par semaine. Quelle utopie ! La demande était telle que je me retrouvais à voir autant de patients qu'en cinq jours. Résultat, j'étais encore plus fatigué. Je me demande souvent ce qui serait arrivé si j'avais pu faire face aux changements au meilleur de ma forme. Je ne le saurai jamais. La seule chose dont j'étais certain alors, c'est qu'il était temps pour moi d'accrocher ma blouse blanche.

Raymond, chirurgien à la retraite

Pistes de réflexion

- Garder la forme est l'objectif numéro un. La santé est le fondement d'une belle vieillesse.
- Notre capacité à travailler et à apprécier nos loisirs est directement liée à notre santé physique, psychologique et spirituelle.

Avant les années 1940, la tuberculose était très présente. Si vous avez été exposé à cette maladie alors, il se peut que vous soyez porteur d'une tuberculose latente, dont la bactérie pourrait se réactiver plus tard dans votre vie lorsque votre résistance s'affaiblira.

À vous de jouer

Pour protéger vos poumons et votre appareil respiratoire, cessez de fumer et éliminez la fumée de votre environnement. Si vous avez 65 ans et plus, il vaut mieux vous faire vacciner contre la grippe et la pneumonie. Le vaccin antigrippal doit être administré chaque année. Si vous faites de l'exercice régulièrement et que vous maintenez un poids santé, vous aiderez vos poumons à rester sains en ne leur demandant pas un effort excessif.

Peau

Votre peau dévoile son âge par la perte de son élasticité, ce qui provoque son affaissement. Les muscles sous-jacents peuvent rester fermes et tendus, mais dans certaines régions, comme le visage, la peau va quand même s'affaisser et se rider. Votre peau s'amincit, alors on voit plus clairement les veines et les décolorations sous la surface. Vous commencez à perdre votre teint et votre éclat de jeunesse. La diminution de la production des huiles naturelles assèche votre peau et vous transpirez probablement moins.

Vous constaterez probablement l'apparition de taches de vieillesse ou taches séniles. Ces petites tavelures plates ressemblent à des taches de rousseur. Bien que les taches de vieillesse soient bénignes, consultez un médecin si vous remarquez des changements à une tache que vous aviez déjà ou si une plaie ne guérit pas pour vous assurer qu'il ne s'agit pas d'un cancer de la peau.

Les petits vaisseaux sanguins sous la surface de la peau peuvent se fragiliser, se rompre et saigner. Cela cause des ecchymoses, qu'on appelle purpura sénile et qu'on retrouve surtout sur les avant-bras.

La perte des huiles naturelles cause parfois des démangeaisons intenses au dos, aux jambes, aux mains et ailleurs. On appelle cette affection astéatose. Parfois, la peau pèle et se crevasse profondément.

La vitesse à laquelle votre peau subit le vieillissement dépend de plusieurs facteurs. Le plus important concerne le temps passé au soleil sans protection. Plus vous êtes allé au soleil, plus il y aura de dommages. Le tabagisme est également un ennemi de la peau. Il ralentit la guérison de la peau, la fait pâlir ou jaunir, et favorise l'apparition de rides profondes autour de la bouche.

Cancer de la peau. À cette étape de votre vie, vous ne pouvez pas effacer les années d'exposition au soleil. Par contre, vous pouvez apprendre à reconnaître les signes avant-coureurs du cancer de la peau et ainsi vous faire traiter rapidement.

Le cancer de la peau de type mélanome est le plus mortel. La règle ABCD peut vous aider à distinguer un grain de beauté normal de ce qui pourrait être un mélanome.

- **A** comme asymétrie. La moitié du grain de beauté ne ressemble pas à l'autre. Les grains ronds ou ovales sont généralement non cancéreux.

- **B** comme bord. Les bords sont irréguliers, dentelés, encochés, flous.

- **C** comme couleur. Le grain de beauté est de plusieurs couleurs ou la couleur n'est pas uniforme.

- **D** comme diamètre. Faites examiner par votre médecin tout grain de beauté plus gros que la gomme à effacer d'un crayon, soit environ 6 millimètres.

Surveillez les grains de beauté près de vos ongles et de vos organes génitaux, ainsi que ceux qui sont présents depuis votre naissance. De plus, les plaies qui s'élargissent rapidement, saignent et ne guérissent pas signalent parfois un cancer de la peau.

À vous de jouer

De bons soins de la peau tout au long de votre vie constituent l'arme par excellence contre les rides, la peau sèche et le cancer de la peau. Évitez de vous exposer au soleil ou utilisez un écran solaire pour protéger votre peau des rayons ultraviolets du soleil. Évitez de fumer. La nicotine présente dans la cigarette provoque la constriction des vaisseaux sanguins qui nourrissent votre peau. Comme tous les autres organes, votre peau bénéficie du bon apport sanguin que fournissent une saine alimentation et l'exercice.

Pour soulager la démangeaison et la sécheresse, prenez moins de bains ou de douches, n'utilisez pas de savons antibactériens, ne portez pas de vêtements en laine, augmentez l'humidité dans votre maison au cours de l'hiver et appliquez de l'huile sur votre peau. Les crèmes et les lotions hydratantes utilisées après le bain ne peuvent empêcher la formation des rides, mais masquent temporairement les petites ridules et les plis qui nuisent à votre apparence. Rappelez-vous que les produits coûteux et les ingrédients à consonance scientifique ne garantissent pas une plus grande efficacité.

Malgré tout le battage médiatique entourant les crèmes antioxydantes et les vitamines en application topique, il n'a pas encore été prouvé qu'elles embellissent votre peau. Par contre, on connaît l'efficacité de la crème Retin-A, vendue sur ordonnance. Elle contient de l'acide rétinoïque, un dérivé synthétique de la vitamine A. Ce n'est pas un produit miracle, mais on a démontré que cette crème sur ordonnance réduit les ridules, la rugosité et les changements de pigmentation lorsque la peau est légèrement ou modérément affectée.

Dents et gencives

La manière dont vos dents et vos gencives vieillissent dépend de la qualité des soins que vous leur avez apportés au fil des ans. Toutefois, même si vous vous êtes toujours brossé les dents et que vous avez passé la soie dentaire avec soin, vous avez peut-être remarqué que votre bouche semble plus sèche et que vos gencives rétrécissent. Vos dents peuvent devenir plus foncées ou plus fragiles et faciles à briser.

Comme il y a moins de salive pour nettoyer les bactéries, les dents et les gencives deviennent un peu plus vulnérables à la carie et à l'infection. Le tabagisme, certaines maladies et certains médicaments peuvent aggraver ces problèmes. Lorsqu'elles sont malades, les gencives sont rouges, gonflées et douloureuses. Lorsqu'on ne traite pas les maladies

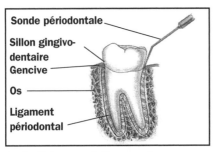

Le dentiste se sert d'une sonde périodontale pour mesurer la profondeur du sillon gingivo-dentaire.

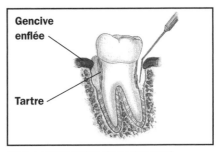

Une accumulation de tartre peut provoquer une gingivite, c'est-à-dire une inflammation de la gencive.

de gencives, elles peuvent s'aggraver au point où les dents se déchaussent et tombent.

Les plaies causées par les prothèses dentaires surviennent généralement lorsque ces dernières sont mal ajustées. Si vous portez vos prothèses depuis longtemps et que vous avez tout à coup des plaies, cette irritation indique peut-être un changement dans la prothèse ou dans l'alignement de votre bouche. Si vous avez changé de poids, vos prothèses dentaires nécessitent peut-être un réajustement. Les plaies peuvent également être causées par des aliments coincés sous les prothèses. Dans de rares cas, des plaies récurrentes dans la bouche signalent un problème de santé.

À vous de jouer

Brossez-vous les dents au moins deux fois par jour et passez la soie quotidiennement. Assurez-vous de bien nettoyer la surface interne et externe des dents et des gencives. Si vous éprouvez des difficultés, une brosse à dents électrique ou un porte-fil de soie dentaire peuvent vous aider.

Si vos prothèses dentaires produisent des plaies, voyez votre dentiste pour les faire ajuster. Pour éviter que des aliments ne restent coincés, brossez-vous les dents après chaque repas, enlevez vos prothèses la nuit et brossez vos gencives, votre langue et votre palais. N'utilisez pas d'onguent en vente libre pour engourdir la douleur de ces plaies. En plus des soins dentaires quotidiens, vous devriez voir votre dentiste au moins une fois par année pour un examen et un nettoyage.

Préserver votre mode de vie

Dans cette section, nous présentons des stratégies pour prévenir, réduire au minimum et mieux vivre avec les changements liés à l'âge décrits précédemment.

Exercice

À une époque, on s'attendait des personnes âgées qu'elles restent en retrait et regardent passer la vie. Aujourd'hui, par contre, de nombreux aînés troquent leur chaise berçante ou leur fauteuil inclinable pour une paire de chaussures de sport. Pourquoi ? Parce que la bonne forme physique, c'est payant. La pratique régulière d'exercices aide à prévenir la maladie coronarienne, l'hypertension artérielle, les accidents vasculaires cérébraux, le diabète, la dépression, les chutes et certains cancers. Une bonne condition physique réduit également les effets limitatifs de l'ostéoporose et de l'arthrite.

Les recherches démontrent que l'exercice peut ralentir la perte osseuse et faire augmenter la taille et la force des muscles, dont le cœur. L'activité physique préserve votre capacité aérobique, soit la capacité du cœur, des poumons et des vaisseaux sanguins à fournir les muscles en oxygène pendant les exercices. Si vous êtes inactif, votre capacité aérobique diminuera au moins de moitié lorsque vous aurez 80 ans. En revanche, une étude a montré que les aînés actifs n'avaient perdu qu'un petit pourcentage de leur capacité aérobique à l'âge de 70 ans.

La bonne forme physique donne plus de force et améliore l'équilibre, la souplesse et la coordination. Ces aspects positifs contribuent à votre autonomie à mesure que vous prenez de l'âge. C'est simple, la bonne forme physique améliore la qualité de vie.

S'y mettre. Vous pouvez commencer à faire de l'exercice à n'importe quel âge, même si vous n'en avez jamais fait auparavant. Cependant, avant d'entreprendre une activité plus vigoureuse que la marche, il faut voir un médecin. Cette étape est particulièrement importante pour les personnes qui sont sédentaires depuis longtemps, qui ont des antécédents familiaux de maladie cardiaque, qui souffrent de maladie cardiaque ou pulmonaire ou qui s'inquiètent de leur état de santé. Consultez aussi votre médecin si vous souffrez d'hypertension artérielle, de diabète, d'arthrite, d'asthme, ou encore si vous fumez. Demandez à votre médecin si vos médicaments peuvent affecter votre programme d'exercices.

Planifier votre programme de conditionnement physique. Autrefois, on disait qu'il fallait souffrir pour être en forme. Cette croyance est chose du passé. Que vous fassiez de l'exercice à la maison, à la piscine ou dans un centre, les meilleurs programmes de conditionnement physique commencent en douceur et s'intensifient lentement et graduellement. De nos jours, les experts recommandent une combinaison d'exercices d'étirement (souplesse), d'aérobie (endurance) et de musculation (force). Votre routine devrait également comporter une période d'échauffement au début et de récupération à la fin. Soyez attentif aux signaux de votre corps pendant et après votre entraînement pour déceler des signes avant-coureurs de problèmes de santé liés aux efforts excessifs. (Voir « Signaux d'alarme pendant un exercice », page 47.)

Exercices d'étirement. Les exercices qui améliorent la souplesse aident à contrebalancer la raideur des muscles et des articulations, à maintenir l'amplitude des mouvements articulaires et à prévenir les blessures. Ces exercices facilitent aussi toutes les activités de la vie quotidienne, comme attacher ses chaussures, par exemple. Les étirements ne demandent ni équipement spécial ni beaucoup de temps. Échauffez-vous d'abord avec un exercice peu intense, comme la marche accompagnée de mouvements de bras. Faites des étirements pendant 5 à 10 minutes avant et, plus important encore, après la période d'aérobie. Ne sautez pas et rappelez-vous que les étirements prolongés (20 à 30 secondes) sont les plus efficaces.

Exercices d'aérobie. Les exercices d'intensité modérée, tels que la randonnée pédestre, la montée d'escalier, la danse aérobique, la bicyclette, l'aviron et la natation, augmentent votre capacité aérobique. Si vous commencez à faire de l'exercice, privilégiez des activités d'intensité plus faible, comme la marche ou la bicyclette.

Les activités que vous faites debout alors que votre ossature supporte votre poids renforcent vos os. Les exercices à impacts répétés procurent

Étirements recommandés

ÉTIREMENT DU BAS DU DOS. Étendez-vous sur une surface ferme, sur le sol ou sur une table, les genoux pliés et les pieds à plat sur le sol ou la table. Tirez votre genou gauche vers votre épaule gauche avec vos deux mains. (Si vous avez des problèmes de genou, placez vos mains à l'arrière de la cuisse.) Restez ainsi 30 secondes. Détendez-vous, puis faites la même chose avec l'autre jambe.

ÉTIREMENT DU HAUT DES CUISSES. Étendez-vous sur une table ou un lit avec une jambe et une hanche le plus près possible du bord, et laissez cette jambe pendre sans forcer. Tirez fermement la cuisse et le genou de l'autre jambe vers la poitrine, jusqu'à ce que le bas de votre dos soit à plat sur la table ou le lit. Restez ainsi 30 secondes. Détendez-vous, puis faites la même chose avec l'autre jambe.

ÉTIREMENT DE LA POITRINE. Enlacez vos mains derrière la tête. Tirez vos épaules vers l'arrière avec vigueur en respirant profondément. Restez ainsi 30 secondes (en continuant à respirer), puis détendez-vous.

ÉTIREMENT DES MOLLETS. Placez-vous devant un mur à la distance de vos bras. Penchez-vous vers le mur en vous y appuyant. Avancez une jambe en pliant le genou. Gardez la jambe arrière droite avec le talon au sol. En laissant votre dos droit, avancez les hanches vers le mur jusqu'à ce que vous sentiez un étirement. Restez ainsi 30 secondes. Détendez-vous, puis faites la même chose avec l'autre jambe.

ÉTIREMENT DES MUSCLES ISCHIO-JAMBIERS. Assoyez-vous sur une chaise en déposant une jambe sur une autre chaise devant vous. Gardez votre dos droit. Pliez lentement vers l'avant à partir des hanches jusqu'à ce que vous sentiez un étirement derrière votre cuisse. Restez ainsi 30 secondes. Détendez-vous, puis faites la même chose avec l'autre jambe.

Exercises de musculation recommandés

EXTENSION DES TRICEPS. Levez lentement un poids au-dessus de votre tête comme sur l'illustration. Ramenez le poids à la position de départ. Répétez cet exercice 10 ou 12 fois. Détendez-vous, puis faites la même chose avec l'autre bras. Vous pourrez augmenter le poids et le nombre de répétitions à mesure que vos muscles se renforceront.

FLEXION DES BRAS. Écartez vos pieds à la largeur des épaules. Gardez la partie supérieure de votre bras étirée et pliez votre coude jusqu'à ce que le poids soit à la hauteur des épaules. Tenez un moment, puis redescendez le poids lentement. Répétez cet exercice 10 ou 12 fois, puis faites la même chose avec l'autre bras. Vous pourrez augmenter le poids et le nombre de répétitions à mesure que vos muscles se renforceront.

REDRESSEMENTS ASSIS SUR CHAISE. Assoyez-vous sur une chaise munie d'accoudoirs. Levez votre corps de la chaise en n'utilisant que la force de vos bras. Restez ainsi 10 secondes. Détendez-vous, puis recommencez.

EXERCICE DE LA CHAISE. Placez deux chaises comme sur l'illustration. Tenez-vous à la chaise devant vous. Faites le mouvement de vous asseoir sur la chaise derrière vous dans une position que vous pouvez tenir pendant 10 secondes. Lorsque vous aurez plus de force, essayez de garder une position plus basse, tout près du siège de la chaise, mais sans y toucher. Restez ainsi 10 secondes. Détendez-vous, puis recommencez.

encore plus de bienfaits. Parmi ceux-ci, on retrouve la marche, la danse, la montée d'escalier, la corde à sauter, le ski et les sports de raquette.

Variez vos activités pour faire travailler autant le haut que le bas du corps. La fréquence et la durée de l'activité sont plus importantes que son intensité. Visez comme objectif des séances d'exercices modérés de 20 à 40 minutes, cinq jours ou plus par semaine.

Signaux d'alarme pendant un exercice

Arrêtez l'exercice et consultez immédiatement un médecin si vous présentez les symptômes suivants : une oppression dans la poitrine, des difficultés respiratoires graves, une douleur dans vos bras ou vos mâchoires (souvent du côté gauche), des palpitations (votre cœur bat la chamade), des vertiges, des étourdissements ou des nausées.

Musculation. Si vous faites des exercices musculaires simples quelques fois par semaine, vous aurez des muscles et des os plus forts, et cela vous permettra de mieux contrôler votre poids. Vous pouvez vous servir d'appareils à contre-poids ou de poids libres, comme des haltères, des bracelets lestés ou des poids faits maison. Commencez avec un poids qui vous permet de faire de 8 à 15 répétitions. À mesure que vous prendrez de la force, augmentez le poids et diminuez les répétitions jusqu'à ce que vous soyez en mesure d'en faire 12 et que la douzième répétition demande un maximum d'effort.

Récupération. Après vos exercices d'aérobie ou de musculation, récupérez en faisant un mouvement de faible intensité (en marchant sur place, par exemple) jusqu'à ce que les battements de votre cœur retrouvent un rythme normal. Ensuite, refaites vos exercices d'assouplissement en gardant chaque étirement de 30 à 45 secondes.

Alimentation

De nombreuses études révèlent qu'une saine alimentation, combinée à une pratique régulière d'exercices et à des activités intellectuelles, peut vous permettre de vivre plus longtemps et en meilleure santé. Toutefois, les changements physiques et d'autres facteurs liés à l'âge peuvent vous obliger à modifier votre alimentation. Comme votre métabolisme ralentit avec l'âge, il faut consommer moins de calories. Pour vous aider à faire des choix alimentaires judicieux, voici quelques conseils.

Augmentez votre consommation de fibres. Une alimentation riche en fibres prévient la constipation et diminue le risque de problèmes au côlon, y compris le cancer du côlon. De plus, cela protège contre le diabète, les maladies du cœur et l'hypertension artérielle. Les nutritionnistes de la Clinique Mayo recommandent une consommation de 25 à 30 grammes de fibres par jour, provenant d'une grande diversité d'aliments. Favorisez les aliments à grains entiers, comme les céréales riches en fibres ou le pain de blé entier, ainsi que les aliments complets (c'est-à-dire une pomme plutôt que du jus de pomme). Lisez les étiquettes pour choisir les aliments qui offrent le plus de fibres. Remplacez la viande par des légumineuses, comme les haricots et les lentilles, quelques fois par semaine.

Buvez beaucoup. En vieillissant, le mécanisme de la soif fonctionne moins bien. Si vous ne buvez pas suffisamment, cela peut créer des problèmes tels que la constipation chronique, de l'hypotension artérielle, une détérioration de la fonction rénale et des calculs rénaux. L'objectif à atteindre est d'au moins huit verres par jour de boissons non alcoolisées, en privilégiant l'eau.

Choisissez des aliments riches en nutriments. Tirez avantage de chaque calorie que vous consommez en choisissant des aliments qui contiennent beaucoup de nutriments par rapport au nombre de calories. Les fruits et les légumes colorés renferment beaucoup de nutriments essentiels. Le pain, le riz, les céréales et les pâtes à grains entiers contiennent plus de fibres que les produits enrichis ou raffinés. Ils contiennent également plus de vitamines et de minéraux. Ne remplacez pas une alimentation équilibrée par des suppléments liquides. Utilisez-les plutôt comme complément à une alimentation saine.

Remèdes, vitamines et suppléments diététiques contre le vieillissement

Il est peu probable qu'un produit, une pilule ou un sirop puisse apporter une solution à tous les maux qui viennent avec l'âge. Malgré bien des publicités alléchantes, on n'a jamais prouvé qu'un produit peut prévenir le processus de vieillissement ou l'inverser.

Certains remèdes présentent des effets secondaires qui peuvent s'avérer dangereux. Même si on ne les considère pas comme des médicaments, les remèdes en vente libre comme les vitamines, les herbes médicinales, les suppléments alimentaires et les hormones peuvent interagir avec les médicaments que vous prenez déjà. C'est pourquoi il faut absolument en parler à votre médecin avant de prendre un remède maison ou un produit en vente libre.

Contrairement aux médicaments, les vitamines et les autres suppléments alimentaires n'ont pas à être évalués par les autorités gouvernementales, on ne peut donc garantir qu'ils soient sans danger. C'est simple, renseignez-vous avant de vous les procurer.

Sexualité

Comme les adultes de tous âges, vous voulez certainement continuer à vous épanouir en partageant votre vie avec d'autres. Vous voulez probablement inclure la sexualité dans une relation intime avec la personne que vous aimez. La croyance qui veut que le désir sexuel s'évanouisse quelque part après l'âge mûr n'est qu'un mythe. En fait, les aînés aujourd'hui jouissent d'une vie sexuelle qui s'avère souvent plus intéressante que pendant les autres périodes de leur vie.

Changements chez les femmes. Le désir est la réaction sexuelle la plus variable. Le désir est grandement influencé par des facteurs affectifs et sociaux. Étonnamment, le désir sexuel est influencé en grande partie par la testostérone, une hormone sécrétée par la glande surrénale, et non pas par l'œstrogène. Même si le niveau d'œstrogène diminue chez les femmes après la ménopause, la plupart des femmes ont assez de testostérone pour conserver leur intérêt envers la sexualité.

L'insuffisance d'œstrogène après la ménopause peut ralentir le gonflement et la lubrification du vagin au cours de l'excitation. Cela peut rendre les rapports sexuels moins agréables et même douloureux. Les femmes de 60 à 80 ans sont plus susceptibles de souffrir de contractions utérines douloureuses pendant l'orgasme. L'hystérectomie (ablation de l'utérus et du col) n'affecte généralement pas le plaisir sexuel.

À vous de jouer

L'excitation sexuelle se passe d'abord dans le cerveau. Selon vos goûts, des chandelles, de la musique, un bon repas, une conversation, des livres ou certaines pensées peuvent créer un climat propice à l'intimité sexuelle.

De plus longs préliminaires peuvent favoriser la lubrification naturelle. Essayez un lubrifiant à base d'eau, comme la gelée KY (et non pas de la Vaseline ou d'autres gelées de pétrole), ou demandez à votre médecin si une crème à base d'œstrogène ou l'hormonothérapie pourrait vous convenir. Avoir des rapports sexuels régulièrement favorise également la lubrification et l'élasticité du vagin.

Changements chez les hommes. Les changements physiques dans la réaction sexuelle des hommes ressemblent à ceux des femmes. La grande majorité des hommes âgés produisent assez de testostérone pour maintenir leur intérêt envers la sexualité. Cependant, il faut parfois une plus grande stimulation physique et mentale pour parvenir à l'érection et la maintenir. Les érections peuvent être moins fermes et durer moins longtemps. L'âge augmente aussi le temps de récupération nécessaire entre chaque éjaculation. Vers 70 ans, il faut parfois attendre 48 heures.

À vous de jouer

Accepter les changements et en parler avec votre partenaire est un premier pas essentiel. Choisir une position qui rend l'insertion du pénis dans le vagin plus facile peut également vous aider. Le condom atténue la stimulation, n'en portez que si c'est nécessaire pour prévenir une grossesse ou la transmission de maladies.

Si vous éprouvez des difficultés à maintenir une érection ou à atteindre l'orgasme, parlez-en à votre médecin. Il pourra vous aider et aider votre partenaire à comprendre les changements normaux liés au vieillissement, et il vous expliquera comment vous y adapter.

Le sildénafil (Viagra), les auto-injections et les pompes à vide peuvent aider certains hommes à avoir et à maintenir une érection. Le Viagra accroît la stimulation sexuelle en favorisant l'apport de sang au pénis. Toutefois, ce médicament peut être dangereux, et même mortel, s'il est pris avec certains médicaments très courants ou si vous souffrez de maladie coronarienne. Ne prenez jamais de Viagra sans en avoir discuté longuement avec votre médecin. Ne commandez jamais de Viagra par Internet, vous pourriez recevoir un produit différent.

Les pompes, la chirurgie vasculaire et les implants sont d'autres moyens pour obtenir une érection.

Changements attribuables à une maladie ou à un handicap. Certains problèmes de santé perturbent la façon dont vous réagissez sexuellement à une autre personne. La douleur chronique, une intervention chirurgicale ou une maladie qui entraîne une grande fatigue rendent parfois les activités sexuelles plus difficiles ou douloureuses.

Les douleurs à la poitrine, les difficultés respiratoires et la peur de faire une autre crise cardiaque peuvent perturber votre désir ou vos habiletés. Cependant, si vous aviez une vie sexuelle avant votre crise cardiaque, vous pouvez la reprendre. Les décès pendant les rapports sexuels sont rares.

La maladie coronarienne et le diabète peuvent restreindre l'afflux de sang vers vos organes génitaux. Cela peut perturber l'érection chez les hommes et le gonflement du vagin chez les femmes. Les hommes diabétiques depuis de nombreuses années peuvent également être impuissants à cause des lésions nerveuses.

Certains médicaments courants interfèrent avec la fonction sexuelle. Les médicaments pour contrôler l'hypertension artérielle réduisent parfois le désir et entravent l'érection chez les hommes et la lubrification chez les femmes. L'alcool, les antihistaminiques, les antidépresseurs et les antiacides produisent parfois des effets secondaires qui affectent la fonction sexuelle.

À vous de jouer

Parlez avec votre médecin de la manière dont votre état de santé ou les médicaments que vous prenez peuvent affecter vos capacités sexuelles. Renseignez-vous sur les mesures à prendre pour en diminuer l'impact. Parlez toujours à votre partenaire de ce qui est bon ou de ce qui ne vous plaît pas et faites les ajustements nécessaires pour éviter la douleur et favoriser le plaisir. Si la pénétration n'est plus possible, explorez des façons de trouver du plaisir par le toucher et les autres activités intimes.

Sommeil

Tout au long de votre vie, vous aurez besoin du même nombre d'heures de sommeil, à peu près. Si vous dormez six heures maintenant, vous dormirez probablement autant dans 10 ans, à une demi-heure près. Cependant, le vieillissement peut affecter la qualité du sommeil.

Entre 50 et 60 ans, le sommeil devient moins réparateur. On passe moins de temps dans le stade du sommeil profond. On est fatigué plus rapidement dans la soirée et on se réveille plus tôt le matin.

Si vous croyez que vous dormez moins, n'oubliez pas de compter les siestes durant la journée. Plusieurs aînés qui se reposent dans la journée disent qu'en additionnant ces siestes avec les heures de sommeil la nuit, ils dorment le même nombre d'heures qu'auparavant.

La prévalence de l'insomnie augmente avec l'âge. Les changements dans les habitudes de sommeil, le niveau d'activité et la santé peuvent perturber le sommeil. La douleur chronique, la dépression, l'anxiété et le stress peuvent également avoir un effet sur le sommeil. Les hommes qui souffrent d'hypertrophie bénigne de la prostate voient leur sommeil interrompu par de fréquentes envies d'uriner. Des médicaments, dont certains antidépresseurs, certains médicaments pour contrôler l'hyper-tension artérielle et certains stéroïdes, perturbent parfois le sommeil. Si votre partenaire ronfle, il ou elle peut vous empêcher de bien dormir.

À vous de jouer

Le manque de sommeil et l'insomnie ne sont pas inéluctables lorsqu'on vieillit. Voici quelques conseils de spécialistes du sommeil pour mieux dormir.

Réduisez les interruptions au minimum. Fermez votre porte ou créez un fond sonore subtil en utilisant un ventilateur, par exemple, pour assourdir les autres bruits. Si vous buvez moins avant d'aller au lit, vous n'aurez pas à vous rendre à la salle de bains aussi souvent.

Réduisez le temps des siestes et celui que vous passez au lit. Ainsi, votre sommeil sera plus profond et plus réparateur.

Faites de l'exercice tous les jours. Votre entraînement devrait se terminer cinq à six heures avant d'aller dormir.

Évitez ou limitez les substances qui perturbent le cycle de sommeil. Ce sont principalement la caféine, l'alcool et la nicotine.

Détendez-vous graduellement. Diminuez les stimulations avant d'aller vous coucher. Prenez une douche ou un bain chaud. Lisez un livre ou regardez la télévision jusqu'à ce qu'une certaine somnolence vous envahisse.

Faites preuve de prudence avec les médicaments. Avant de prendre des somnifères, parlez-en à votre médecin, surtout si vous prenez des médicaments sur ordonnance. Demandez-lui si les médicaments que vous prenez peuvent contribuer à votre insomnie.

Venir à bout du ronflement

Le ronflement peut vous priver ainsi que votre partenaire d'une bonne nuit de sommeil. Plus fréquent chez l'homme que chez la femme, le ronflement chronique peut provoquer de la somnolence pendant la journée.

Voici quelques trucs pour réduire ou éliminer le ronflement.

- Perdez votre surplus de poids. Même une perte de poids de 10 % peut favoriser l'élimination du ronflement causé par le resserrement ou l'obstruction de votre trachée.

- Évitez l'alcool et les médicaments comme les tranquillisants et les somnifères.

- Dormez sur le côté ou sur le ventre plutôt que sur le dos. Cela empêche votre langue de bloquer les voies respiratoires.

Certains ronfleurs chroniques souffrent d'un syndrome appelé apnée du sommeil. Dans la forme la plus courante d'apnée du sommeil, les muscles des parois de la gorge se relâchent pendant le sommeil et les parois s'affaissent temporairement, obstruant le passage de l'air. Si votre partenaire remarque que vous cessez de respirer périodiquement la nuit, consultez votre médecin. Ce syndrome peut contribuer à l'hypertension artérielle et causer des dommages au cœur.

Chapitre 3

Votre esprit

- **Un trou de mémoire n'est pas un symptôme de la maladie d'Alzheimer.**
- **On peut soigner efficacement la dépression.**
- **Votre esprit est comme un muscle, faites-le travailler.**

C'est injuste, n'est-ce pas ? Au moment où vous êtes assez âgé pour avoir acquis un peu de sagesse, votre esprit commence à vous jouer des tours. Vous avez oublié où sont vos lunettes ou l'endroit où vous avez garé votre voiture. Vous étiez capable de faire trois choses en même temps et maintenant, vous avez du mal à vous concentrer sur une seule. Certains jours, votre manque de concentration est si flagrant que vous avez peur d'être atteint de la maladie d'Alzheimer. Que se passe-t-il ? Peut-on faire quelque chose pour y remédier ?

En premier lieu, détendez-vous. Quelques dérapages de la mémoire, c'est normal à votre âge. Égarer vos clés ou oublier un nom à l'occasion, même si c'est frustrant, n'est pas nécessairement grave. Deuxièmement, plusieurs maladies, comme la dépression et l'hypertension artérielle, ainsi que certains médicaments peuvent affecter la mémoire. Souvent, ces pertes de mémoire sont réversibles.

Voici une autre bonne raison pour vous détendre : le stress et l'anxiété interfèrent avec votre mémoire et votre concentration.

Dans ce chapitre, nous traiterons des pertes de mémoire. Nous ferons la distinction entre les pertes de mémoire normales et une forme progressive de pertes de mémoire qu'on appelle démence. Nous vous expliquerons ce qu'il faut faire pour conserver un esprit actif et alerte tout au long de votre vieillesse. La première partie du chapitre est consacrée à la dépression, une cause fréquente de problèmes de mémoire.

Au-delà de la déprime

Nous broyons tous du noir à l'occasion et tout le monde éprouve du chagrin un jour ou l'autre. La dépression, par contre, n'a rien à voir avec cela. Il s'agit d'une maladie grave qui peut ébranler profondément la personne qui en souffre et sa famille. C'est normal de se sentir triste parfois, en particulier à la suite d'une perte déchirante, comme le décès d'un être cher. Contrairement à la déprime ou au cafard, la dépression ne disparaît pas si facilement. Elle ne se volatilisera pas en quelques jours ou en quelques semaines. En fait, si on ne la traite pas, une dépression majeure peut durer de 6 à 24 mois. Et lorsque les symptômes s'apaisent, c'est généralement pour réapparaître plus tard.

La dépression est un problème médical d'ordre biologique. Elle affecte vos pensées, votre humeur, vos sentiments, vos comportements et votre forme physique. Les scientifiques croient qu'elle serait liée au déséquilibre de certaines substances chimiques du cerveau appelées neurotransmetteurs, notamment la sérotonine, la norépinéphrine et la dopamine. Toutefois, ils ne comprennent pas entièrement le rôle que ces substances jouent dans la dépression.

Malgré toutes nos connaissances sur l'aspect physique de la dépression, certains la considèrent encore comme une maladie mentale, avec les préjugés qui y sont associés. Être dépressif n'est pas plus gênant que d'avoir le diabète ou la grippe, pourtant plusieurs personnes dépressives se sentent honteuses ou faibles. Elles croient, et d'autres leur répètent souvent, qu'elles devraient être capables de s'en sortir par leur seule volonté ou que toute cette souffrance se trouve dans leur tête. Souvent, la honte et la gêne les empêchent de demander l'aide dont elles ont besoin.

La dépression se voit plus souvent chez les femmes que chez les hommes, soit chez une femme sur quatre. Cela s'explique probablement par des facteurs biologiques, comme les hormones. La dépression est moins fréquente chez les gens mariés, surtout les hommes mariés, et ceux qui vivent des relations intimes à long terme. On voit plus de dépression chez les gens qui sont divorcés, qui vivent seuls ou qui ont des problèmes d'alcool.

De même que la perte de mémoire, la dépression ne fait pas partie du processus naturel de vieillissement. Elle n'est pas plus fréquente chez les personnes âgées, mais comme de nombreux symptômes qui y sont associés s'apparentent aux conséquences inévitables de l'âge, elle passe plus souvent inaperçue chez les aînés. Cela pose un grave problème, puisqu'une dépression qui n'est pas traitée peut entraîner de graves conséquences, telles que l'invalidité, la perte d'autonomie et le suicide.

De plus, de nombreux aspects du vieillissement peuvent prédisposer les personnes âgées à la dépression. Parmi ceux-ci, il y a la diminution des neurotransmetteurs et des hormones, la perte d'amis, du rôle dans la communauté, des collègues de travail, des êtres chers ou encore l'apparition de maladies chroniques, telles qu'une maladie cardiaque, un accident vasculaire cérébral, l'arthrite ou le diabète.

Il n'existe pas une cause unique de dépression. Les spécialistes pensent que certaines personnes présenteraient une vulnérabilité génétique, c'est-à-dire qu'elle pourrait être héréditaire. Cette vulnérabilité, combinée à des évènements marquants et stressants, comme le décès d'un conjoint, la perte d'un emploi, des problèmes financiers ou la maladie, pourrait créer un déséquilibre des neurotransmetteurs qui entraînerait la dépression.

Votre personnalité peut également être un facteur. Si vous manquez de confiance en vous, que vous êtes trop dépendant, trop critique envers vous-même, pessimiste ou facilement envahi par le stress, vous êtes plus vulnérable à la dépression. Par contre, cela ne fait pas de vous un être faible.

Une anxiété exacerbée accompagne souvent la dépression. L'anxiété peut prendre diverses formes, dont le trouble anxieux généralisé, le trouble panique ou le trouble obsessionnel-compulsif. Si vous souffrez d'un trouble anxieux, vous pouvez ressentir de l'appréhension, de la nervosité et une inquiétude continuelle par rapport à votre avenir. Chez certaines personnes, l'anxiété imite les symptômes de la crise cardiaque, tels que l'accélération du rythme cardiaque, les palpitations, les sueurs et les étourdissements. Elle peut se manifester également par des céphalées, de l'insomnie et de la fatigue.

Comme la dépression, les troubles anxieux peuvent être héréditaires et liés à un déséquilibre des neurotransmetteurs. Si vous souffrez d'anxiété en même temps que de dépression, les symptômes peuvent disparaître lorsque la dépression est guérie. Si vous souffrez d'un trouble anxieux sans dépression, certains médicaments utilisés dans le traitement de la dépression peuvent vous aider. Des techniques de relaxation s'avèrent souvent très utiles. Si vous présentez des symptômes de dépression ou d'anxiété, n'allez pas croire qu'ils font partie du processus normal de vieillissement et qu'il n'y a rien à faire. Parlez-en à votre médecin.

L'alcool, la nicotine et la surconsommation de drogue peuvent contribuer à la dépression et aux troubles anxieux. L'alimentation peut aussi jouer un rôle. Les carences en acide folique et en vitamine B-12, entre autres, causent parfois des symptômes de dépression.

Souffrez-vous de dépression ?

Comment savoir si on est dépressif ? La dépression a deux caractéristiques principales. La première est une perte d'intérêt pour les activités quotidiennes normales. La seconde est un état dépressif caractérisé par des sentiments de tristesse, d'impuissance et de désespoir qui durent plus de deux semaines. De plus, de nombreuses personnes souffrant de dépression éprouvent beaucoup d'anxiété.

Pour qu'un médecin pose un diagnostic de dépression, d'autres signes et symptômes doivent être présents une bonne partie de la journée et presque tous les jours pendant deux semaines. Parmi ces symptômes, on retrouve les problèmes de mémoire, l'incapacité à se concentrer, les problèmes de sommeil, une perte ou un gain de poids considérable, des réflexions sur la mort, de l'agitation et une perte d'intérêt pour l'activité sexuelle.

Parmi les symptômes physiques associés à la dépression, on retrouve les céphalées, la constipation, la diarrhée, les douleurs abdominales, ainsi que des douleurs et des malaises généralisés. Les gens qui souffrent de dépression semblent parfois fatigués et parlent lentement et doucement, comme s'ils avaient à peine assez d'énergie pour dire quelques mots.

Les docteurs Javaid I. Sheikh et Jerome A. Yesavage ont élaboré l'Échelle de dépression gériatrique dont nous présentons ici un résumé. Si vous pensez que vous souffrez de dépression ou qu'un être cher peut en être atteint, ce questionnaire peut vous aider à déterminer si vous devez ou non demander l'aide d'un médecin. Répondez par oui ou non aux questions suivantes, et si la santé d'un être cher vous inquiète, demandez-lui de faire de même.

1. Êtes-vous fondamentalement satisfait(e) de la vie que vous menez ?

2. Avez-vous abandonné un grand nombre d'activités et d'intérêts ?

3. Est-ce que vous sentez un vide dans votre vie ?

4. Vous ennuyez-vous souvent ?

5. Avez-vous la plupart du temps un bon moral ?

6. Craignez-vous qu'il vous arrive quelque chose de grave ?

7. Êtes-vous heureux/heureuse la plupart du temps ?

8. Éprouvez-vous souvent un sentiment d'impuissance ?

9. Préférez-vous rester chez vous au lieu de sortir pour faire de nouvelles activités ?

10. Avez-vous l'impression d'avoir plus de problèmes de mémoire que la majorité des gens ?

11. Pensez-vous qu'il est merveilleux de vivre à l'époque actuelle ?

12. Vous sentez-vous plutôt inutile dans votre état actuel ?

13. Vous sentez-vous plein(e) d'énergie ?

14. Avez-vous l'impression que votre situation est désespérée ?

15. Pensez-vous que la plupart des gens vivent mieux que vous ?

Si vous avez répondu oui aux questions 1, 5, 7, 11 et 13, vous n'êtes probablement pas dépressif. Une réponse affirmative à la plupart des autres questions indique que vous souffrez probablement de dépression. Parlez de vos symptômes à votre médecin. Vous n'avez pas à souffrir. Plus vite vous demanderez de l'aide, plus vite vous irez mieux.

Ce qu'il y a d'encourageant, c'est que la dépression peut se traiter. Depuis une vingtaine d'années, on a mis au point des médicaments qui soulagent les symptômes chez la plupart des dépressifs. Il y a les inhibiteurs spécifiques du recaptage de la sérotonine (ISRS), comme la fluoxétine (Prozac), la paroxétine (Paxil), la sertraline (Zoloft) et le citalopram (Celexa). Il existe une grande diversité d'antidépresseurs. Le choix du médicament dépend de votre maladie, des symptômes et de vos antécédents familiaux.

Comme n'importe quel médicament, les antidépresseurs doivent être pris avec précaution, surtout chez les personnes âgées. Avec l'âge, le corps évacue plus lentement les médicaments, il faut donc prescrire des doses plus faibles. Votre médecin devra évaluer la dose avec soin. Il doit aussi savoir si vous prenez d'autres médicaments, car ces derniers pourraient interagir avec les antidépresseurs. Les antidépresseurs qui provoquent de la sédation augmentent les risques de chute et d'autres accidents.

Certaines personnes arrêtent de prendre les médicaments après 12 mois. Chez d'autres, comme la dépression tend à revenir, la médication doit être prise pendant plusieurs années. Plus vous prenez des antidépresseurs longtemps, moins il y a de risque de rechute. Les antidépresseurs n'entraînent pas d'accoutumance.

La psychothérapie peut également venir en aide aux gens qui souffrent de dépression légère à modérée. En fait, la psychothérapie et les médicaments sont plus efficaces ensemble que seuls. Il faut parfois de quatre à huit semaines pour que la psychothérapie ou la médication fasse effet, il vous faudra donc vous armer de patience et ne pas vous imaginer que le traitement ne fonctionne pas. Pour les dépressions très graves, l'électroconvulsothérapie (électrochocs) est la solution la plus efficace.

Prendre soin de votre santé peut avoir un effet positif sur la dépression. Des études récentes ont démontré que la pratique régulière d'une activité physique permet d'éviter ou de soulager les symptômes de la dépression chez les personnes âgées.

Pour plus d'information, consultez le site Web du Conseil consultatif national sur le troisième âge (www.naca-ccnta.ca) et faites une recherche avec le mot dépression.

Pertes de mémoire anormales

N'y allons pas par quatre chemins. Lorsqu'il s'agit de mémoire, la plus grande peur de tous, c'est la démence, en particulier celle associée à la maladie d'Alzheimer.

La maladie d'Alzheimer est un trouble cérébral incurable, progressif et dégénératif qui cause des pertes de mémoire, des changements dans le comportement et la personnalité ainsi qu'un déclin des habiletés cognitives. Généralement, les symptômes apparaissent après 60 ans. La maladie devient si débilitante que de nombreuses personnes finissent clouées au lit et meurent de pneumonie ou d'une autre maladie ou infection dans la décennie qui suit le diagnostic.

L'Alzheimer est une maladie aux effets dévastateurs qui affecte 280 000 Canadiens et coûte plus de quatre milliards de dollars à la société chaque année. On estime que le nombre de personnes atteintes sera de 750 000 en 2031. Plus de femmes que d'hommes en souffrent, mais on ne sait pas encore pourquoi. Les femmes vivent plus longtemps que les hommes et le risque d'être atteint d'Alzheimer augmente avec l'âge, toutefois cela ne suffit pas à expliquer cet écart.

Pourtant, il y a de bonnes nouvelles. Comme cette maladie touche un grand nombre de personnes et accable la société, une quantité considérable de recherches s'y intéressent. Ainsi, depuis une décennie, de grandes percées ont été réalisées dans la compréhension de la maladie. De plus, des progrès encourageants en ce qui concerne le diagnostic précoce, le traitement des symptômes et l'élaboration d'un vaccin suscitent un grand intérêt. Quand on pense qu'il y a seulement 25 ans, on ne connaissait presque rien de la maladie d'Alzheimer et que la démence était considérée comme une conséquence inévitable du vieillissement, c'est impressionnant.

Les changements dans votre esprit attribuables à l'Alzheimer apparaissent lentement ; le déclin s'étend souvent sur une décennie. Des oublis banals, comme ceux que la plupart d'entre nous commettent, mènent à des difficultés à trouver le bon mot. Toutefois, avec l'Alzheimer, les pertes de mémoire sont incessantes. Vous pouvez également noter des changements dans vos comportements, comme de l'apathie, un repli sur vous-même ou de l'agitation. Vous pouvez aussi oublier fréquemment le jour, le mois ou l'année. Votre capacité à résoudre des problèmes mathématiques décline. Vos finances peuvent être en pagaille ; les factures non payées, les comptes à découvert. Conduire la voiture peut être difficile, voire dangereux. Votre famille peut remarquer que vous répétez souvent les mêmes questions et que vous oubliez des informations. À un stade plus avancé, la maladie vous enlève la capacité de reconnaître des objets courants, tels qu'un crayon, et aussi celle de vous en servir. À mesure que la maladie progresse et que la démence s'intensifie, vivre de manière autonome devient impossible. C'est un peu comme si les lumières d'une maison s'éteignaient une par une… Comme un adieu qui n'en finit plus.

Bien sûr, la maladie d'Alzheimer n'est pas la seule cause de démence. Les petits accidents vasculaires cérébraux (des altérations dans l'apport de sang au cerveau qui peuvent faire mourir des tissus cérébraux) sont également une cause courante. C'est ce qu'on appelle la démence vasculaire (démence à infarctus multiples). Les symptômes de ce type de démence surviennent souvent subitement et peuvent s'améliorer ou rester stables jusqu'à ce qu'un autre accident vasculaire cérébral survienne. L'endroit où a lieu l'accident vasculaire cérébral dans le cerveau détermine la gravité des symptômes.

Un diagnostic difficile à poser. L'une des particularités de la maladie d'Alzheimer est qu'il est impossible de confirmer le diagnostic sans une autopsie. C'est pour cette raison qu'on entend souvent l'expression maladie d'Alzheimer probable et que l'on doit exclure toutes les autres causes de symptômes, comme les accidents vasculaires cérébraux et les tumeurs cérébrales.

L'erreur est humaine

J'étais si arrogant à l'époque. Quand on est jeune, on se croit invincible. Il n'y a rien à notre épreuve. Avec les années, j'ai appris que j'étais humain, comme tout le monde. Je suis reconnaissant envers ceux qui m'ont aidé et je suis heureux d'avoir eu le courage de demander leur aide.

À 20 ans, j'ai été recruté par une entreprise dès ma sortie de l'école technique. Les ordinateurs centraux alors étaient aussi sensationnels que les ordinateurs portables, les serveurs et les assistants numériques personnels le sont aujourd'hui. Je travaillais avec une meute de jeunes loups qui connaissaient leur affaire. Derrière nous, l'équipe technique et l'équipe de marketing faisaient tout en leur pouvoir pour que nous restions les numéros un. J'allais en Italie, à Singapour ou à Tokyo comme d'autres font la navette entre leur travail et la banlieue. Je pouvais rester sans dormir pendant deux jours pour revoir des projets ou trouver des solutions à des défis techniques. Pour moi, c'était très valorisant et, avec le recul, je me rends compte que ça flattait mon ego macho.

J'imagine que je carburais trop pour voir que le navire prenait l'eau. De nouveaux compétiteurs nous talonnaient et grignotaient nos parts de marché. En même temps, la demande pour les ordinateurs centraux s'effondrait. J'ai dû regarder mes collègues vider leur bureau et partir chez eux avec leur cessation d'emploi. Je croyais encore que j'étais à l'abri, je me disais que j'avais tant donné à cette compagnie. Bien sûr, le couperet est tombé pour moi aussi. Je me suis retrouvé à la rue à 54 ans, avec des compétences techniques dépassées et des compétiteurs deux fois plus jeunes que moi. Je pensais que je pourrais devenir consultant, mais le téléphone ne sonnait jamais et ma boîte de réception de courriels restait désespérément vide. Invisible, inutile, inadapté. Comme un quart-arrière blessé au genou.

Ma femme travaillait à temps plein et je restais à la maison avec le chat. L'été, ça pouvait aller, je jouais au golf et je m'occupais de mon bateau. C'est au cours du deuxième hiver que j'ai commencé à boire. Quelques verres pour me réveiller le matin, quelques autres pour égayer mes après-midi. Avec les 70 chaînes de télévision, la nuit tombait sans que je m'en aperçoive.

Mon père, qui avait 85 ans et qui était encore en forme, n'arrivait pas à cacher sa déception. Ma pauvre femme se rongeait les sangs et ne me lâchait pas. J'avais l'impression d'être un bon à rien. Je sais maintenant que je présentais les signes classiques de dépression. Je dormais beaucoup, je ne faisais plus rien. Je vivais au ralenti et loin de tout.

Je n'ai pas apprécié que ma femme me suggère de voir un psychiatre. C'était admettre ma faiblesse, me comparer à un malade mental ! Ma femme était intraitable : soit j'allais consulter, soit elle me quittait. J'ai vu un premier psy, mais je n'étais pas à l'aise avec lui. Le second, par contre, était comme vous et moi, et il m'a inspiré confiance. J'ai eu de bonnes discussions avec lui et j'ai pu me libérer de ce qui me pesait. Je suis au régime sec maintenant, plus une goutte ! Je vais aux rencontres des AA régulièrement. Je veux en profiter pour remercier ma femme de m'avoir forcé à consulter et pour être restée à mes côtés pendant cette épreuve. Invincible, moi ? Non, humain.

George, informaticien

Pistes de réflexion

- Lorsque vous quittez un emploi et que vous n'êtes plus dans le coup, on vous oublie rapidement. C'est une règle impitoyable.

- La dépendance à l'alcool peut se faufiler dans votre vie lors de périodes de détresse. Lorsque des amis ou des professionnels veulent vous aider, acceptez leur aide.

- La sécurité d'emploi n'existe plus, alors évitez de faire de votre emploi votre seule source de fierté. Ayez une vie intéressante en dehors de votre travail.

L'examen sous microscope des tissus du cerveau d'une personne atteinte d'Alzheimer révèle des changements d'ordre pathologique qu'on appelle plaques séniles et enchevêtrements. Les plaques séniles sont des dépôts denses de protéine et de tissu cellulaire qui se forment autour des cellules du cerveau (neurones). Les enchevêtrements sont des fibres entremêlées qui s'accumulent à l'intérieur des neurones.

Les plaques, qui sont constituées en grande partie de la protéine bêta-amyloïde, apparaissent d'abord dans la région du cerveau dédiée à la mémoire et à d'autres fonctions cognitives. Elles se forment 10 à 20 ans avant l'apparition des symptômes. Les enchevêtrements sont constitués principalement de la protéine tau.

Les chercheurs ne comprennent pas encore le rôle joué par les plaques et les enchevêtrements dans la maladie d'Alzheimer. Ils supposent qu'ils entraînent la dégénérescence des neurones, une incapacité à communiquer entre eux et leur mort, qui conduit à des pertes irréversibles des fonctions cérébrales.

Quels sont les risques que vous soyez atteint d'Alzheimer ? Personne ne peut répondre avec exactitude à cette question. L'âge est un facteur incontournable. Entre 65 et 75 ans, une personne sur 100 en est atteinte. La maladie touche rarement les gens de moins de 40 ans, et cette apparition précoce de la maladie d'Alzheimer est considérée comme une forme différente. L'âge moyen de diagnostic est d'environ 80 ans. La moitié des gens qui vivent jusqu'à 90 ans présentent des symptômes.

L'hérédité joue un rôle chez environ 40 % des gens qui souffrent de la forme d'apparition précoce de la maladie. Il y a également un accroissement du risque d'Alzheimer au cours de votre vieillesse si des membres de votre famille en souffrent. Toutefois, même dans les familles où plusieurs personnes sont atteintes, la plupart des membres de la famille n'en souffriront pas. On cherche encore les causes de cette terrible maladie.

Recherches et espoir. Aussi décourageante que soit la perspective d'être atteint de la maladie d'Alzheimer, grâce à la recherche, des percées prometteuses dans le traitement de cette maladie se font chaque jour. Voici quelques-uns de ces traitements.

- *Inhibiteurs de la cholinestérase.* L'acétylcholine, un neurotransmetteur (molécule chimique qui assure la transmission des messages d'un neurone à l'autre au niveau des synapses) peut chuter de 90 % chez les personnes atteintes d'Alzheimer. Les inhibiteurs de la cholinestérase, tels que le donépézil (Aricept) et la rivastigmine (Exelon), empêchent la dégradation de ce neurotransmetteur, ce qui ralentit le déclin cognitif. Ces médicaments semblent freiner la maladie, du moins un certain temps, chez 30 à 50 % des gens qui présentent des symptômes légers à modérés.

- *Hormonothérapie à l'œstrogène.* La plus longue et la plus importante étude sur l'hormonothérapie à l'œstrogène, publiée en 1999 dans le *Journal of the American Medical Association* (JAMA), a démontré que ce traitement n'avait aucun effet significatif sur le développement de l'Alzheimer une fois que la maladie était diagnostiquée. Toutefois, une étude sur 472 femmes, échelonnée sur 16 ans et commandée par la National Institute on Aging aux États-Unis (NIA), indique que l'hormonothérapie à l'œstrogène peut réduire le risque de développer la maladie. Toutefois, tant qu'il n'y aura pas d'études plus complètes, la prévention de l'Alzheimer ne constitue pas une raison suffisante pour avoir recours à l'hormonothérapie à l'œstrogène.

- *Vitamine E.* La vitamine E est un antioxydant qui contre les dommages causés aux cellules par l'oxydation. À hautes doses, elle pourrait prévenir les dommages aux cellules du cerveau qu'entraîne la maladie d'Alzheimer. Une étude publiée dans le *New England Journal of Medicine* et à laquelle la clinique Mayo a participé présente des données préliminaires prometteuses quant à la capacité de la vitamine E à ralentir la progression de la maladie. Des études plus poussées sont nécessaires. On étudie également la sélégiline, un antioxydant utilisé dans le traitement de la maladie de Parkinson.

- *Ginkgo.* Le ginkgo biloba est un arbre. Depuis très longtemps, on utilise cette herbe en Chine comme remède pour de nombreuses affections et on vante ses bienfaits pour la mémoire. Une étude publiée dans le *JAMA* et un aperçu de la recherche paru dans le *Archives of Neurology* suggèrent que le ginkgo pourrait stabiliser ou améliorer la qualité de vie pour certaines personnes atteintes d'Alzheimer. Une étude financée par le gouvernement américain sur 2 000 personnes de 75 ans en santé a été lancée l'an dernier pour déterminer si le ginkgo peut retarder l'apparition de la maladie d'Alzheimer et des autres démences.

- *Anti-inflammatoires non stéroïdiens et corticostéroïdes.* L'inflammation à l'intérieur du cerveau joue peut-être un rôle dans l'Alzheimer. Des recherches indiquent que l'usage d'anti-inflammatoires non stéroïdiens (AINS), comme l'ibuprofène, ou de corticostéroïdes, tels que la prednisone, peut diminuer le risque de développer la maladie d'Alzheimer. Les nouveaux inhibiteurs de COX-2 pourront peut-être devenir une option de prévention et de stabilisation de l'Alzheimer dans le futur.

- *Vaccin par voie nasale.* Des chercheurs étudient un vaccin injecté par voie nasale pour traiter l'Alzheimer. Il n'a été testé que sur les souris, mais une bouffée de peptide bêta-amyloïde synthétique réduit les plaques séniles dans le cerveau de ces souris, selon une étude publiée l'an dernier dans les *Annals of Neurology*.

Les chercheurs sont également sur le point d'être en mesure de diagnostiquer la maladie d'Alzheimer sans biopsie du cerveau. Les outils suivants semblent prometteurs.

- *Imagerie par résonance magnétique.* Une recherche publiée dans les *Annals of Neurology* a démontré qu'en utilisant l'imagerie par résonance magnétique (IRM) pour mesurer le volume de certaines parties du cerveau affectées par l'Alzheimer, les chercheurs pouvaient prédire avec une grande précision qui allait développer la maladie avant même que les symptômes cliniques apparaissent. Avec l'apparition de nouveaux traitements, l'identification des personnes qui présentent un risque accru s'avérera cruciale.

- *Génétique.* Des chercheurs ont identifié des mutations génétiques qui causent la forme d'apparition précoce de la maladie d'Alzheimer (apparition avant 60 ans). Bien que rien ne prouve que ces mutations génétiques causent la forme liée à l'âge de l'Alzheimer, la génétique est un facteur à considérer. On étudie particulièrement un gène appelé apolipoprotéine E (apoE) qui semble jouer un rôle dans le développement de l'Alzheimer chez les personnes âgées. Un jour, les tests génétiques pourraient mener au diagnostic précoce de la maladie.

De nombreux essais cliniques sont menés pour la maladie d'Alzheimer, alors si on diagnostique la maladie chez vous ou chez une personne de votre entourage, demandez au médecin si vous pouvez participer à l'un de ces essais. Si un être cher souffre de cette maladie ou si vous craignez d'en être atteint, rappelez-vous que les chercheurs font des progrès chaque jour et que l'avenir est porteur d'espoir.

Pour plus d'information, consultez le site de la Société Alzheimer (www.alzheimer.ca) ou celui de la Fédération Québécoise des Sociétés Alzheimer (1-888-MÉMOIRE ou www.alzheimerquebec.ca).

Les substances nuisibles pour l'esprit

Nous avons vu précédemment que l'alcool, la nicotine, la drogue et les médicaments peuvent contribuer à l'anxiété et à la dépression. Ce sont des substances qui peuvent entraîner une dépendance et qui, selon les recherches, modifieraient la chimie du cerveau. Elles affectent aussi votre santé et votre qualité de vie. Tout le monde sait que les drogues illicites telles que la marijuana, la cocaïne et l'héroïne détruisent souvent la santé et la vie de ceux qui les consomment. Cependant, saviez-vous que même la caféine, cette substance si populaire, peut également vous nuire ? Examinons ses effets de plus près.

La caféine. De nombreuses études ont été consacrées aux effets de la caféine sur la santé. La plupart d'entre elles sont peu concluantes, et cela en raison des nombreuses variables dans le traitement et la consommation du liquide noir. Le type de grain, le degré de torréfaction, la méthode d'infusion et ce qu'on ajoute au café influencent la composition chimique de ce qui se retrouve dans la tasse. De plus, les buveurs de café sont plus susceptibles d'être âgés, de fumer, de boire plus d'alcool et de moins bien manger, ce qui empêche les chercheurs de distinguer les effets de la caféine des effets des autres facteurs.

Il est donc très difficile de déterminer quelle est la quantité de café que l'on peut boire sans danger. Par contre, il a été démontré que le café est un stimulant qui affecte le cerveau. Le café réveille, donne de l'énergie, vous rend plus alerte et accélère votre temps de réaction. Il peut aussi augmenter votre pression artérielle, accélérer les battements de votre cœur, causer ou aggraver les brûlures d'estomac, nuire à votre sommeil et causer de l'anxiété. La caféine peut vous rendre irritable, agité et elle peut aggraver les crises de panique. La sensation d'avoir les nerfs à vif qui vous envahit lorsque vous avez bu trop de café n'est pas le produit de votre imagination. La caféine entraîne une dépendance. Essayez d'arrêter d'en boire d'un coup ; le mal de tête carabiné qui suivra constitue un symptôme de sevrage.

Le Canadien moyen consomme environ 200 milligrammes de caféine par jour, une quantité suffisante pour rendre certaines personnes anxieuses. Approximativement, les trois quarts de cette quantité proviennent du café. Le reste vient des boissons gazeuses, du thé, du chocolat, du cacao, des analgésiques en vente libre et des produits conçus pour tenir éveillé.

Du point de vue de la santé, vous pouvez très bien vivre sans caféine. Par contre, si vous appréciez le café, les boissons gazeuses et le thé contenant de la caféine, faites-en une consommation modérée. Si vous

Un fossile vivant

En tant que première femme directrice de ma compagnie, je devais prouver ma valeur tous les jours. J'étais parvenue à faire ma place dans cette chasse gardée d'hommes. J'avais réussi, c'est ce que je croyais alors. J'étais convaincue que mes aptitudes en relations humaines et mes contacts me porteraient sans heurt jusqu'à ma retraite. C'était sans compter la nouvelle technologie.

Sans transition et en peu de temps, notre compagnie est entrée à l'ère du commerce électronique. Toutes les divisions se sont retrouvées en ligne. Les services d'information et du marketing se sont mis à parler un nouveau langage. Nous n'étions plus une compagnie, mais une entreprise œuvrant dans le commerce électronique inter-entreprises. Il fallait prendre des décisions sur des logiciels de « gestion des relations avec la clientèle » et prévoir des budgets pour la « gestion intégrée de la production ». J'ai appris ce nouveau jargon sans problème, mais la technologie qui se cachait derrière m'était tout à fait étrangère.

Je me sentais comme une grand-mère entourée d'enfants maniaques d'ordinateurs qui ne parlaient que de gestion de base de données, de comparaison, de nettoyage et d'exploitation de ces données. Qu'on me donne un rétroprojecteur et un crayon, pour l'amour du ciel ! Je savais utiliser un logiciel de traitement de texte et me servir du courrier électronique, mais je préférais encore ma bonne vieille machine à écrire électrique.

Bien entendu, une gestionnaire prend des décisions et se repose sur les compétences techniques de ses employés pour qu'elles soient mises en œuvre. Ce fut suffisant jusqu'à un certain point. Cependant, même un gestionnaire doit avoir une idée des rudiments techniques derrière les idées, et je n'y comprenais rien. Je me sentais comme un fossile vivant.

J'avais 57 ans à l'époque et je voulais travailler jusqu'à 65 ans pour avoir droit à la retraite maximale. Mais mon écran d'ordinateur me narguait. On m'a « offert » une retraite anticipée. La nouvelle directrice est deux fois plus jeune que moi et elle n'a jamais eu à se battre pour se hisser au haut de l'échelle. Elle ne connaît même pas mon nom.

Liliane, directrice des communications à la retraite

Pistes de réflexion

- Gardez vos compétences à jour afin de ne pas être pris au dépourvu par les changements dans votre profession.

- Gardez l'esprit vif. Anticipez les changements et soyez assez souple pour vous renouveler lorsqu'il le faut.

désirez réduire votre consommation ou arrêter d'en prendre, faites-le graduellement pour éviter les maux de tête, la fatigue et les autres symptômes qui peuvent accompagner le sevrage.

L'alcool. Quel sujet controversé! Vous avez sans aucun doute entendu parler des études qui démontrent les effets bénéfiques d'une consommation modérée d'alcool sur le cœur. Cela signifie-t-il que vous deviez commencer à boire? La réponse est non. Si vous ne buvez pas, ne commencez pas à le faire.

Malheureusement, l'alcoolisme, qui est une maladie, est un problème grave chez les aînés. Plusieurs d'entre eux commencent à boire de manière excessive seulement dans la soixantaine ou même plus tard. Souvent, la surconsommation d'alcool est une réaction à des changements majeurs, comme la perte d'un époux ou d'une épouse, un divorce ou la retraite. Plus de femmes que d'hommes commencent à boire plus tard dans la vie. Souvent, l'alcoolisme passe inaperçu jusqu'à ce que des problèmes majeurs de santé apparaissent.

Une trop grande consommation d'alcool (plus d'un verre par jour pour une femme et plus de deux verres par jour pour un homme) peut endommager presque tous les organes et les systèmes du corps. Cela augmente le risque de maladie cardiovasculaire, de maladie du foie et du pancréas, de dysfonction sexuelle et de certains cancers. Cela affaiblit également le système immunitaire, ce qui augmente la vulnérabilité de votre organisme aux infections.

Avec l'âge, votre corps supporte moins l'alcool, il en faut donc une quantité moindre pour faire des dommages. L'abus d'alcool peut accélérer le processus de vieillissement. Une étude présentée par l'*Academy of Addiction Psychiatry* montre que la consommation excessive d'alcool peut causer des symptômes physiques qui ressemblent à ceux du vieillissement, comme les chutes et l'insomnie.

Une autre étude indique que les troubles anxieux vont de pair avec l'abus d'alcool. Le risque de souffrir d'anxiété est trois fois plus important s'il y a consommation excessive d'alcool, bien que personne ne sache pourquoi. Il se pourrait que l'anxiété pousse certaines personnes à boire ou que le fait de boire rende anxieuses certaines personnes. Il se pourrait également que des facteurs génétiques ou environnementaux prédisposent certaines personnes aux troubles anxieux comme à l'alcoolisme.

Une étude publiée dans l'*American Journal of Drug and Alcool Abuse*, qui portait sur des adultes de 65 ans et plus qui sont passés au service des urgences, mentionne que ceux qui buvaient beaucoup avaient tendance à percevoir une plus grande détérioration de leur santé dans l'année suivant la visite aux urgences. De plus, l'alcoolisme complique souvent les problèmes de santé des aînés. Il peut s'agir d'interactions nocives avec les médicaments et l'alcool, du non-respect des diètes ou des prescriptions de médication, de déficiences cognitives ou de maladies psychiatriques. Cela peut aussi entraîner des problèmes médicaux comme l'hypertension et des hémorragies gastriques.

L'alcool affecte manifestement vos facultés cognitives et votre concentration. Si vous aimez boire un verre de vin avec un bon repas, il n'y a probablement aucune raison de vous en priver. Par contre, si vous vous apercevez que vous buvez plus ou que vous vous tournez vers l'alcool pour vous réconforter, il y a peut-être un problème. Si vous êtes incapable de réduire votre consommation ou d'arrêter de boire malgré vos meilleures intentions, il est temps d'agir. Consultez alors votre médecin qui vous proposera des solutions à ce problème.

La nicotine. Il n'y a rien de bon dans la nicotine. Si vous fumez ou si vous mâchez du tabac, vous devriez essayer d'arrêter. Il n'est jamais trop tard, et plus vous vivez longtemps sans nicotine, plus de dommages pourront être réparés, même si vous avez fumé pendant des années.

À chaque bouffée de cigarette, vous inhalez 4 000 substances chimiques. La nicotine est celle qui entraîne la dépendance. Cette dépendance est si forte qu'elle est plus difficile à briser que celle engendrée par l'héroïne ou la cocaïne. Lorsque vous inhalez la fumée, la nicotine parvient à votre cerveau en 10 secondes. Si vous fumez la pipe ou le cigare (la plupart des gens qui le font ne respirent pas la fumée), ou si vous mâchez du tabac, la nicotine est absorbée plus lentement par les muqueuses de la bouche.

Lorsque la nicotine parvient au cerveau, elle fait augmenter la quantité de dopamine, un neurotransmetteur qui régule les mouvements, les émotions, la motivation et, ce qui est crucial pour le processus de dépendance, le plaisir. Le puissant effet de la nicotine se dissipe presque aussitôt, ce qui fait que vous devez toujours en prendre pour conserver la sensation de plaisir.

En raison de la forte dépendance que la nicotine crée, il est très difficile de cesser de fumer. Si vous êtes un ex-fumeur, arrêter de fumer a peut-être été la chose la plus difficile de votre vie. Si vous voulez arrêter, ce sera peut-être votre plus grand défi. Les symptômes du sevrage peuvent durer un mois et plus ; parmi ceux-ci, on retrouve l'irritabilité, l'état de manque, les difficultés de concentration, les problèmes de sommeil et l'augmentation de l'appétit. Heureusement, les produits qui remplacent la nicotine (gomme à mâcher, inhalateur, vaporisateur nasal, timbre transdermique), la thérapie comportementale et l'antidépresseur bupropion (Zyban, Wellbutrin) ont démontré leur efficacité pour aider les gens à cesser de fumer.

Pensez aux conséquences. Le tabagisme a été associé à l'hypertension artérielle, aux maladies des gencives, aux maladies cardiaques, à divers cancers, en particulier le cancer du poumon, mais pas exclusivement, ainsi qu'à d'autres maladies pulmonaires. Le tabagisme est la première cause de décès évitable au Canada. La nicotine n'est pas seulement nocive pour votre esprit, elle peut vous tuer. Si vous fumez et que vous désirez vieillir en santé, vous devez arrêter. Il existe de nombreux programmes de soutien pour ceux qui désirent relever ce grand défi. Vous pouvez consulter, par exemple, le site Web de Santé Canada (www.hc-sc.gc.ca) et de la Société canadienne du cancer (www.cancer.ca).

Les médicaments. Comme la plupart des gens, vous prenez probablement plus de médicaments en vente libre et sur ordonnance que lorsque vous étiez jeune. Malheureusement, certains des médicaments les plus courants peuvent provoquer des symptômes similaires à ceux de la démence, dont la confusion et les pertes de mémoire. En plus du nombre de médicaments, le problème est aggravé par le fait que le métabolisme devient moins efficace avec l'âge.

Les médicaments peuvent également interagir avec les aliments et les suppléments vitaminiques ou minéraux. Pour éviter ce genre de problèmes, suivez les recommandations suivantes.

- Assurez-vous de donner la liste de tout ce que vous prenez à votre médecin, y compris les médicaments en vente libre, les herbes médicinales, les vitamines et les minéraux.

- Lisez toutes les instructions, les avertissements et les précautions à prendre pour tous les médicaments et les suppléments que vous prenez.

- Mentionnez à votre médecin tous les effets secondaires que vous éprouvez.

- Prenez vos médicaments tels que prescrits. S'il faut les avaler, prenez-les avec un grand verre d'eau. Prenez-les avec de la nourriture si c'est ce qui est indiqué.

- Ne mélangez pas les médicaments avec des aliments ou des boissons chaudes. Ne les prenez pas avec des suppléments vitaminiques ou minéraux.

- Ne brisez pas les capsules à libération progressive avant d'en parler à votre pharmacien ; vous pourriez détruire le processus d'action prolongée.

L'usage abusif des médicaments peut entraîner de graves problèmes. Si vous constatez que vous ne pouvez pas fonctionner sans certains médicaments, comme les somnifères, les analgésiques ou les tranquillisants, ou si vous devez prendre de plus en plus de médicaments pour vous soulager, parlez-en à votre médecin.

À propos de la mémoire

Vous souvenez-vous quand vous alliez à l'école et qu'il fallait mémoriser un grand nombre d'informations, comme les capitales des provinces ou les fables de La Fontaine ? Si vous pensez que vous étiez capable de le faire simplement parce que vous étiez jeune, détrompez-vous. Vous étiez capable de le faire parce que vous faisiez de grands efforts pour les mémoriser. À quand remonte la dernière fois où vous avez mis autant d'énergie à mémoriser quelque chose ? Il y a fort à parier que si vous essayiez maintenant, vous auriez autant de succès que dans la salle de classe.

La mémoire se divise en trois parties.

Mémoire de travail. Vous trouvez un numéro de téléphone dans les pages jaunes et vous le répétez dans votre tête jusqu'à ce que vous le composiez. Puis il disparaît. Si vous devez rappeler à ce numéro, il faudra probablement que vous le cherchiez de nouveau. Dans la mémoire de travail, les informations ne sont emmagasinées que pour le temps dont vous en avez besoin.

Mémoire à court terme. Votre mémoire à court terme est l'endroit où vous emmagasinez les informations les plus importantes ou les informations auxquelles vous êtes exposé fréquemment. Vous souvenez-vous de ce que vous avez mangé ce matin au petit-déjeuner ? La réponse se trouve dans votre mémoire à court terme.

Mémoire à long terme. Les informations très importantes, comme la date de naissance de votre enfant, les mots d'une prière souvent répétée ou encore les évènements qui ont un impact affectif, se retrouvent dans votre mémoire à long terme où elles peuvent rester pendant des années. Lorsque vous vous efforcez de mémoriser quelque chose, vous participez au processus d'entreposage à long terme. À titre d'exemple, si vous avez beaucoup étudié pour apprendre par cœur *La cigale et la fourmi* de Lafontaine quand vous étiez à l'école, il est fort probable que vous vous rappeliez au moins les premières phrases. La répétition a favorisé la mémorisation.

Muscler sa mémoire

J'ai toujours été fière de ma mémoire. À l'école, j'avais plus de facilité à mémoriser les informations et les chiffres que la plupart de mes compagnes de classe. Vous imaginez donc à quel point j'ai été troublée lorsque j'ai commencé à perdre la mémoire. J'ai commencé par oublier des détails, des petits détails comme des articles sur ma liste d'épicerie, le nom d'une personne qu'on venait de me présenter. Parfois, j'oubliais ce que je venais juste de lire. Ou encore j'oubliais ce que j'étais en train de faire avant qu'on m'interrompe. Je perdais mes clés, mes lunettes, les trucs classiques.

J'ai parlé de mes inquiétudes à mes amis. Ils m'ont répondu : « Bienvenue dans le club, ça nous arrive à tous. » Pourtant, j'avais peur, j'étais certaine que ces pertes de mémoire n'étaient pas normales. Les dernières années avant sa mort, ma mère souffrait de démence. C'était peut-être la maladie d'Alzheimer, mais à l'époque, on n'appelait pas cela ainsi.

J'en ai donc parlé à mon médecin qui, heureusement, a pris mes inquiétudes au sérieux. Elle m'a fait un examen et j'ai passé quelques tests, rien ne clochait au plan physique. Je ne prends pas non plus de médicaments qui peuvent affecter la mémoire. Elle m'a conseillé d'aller à une clinique où on a testé ma durée d'attention, ma mémoire visuelle et ma capacité à retenir ce que je lis. Ils ont aussi testé mon habileté à me souvenir d'une liste de chiffres, des visages et des noms.

Ils m'ont dit que j'avais bien réussi les tests. J'avais peut-être perdu un peu de ma mémoire au fil des ans, mais en gros, tout allait bien et je ne souffrais d'aucun type de démence. Je leur ai dit que cela me troublait tout de même. Ils m'ont expliqué que nous pouvons tous améliorer notre mémoire grâce à des techniques d'association et de répétition, et en renforçant notre concentration. Ils m'ont même donné un livre d'exercices.

Je crois que ça m'a aidée. À titre d'exemple, je trouve que l'association d'un objet à un nom m'aide à m'en souvenir. En apprenant comment la mémoire fonctionne, j'ai pu aiguiser la mienne. Je fais des listes, je dépose toujours mes lunettes et mes clés au même endroit lorsque j'arrive à la maison. Je vais très bien, je vous remercie.

Julia, femme au foyer

Pistes de réflexion

- Certaines pertes de mémoire sont normales avec l'âge et ne signifient pas qu'on souffrira nécessairement de la maladie d'Alzheimer.

- Les exercices de mémoire et les techniques de rappel peuvent améliorer votre mémoire.

Les neurotransmetteurs et les neurones jouent un rôle dans la façon dont nous gardons nos souvenirs en mémoire, bien que les chercheurs ne comprennent pas encore le fonctionnement de ce processus. Ce qu'ils savent, par contre, c'est que les neurotransmetteurs tendent à diminuer avec l'âge, ce qui aura pour conséquence probable un ralentissement de la capacité à retrouver des informations.

Cela ne signifie pas qu'il soit inévitable que votre mémoire faiblisse avec l'âge. Bien sûr, vous oublierez probablement où vous avez déposé vos lunettes. Cela vous arrivait probablement aussi souvent dans la vingtaine, mais vous deviez prendre le parti d'en rire alors, car ce n'était pas un signe qui vous faisait peur et que vous associiez au vieillissement.

Si des oublis parsèment votre quotidien, voici quelques conseils pour renforcer votre mémoire.

Trucs mnémotechniques. Rappelez-vous l'époque où vous deviez apprendre certains faits par cœur. S'il est important pour vous de vous souvenir de certaines informations, il s'agit d'y mettre un peu d'effort et de faire appel à quelques trucs.

- *La répétition.* Répétez à de nombreuses reprises une phrase et vous vous la rappellerez probablement toute votre vie.

- *Les associations.* Imaginez une histoire, faites des rimes ou liez une nouvelle information à quelque chose que vous connaissez, comme les mots s'associent à la musique. Cela vous aidera à emmagasiner l'information dans votre cerveau.

- *Le morcellement.* Décomposez l'information en petits segments et apprenez-les un par un.

- *La visualisation.* Concevez une image dans votre cerveau que vous associerez à ce que vous essayez de vous rappeler. Lorsqu'on vous présente quelqu'un, souvenez-vous de son nom en pensant à un indice visuel auquel il est associé. Répétez le nom de la personne lorsque vous lui serrez la main.

Rappelez-vous que la mémorisation demande beaucoup de travail. Vous devriez consacrer vos efforts aux choses vraiment importantes. Pour les autres informations, dressez des listes et des aide-mémoire que vous placerez à des endroits où vous les verrez souvent ; sur le réfrigérateur ou le miroir de la salle de bains, par exemple. Utilisez un calendrier. Prenez l'habitude de toujours ranger les choses que vous prenez souvent, comme vos lunettes et vos clés d'auto, au même endroit pour savoir où les trouver. Lorsque vous garez votre voiture, prenez en note l'allée dans laquelle elle se trouve. S'il n'y a pas d'indication, comptez le nombre de rangées à partir d'une porte, par exemple. Écrivez-le si c'est nécessaire ou bien dites-le à voix haute. Si vous garez votre voiture au deuxième étage d'un stationnement, pensez à un programme double au cinéma ou faites le signe de la victoire avec deux doigts. Cela vous aidera à vous en souvenir.

Un esprit sain dans un corps sain

Si vous n'êtes pas dépressif ou anxieux, si vous n'êtes pas atteint de la maladie d'Alzheimer ou d'une autre forme de démence, et si vous n'avez pas de lésions au cerveau causées par un accident vasculaire cérébral ou un accident, vous pouvez conserver une mémoire étonnante en prenant bien soin de vous. Les stratégies suivantes vous aideront à y parvenir.

- *Mangez sainement.* Dans ce chapitre, nous avons vu le potentiel de la vitamine E et d'autres antioxydants (en particulier les vitamines A et C) pour contrer les dommages causés aux cellules par l'oxydation et pour améliorer la mémoire. De plus, ces substances contribuent à votre bonne santé, ce qui est crucial pour garder un esprit alerte. Alors, mangez des fruits, des légumes et des produits à grains entiers. Limitez les graisses saturées au minimum. Si vous buvez de l'alcool, faites-le avec modération.

- *Bougez.* L'activité physique, comme une bonne alimentation, contribue à la santé générale. En plus de prévenir la dépression, elle réduit la pression artérielle et aide à combattre le stress, des facteurs qui peuvent avoir un effet sur votre esprit. Choisissez des activités qui vous plaisent et essayez de faire 30 minutes d'activité physique à faible ou à moyenne intensité tous les jours. Vous pouvez décomposer cette période en séances de 10 à 15 minutes et quand même en retirer les bienfaits.

- *Diminuez votre stress.* Lorsque vous êtes stressé, votre corps produit un taux élevé de cortisol, une hormone liée au stress. Selon une étude des *Archives of General Psychiatry,* un niveau élevé de cortisol peut altérer votre capacité à vous rappeler de mots, de numéros de téléphone et d'autres informations. Vous ne pouvez éviter les évènements stressants, mais vous pouvez contrôler la manière dont vous y réagissez. Démontrez une attitude positive. Si vous avez besoin d'aide, parlez à vos amis, devenez membre d'un groupe d'entraide ou consultez un professionnel.

- *Gardez le contact et restez actif.* Ce qui compte le plus, c'est de continuer à faire travailler votre esprit. Suivez des cours, apprenez une nouvelle langue, prenez des leçons de bridge, jouez aux échecs, faites des mots croisés, lisez et faites du bénévolat. Évitez de trop regarder la télévision. Jouez au Scrabble avec vos petits-enfants. Rappelez-vous, la clé pour avoir un esprit sain, c'est d'apprendre tous les jours.

Chapitre 4

Votre âme

- Croire en une entité spirituelle plus grande que nous nourrit l'esprit et l'âme.
- Vous êtes plus que de la chair et des substances chimiques.
- Un système de croyances peut donner une signification aux changements de la vie.

On peut définir la vie comme une succession de changements et plus vous vivrez longtemps, plus vous connaîtrez de changements. Le changement représente toujours un défi, même s'il est positif. Parfois, le changement vient nous bouleverser jusqu'au plus profond de nous. La perte d'un être cher, la retraite, un déménagement ou une maladie font partie de ces changements bouleversants.

Comment accueillez-vous le changement ? Qu'est-ce qui vous donne de la force pendant les périodes difficiles ? Qu'est-ce qui vous soutient et vous garde à flot lorsque vous avez la sensation de vous noyer ?

Pour plusieurs personnes, la réponse à ces questions est la foi. En plus d'englober la croyance en une puissance supérieure et en un univers ordonné, la foi comprend également nos liens avec les autres. Ce sont ces liens qui aident les gens à garder le cap lorsque les vents de la vie menacent de les faire dévier.

Autrefois, les guérisseurs comprenaient ce lien entre l'âme des gens et leur bien-être. La santé et l'âme étaient inextricablement liées. Dans de nombreuses cultures, les prêtres et les chamans jouaient aussi le rôle de guérisseurs, et ils se servaient de l'âme de ceux dont ils avaient la charge pour leur redonner une complétude.

Avec l'essor de la science aux XIXe et XXe siècles cependant, les techniques médicales modernes ont occulté le rôle de la foi dans la guérison. Malgré tout, même les découvertes les plus extraordinaires dans le monde médical n'ont pu faire disparaître complètement la foi. On n'a qu'à penser au grand nombre de centres médicaux, comme la Clinique Mayo, qui ont été fondés en association avec un ordre religieux au XXe siècle.

Depuis ses débuts, la Clinique Mayo est associée aux Sœurs de Saint-François. Pour les frères Mayo, la spiritualité était si essentielle que même lorsqu'ils connurent de graves difficultés financières au cœur de la Crise de 1929, le Dr William J. Mayo a rappelé que le besoin d'argent ne devait jamais prendre le pas sur la spiritualité.

Le Dr Mayo s'adressait aux professeurs de la faculté de médecine : «Le maintien du statut spirituel actuel de la Clinique Mayo est d'une importance capitale. Nous ne devons pas permettre aux contingences matérielles d'empiéter sur nos idéaux… Je crois que le cœur de la Clinique a plus contribué à son extraordinaire utilité pour les gens et à la confiance qu'elle inspire chez eux que n'importe quel autre facteur.»

Devant la recrudescence de la spiritualité dans le monde occidental, les praticiens de la médecine moderne réexaminent la relation entre la foi et la guérison. «Il devient évident que la médecine et la religion s'inscrivent dans une nouvelle dynamique de respect mutuel et de curiosité réciproque. Il y a une convergence, non pas une collision, et elle déterminera l'avenir des soins de santé.» C'est ainsi que s'exprimait Virginia Harris, présidente du conseil d'administration de l'organisme qui publie le *Christian Science Monitor,* devant une assemblée de professionnels de la santé.

La foi joue un rôle dans la santé et par le fait même dans le vieillissement. De plus en plus d'études indiquent que lorsque nous croyons en quelque chose de plus grand que nous, cela renforce notre capacité à faire face à ce que la vie nous réserve.

Dans ce chapitre, nous examinerons les effets indéniables de la spiritualité sur le vieillissement. Si vous ne vous considérez pas comme une personne religieuse, vous serez peut-être tenté de sauter ce chapitre. N'en faites rien ; nous parlons de spiritualité et non de religion. Vous pourriez être surpris de la diversité des formes que prend la spiritualité et des multiples façons dont elle peut vous aider à surmonter les transitions inévitables de la vie.

Regain d'intérêt pour la spiritualité

Vous n'avez qu'à regarder la devanture d'une librairie ou à feuilleter un magazine pour voir que l'intérêt pour la spiritualité est en hausse.

Pour la plupart des gens, la spiritualité ou la foi, croire en une entité spirituelle plus grande que nous, contribue à la santé. Un grand nombre d'études démontrent que les gens qui assistent à des offices religieux (la présence dans les lieux de culte est plus facile à mesurer et à classifier que les croyances des gens) ont une meilleure santé, vivent plus long-temps et récupèrent plus rapidement et avec moins de complications lorsqu'ils sont malades. Ils ont aussi tendance à mieux accepter la maladie et sont moins souvent atteints de dépression.

À titre d'exemple, une étude a montré que la pression artérielle des personnes âgées qui assistent à un office religieux au moins une fois par semaine et qui prient ou étudient la Bible tous les jours était invaria-blement moins élevée que celle des personnes qui participent rarement ou pas du tout à des activités religieuses. Dans une autre étude, les participants qui se disaient plus religieux déclaraient récupérer plus rapidement d'une dépression que ceux qui se disaient moins religieux.

Chez les gens atteints de maladies graves, plusieurs se servent de leurs croyances spirituelles pour affronter la maladie. Plus de 850 études ont évalué la relation entre l'engagement religieux et divers aspects de la santé mentale, et dans plus des deux tiers, on a constaté que les person-nes s'adaptent au stress plus facilement si elles sont religieuses. Dans une étude qui évaluait 108 femmes atteintes du cancer du sein, 93 d'en-tre elles ont affirmé que leurs croyances les avaient aidées à garder espoir.

Ce ne sont là que quelques exemples des multiples études qui ont tenté de mesurer l'effet des croyances religieuses sur la maladie et la guérison. En faisant une revue de plusieurs de ces études, des cher-cheurs de la faculté de médecine de l'Université Georgetown ont évalué que 80 % de ces études suggèrent que les croyances religieuses ont un effet bénéfique sur la santé. Ces chercheurs ont conclu que ce facteur religieux était associé à un plus haut taux de survie, à une consomma-tion moindre d'alcool, de cigarette et de drogue, à moins d'anxiété, de dépression et de colère, à une pression artérielle moins élevée et à une meilleure qualité de vie pour les gens atteints de cancer et de maladies cardiaques.

Personne ne peut dire avec certitude comment la foi ou les croyances et les pratiques spirituelles affectent la santé. Certains spécialistes attribuent l'effet de guérison à l'espoir, car on a démontré qu'il était bénéfique pour le système immunitaire. D'autres comparent la prière à la méditation, qui atténue la tension musculaire et ralentit le rythme cardiaque. D'autres encore soulignent les liens sociaux, un autre facteur de guérison que la fréquentation régulière des lieux de culte favorise.

La recherche sur la foi et la santé compte également des détracteurs. Les critiques rappellent que les personnes religieuses sont aussi plus susceptibles d'avoir des habitudes saines, comme une faible consommation d'alcool et de drogue. Manifestement, les croyances spirituelles ne suffisent pas au maintien d'une bonne santé. Néanmoins, on ne peut pas écarter la contribution de la spiritualité. Dans un éditorial du *Journal of the American Medical Association (JAMA)*, on pouvait lire : « La recherche sur les facteurs religieux en santé est aussi élaborée que n'importe quel domaine porteur en épidémiologie, et compte tenu du sujet, les résultats ont souvent été l'objet d'un examen plus rigoureux. »

En définitive, est-ce que les résultats de ces recherches comptent ? Vous ne deviendrez pas croyant simplement parce que vous savez que cela peut vous aider à vieillir en santé. Et vous ne perdrez pas la foi demain si vous apprenez qu'elle n'offre aucun bienfait pour la santé. La foi se vit, tout simplement.

Cependant, les données suggèrent que la foi aide à vivre plus longtemps et en meilleure santé. Même si la foi ne rallonge pas votre vie, elle renforce votre capacité à affronter les évènements, ce qui améliore votre qualité de vie. Si ce n'était pas le cas, pourquoi 72 des 125 facultés de médecine américaines, dont l'école de médecine Mayo, donneraient-elles des cours sur la spiritualité et la guérison ? Au milieu des années 1990, seulement trois écoles offraient ce type de cours.

En citant les résultats des études montrant les bienfaits de la spiritualité sur la santé, dans les *Annals of Internal Medicine*, on recommandait aux médecins de respecter les besoins spirituels de leurs patients, surtout s'ils voulaient obtenir les meilleurs résultats possible avec le traitement. La science commence à démontrer ce que de nombreuses personnes savaient intuitivement depuis toujours : lorsqu'on veut vieillir en santé, la foi est une alliée.

Comment définit-on la spiritualité ?

Comme nous l'avons expliqué au début de ce chapitre, de nombreuses études sur la religion et la santé se sont attardées à la fréquentation des lieux de culte. À titre d'exemple, dans une étude publiée dans l'*American Journal of Public Health*, plus de 2 000 personnes âgées de 55 ans et plus ont été suivies pendant cinq ans. Celles qui déclaraient assister régulièrement (au moins une fois par semaine) à des offices religieux étaient moins susceptibles de mourir au cours des cinq prochaines années que les autres. L'étude tenait compte d'autres variables, telles que l'état de santé au début de la recherche, les habitudes et le soutien social.

La foi ne se limite pas à ceux qui appartiennent à une tradition religieuse organisée et ses bienfaits ne se limitent pas à l'allongement de la vie. En fait, ce qui compte probablement le plus, c'est le rôle de la foi dans l'amélioration de votre qualité de vie et le développement de votre résilience.

Que se passe-t-il lorsqu'on ne fait pas partie d'une tradition religieuse ? Cela ne veut pas dire que la spiritualité est absente de notre vie. Les gens utilisent souvent les mots *spiritualité* et *religion* de façon interchangeable, mais ces termes ne signifient pas la même chose. Dans le cas de la religion, il s'agit souvent de suivre les pratiques et les préceptes d'une institution. La spiritualité est plus personnelle, plus individuelle, et elle englobe vos relations avec les autres ainsi qu'avec votre Créateur.

Un comité de la Clinique Mayo a élaboré la définition suivante : « La spiritualité est un processus dynamique par lequel une personne découvre une sagesse intérieure ainsi qu'une vitalité qui donnent un sens et un but aux évènements de sa vie et à ses relations avec les autres. »

Selon une échelle du bien-être spirituel éprouvée en clinique, la spiritualité comprend les éléments suivants : la croyance en une puissance plus grande que soi, un but dans la vie, la foi, la confiance en un guide divin, la prière, la méditation, les dévotions en groupe, la capacité de pardonner, la capacité de trouver un sens à la souffrance et la gratitude envers la vie.

Un rapport de ce même comité de la Clinique Mayo ajoute : « La spiritualité est ce processus dynamique qui permet aux individus de découvrir un sens et un but à leur vie, même au milieu d'une tragédie personnelle, d'une crise, du stress, de la maladie, de la douleur et de la souffrance. Ce processus est une quête intérieure. Cette quête demande assez d'ouverture pour se laisser guider par l'âme, le silence, la contemplation, la méditation, la prière, le dialogue intérieur ou le discernement.

La spiritualité permet à une personne de s'engager pleinement dans les expériences de la vie, de la naissance à la mort. »

Être engagé pleinement dans la vie, c'est aussi être en relation avec les autres, avec une puissance plus grande et avec la nature.

La spiritualité est peut-être la seule chose qu'on ne peut vous voler. Alors qu'il était emprisonné au camp de concentration nazi d'Auschwitz pendant la Deuxième Guerre mondiale, le psychiatre Viktor Frankl a trouvé un sens à la souffrance la plus terrible. Séparé de sa famille, dépouillé de ses biens et victime de la brutalité, de la faim et du froid, il a découvert que la spiritualité lui permettait ainsi qu'à d'autres de s'élever au-dessus de la situation et de survivre. Dans le livre *Découvrir un sens à sa vie avec la logothérapie*, il écrit :

> « Malgré le caractère primitif incontournable de la vie concentrationnaire, le prisonnier pouvait y mener une vie spirituelle très riche. Les êtres sensibles, dont la vie était auparavant entièrement consacrée à des activités intellectuelles, souffraient certes beaucoup… mais leur vie intérieure en sortait pratiquement indemne. Grâce à elle, ils pouvaient échapper à l'enfer du camp et retrouver leur liberté spirituelle. Cela explique pourquoi certains prisonniers étaient mieux équipés pour survivre aux conditions de vie du camp que les natures plus robustes. »

Ce que Viktor Frankl a observé, c'est que la foi soutenait un prisonnier et que son absence le condamnait. Il a écrit aussi : « En perdant cette foi en l'avenir, il perdait sa spiritualité ; il se laissait dépérir moralement et physiquement. »

Viktor Frankl ne parle ni de religion, ni d'un dieu en particulier. Il parle de la foi, de la croyance en l'existence d'un but suprême à la vie. Cela l'a aidé, ainsi que d'autres prisonniers, à survivre à Auschwitz, l'une des expériences les plus dévastatrices et les plus démoralisantes sans doute, en conservant son âme intacte.

À la lumière de ce témoignage, réfléchissez à ce que la foi peut faire pour vous. Lorsque vous serez confronté aux plus grands défis de la vie, comme la perte d'un être cher, la perte de votre travail (la retraite), l'invalidité ou la maladie, votre spiritualité peut vous donner de la force et vous aider à guérir.

Rappelez-vous que la guérison ne signifie pas nécessairement un rétablissement complet. En fait, la guérison veut parfois dire atteindre la sérénité en vous acceptant tel que vous êtes, en affrontant ce que la vie apporte et en vivant la meilleure vie possible malgré les pertes. Parfois, c'est l'âme qui guérit et non le corps.

L'écrivaine Barbara Winter résume joliment ce concept : « Lorsque vous arriverez à la lisière de toutes les lumières que vous connaissez et que vous serez sur le point d'entrer dans la noirceur de l'inconnu, la foi s'exprimera par l'assurance que l'une de ces deux choses surviendra. Il y aura une base solide où vous pourrez vous tenir ou alors on vous apprendra à voler. »

Autres aspects de la spiritualité

Vous avez vu comment la capacité de Viktor Frankl à trouver un sens à ses souffrances lui a permis de survivre à Auschwitz. Nous examinerons maintenant d'autres aspects de la spiritualité, notamment l'espoir, le pardon, la méditation, le don de soi, la gratitude, les liens sociaux ainsi que les prières et les rituels, qui peuvent vous soutenir lors des épreuves liées au vieillissement.

L'espoir

« Je dois observer à contrecœur que deux causes, l'abrègement du temps et la faillite de l'espoir, vont toujours teinter d'une nuance plus sombre le crépuscule de la vie. » C'est ainsi que s'exprimait l'historien anglais Edward Gibbon au XVIIIe siècle. Autrement dit, vers la fin de notre vie, alors que notre temps est compté, l'absence d'espoir peut nous priver de la richesse de nos vies.

L'espoir existe depuis que l'homme existe, tout comme le désespoir. L'espoir atténue les ténèbres. Pourriez-vous survivre, et encore moins bien vivre, sans lui ? L'espoir peut jouer un rôle crucial dans votre qualité de vie si vous traversez une crise, comme lors d'un diagnostic de maladie chronique ou du décès d'un être cher.

Dans son livre *The Power of Hope : The One Essential of Life and Love*, le rabbin Maurice Lamm écrit : « Mais nous savons maintenant que l'espoir peut… nous aider à gérer le stress quotidien et les revers. Il peut nous aider à surmonter des crises personnelles sérieuses et à affronter des maladies graves. Il peut même rehausser la façon dont nous vieillissons et nous amener à mieux apprécier la vie. »

Malgré tout le désespoir qui fait partie de la vie, il nous dit que l'espoir triomphe. Mais il arrive qu'il s'atténue et qu'il ait besoin d'un coup de pouce. « Ranimer l'espoir demande souvent un effort explicite et conscient, surtout lorsqu'il s'estompe au crépuscule de nos vies. Nous avons passé toute notre vie dans l'espoir et nous ne devrions pas abandonner aussi facilement. »

Le pardon

Pensez à une personne qui vous a fait du mal. Ce peut être une insulte insignifiante (un individu est passé devant vous à la caisse de l'épicerie) ou un évènement extrêmement douloureux (un chauffard ivre a tué quelqu'un que vous aimiez). Que ressentez-vous quand vous pensez à ces personnes ?

Il y a fort à parier que vous ressentez de la colère, de l'hostilité et que vous avez envie de vous venger. Peut-être que votre pression artérielle s'accélère et que votre cœur bat plus fort. Comme votre esprit et votre corps sont habités par ces sentiments, vous ne pourrez probablement

Sentiment d'appartenance

Ma femme est décédée d'un cancer de l'ovaire à 41 ans. Je n'ai jamais eu une vie sociale très active, ce qui a sûrement rendu mon deuil plus difficile. À la fin de la quarantaine, j'ai décidé de prendre ma vie en main.

Depuis l'âge de cinq ans, j'ai toujours voulu faire du théâtre. Mais j'étais trop timide. À 13 ans, un de mes amis a essayé de me traîner de force à une audition, mais j'ai réussi à m'enfuir. Ensuite, le temps s'est vite envolé entre le travail, le mariage et les enfants.

J'ai vu des cours de théâtre annoncés dans le journal de ma région. Au milieu du vieil escalier menant à la salle de répétition, j'ai fait demi-tour, prêt à repartir. Puis je me suis dit qu'il fallait que je le fasse et j'ai monté les marches.

J'ai eu la piqûre. J'étudiais mes rôles, je lisais des livres sur les comédiens. Je n'ai pas manqué un seul cours. Je ne m'étais pas senti aussi enthousiaste depuis très longtemps. Deux semaines après la fin des cours, le metteur en scène qui nous enseignait m'a demandé si je voulais jouer un des serviteurs dans *L'Avare*, la pièce de Molière. Peu après, à 52 ans, j'ai joué Scrooge dans la pièce *Un conte de Noël*. Cette pièce renferme tout ce que j'aime du théâtre. La distribution, nombreuse, comprenait des gens de tous les âges et de tous les milieux. Les jeunes et les moins jeunes se mêlaient ensemble, comme si les barrières qui séparent souvent les générations n'existaient plus. Dans les coulisses, les enfants des Cratchit et les gamins de la rue gambadaient et taquinaient parfois le vieux Scrooge en faisant semblant d'avoir peur de moi. Maurice ennuyait tout le monde avec ses connaissances inutiles sur l'histoire des chemins de

pas vous concentrer sur autre chose avant un certain temps. Vous avez cédé votre sérénité et votre bien-être à la personne ou à l'évènement qui vous a blessé. Vous sentez-vous bien ainsi ?

Les spécialistes des relations entre le corps et l'esprit croient que lorsque vous entretenez des sentiments de vengeance et de douleur envers la personne qui vous a fait du mal, votre corps se retrouve dans un état de stress continuel. En fait, un grand nombre d'études ont mis en lumière les effets néfastes de l'hostilité sur le cœur. D'autres études indiquent qu'entretenir de la colère augmente le risque d'hypertension artérielle, en plus de nuire à la santé mentale. Que faut-il faire dans ce cas ? Il faut essayer de pardonner.

fer. Les adolescents flirtaient. La situation sociale ne comptait pas. La présidente de compagnie savourait les moments passés au sein de notre joyeuse troupe.

Fezziwig, Monsieur et Madame Cratchit, les fantômes de Noël ainsi que tous les vieux comme moi, nous nous sommes fait de nouveaux amis et avons ri tout notre soûl. Il n'y avait pas de différence entre les comédiens et les techniciens. Nous étions une grande famille unie avec une mission : divertir les gens. Lorsque nous arrivions par la porte arrière du théâtre pour les répétitions et que nous enlevions la neige sur nos bottes, tous nos problèmes fondaient. L'humour et l'énergie étaient présents à chaque fois.

Dehors, il y a le vaste monde. Parfois, le petit monde du théâtre reflète le vaste monde, afin que nous puissions mieux le comprendre. L'ironie de la transformation de Scrooge et ses similarités avec la mienne ne m'ont pas échappé. Lorsque je suis sur scène, je vis le moment présent. Je me sens vivant, à ma place, et je sens aussi l'amour des autres. Shakespeare avait raison : « Le monde entier est une scène et nous sommes tous des comédiens. »

Louis, comédien amateur

Pistes de réflexion

- Faire une activité de création en groupe peut vous donner de l'énergie et vous nourrir spirituellement.
- Suivez votre instinct, réalisez vos rêves.
- On ne vit qu'une fois, n'ayez pas peur de prendre des risques.

Pardonner à une personne qui vous a fait du mal peut être un acte très difficile à faire. D'abord, il faut bien comprendre ce que le pardon englobe. Pardonner, ce n'est pas oublier, nier, tolérer ou excuser. Pardonner, c'est déposer le fardeau de la colère, du ressentiment et du désir de vengeance. Pardonner, c'est refuser que ces sentiments douloureux vous consument. C'est comprendre que le pardon est un processus qui dure toute une vie et que vous aurez besoin de le reconsidérer à l'occasion. Même si vous en voulez à quelqu'un depuis très longtemps, il n'est jamais trop tard pour pardonner.

Des chercheurs de l'Université du Wisconsin étudient le pardon depuis plus d'une décennie. Ils ont divisé le processus de pardon en quatre phases.

D'abord, vous reconnaissez votre douleur.

Ensuite, vous reconnaissez qu'il faut que quelque chose change si vous voulez guérir. Vous envisagez la possibilité de pardonner, puis vous vous y engagez.

Ensuite, vient la phase la plus difficile, celle de l'action. Vous vous efforcez de penser autrement à la personne qui vous a blessé et vous apprenez à accepter la douleur. En faisant cela, vous pourriez développer un sentiment d'empathie et même de compassion pour la personne qui vous a fait du mal.

Dans la dernière phase, vous commencez à vous rendre compte que vous éprouvez un soulagement émotionnel, peut-être même spirituel, qui naît du processus de pardon.

Le pardon peut ou non mener à la réconciliation avec la personne qui vous a blessé. Ce qui est certain, c'est que le pardon diminuera votre douleur, vous aidera à passer à autre chose et donnera peut-être un sens plus profond à votre vie.

La méditation

S'il y a un aspect de la spiritualité que les études sur les relations entre le corps et l'esprit ont démontré, c'est que la méditation est bénéfique pour la santé. Parmi ses effets, on retrouve le ralentissement du rythme cardiaque, une diminution de la pression artérielle et du cholestérol, un meilleur contrôle du stress, ainsi qu'un soulagement de l'anxiété et de la douleur chronique.

Si le mot méditation évoque pour vous des individus qui se contorsionnent en psalmodiant des mots incompréhensibles, sachez que la méditation revêt plusieurs formes. La méditation se retrouve dans presque tous les systèmes de croyances.

La méditation est très simple et à la portée de tous. Elle peut avoir une signification religieuse, mais ce n'est pas nécessaire. Certaines personnes méditent pour se rapprocher d'un être supérieur, alors que d'autres le font pour apaiser leur esprit. Peu importe le but visé, la méditation est bénéfique.

Pour méditer, il faut réunir deux éléments : un objet de concentration, comme la respiration ou la répétition d'un mot, d'une pensée ou d'une prière, et la capacité de ramener doucement l'esprit vers l'objet de concentration lorsque d'autres pensées se manifestent, ce qui arrive en tout temps.

Avez-vous envie d'essayer ? Allez dans une pièce où vous ne serez pas dérangé. Assoyez-vous confortablement, sur une chaise ou sur un coussin. Vous pouvez même vous étendre. Toutefois, il faut éviter d'être trop confortable pour ne pas s'endormir. Déterminez à l'avance la durée de la séance et respectez-la même si vous vous ennuyez ou vous êtes agité. Vous pouvez commencer par des séances de 5 à 10 minutes. Regardez votre montre ou une horloge à l'occasion. N'utilisez pas de sonnerie, le bruit soudain vous ferait sursauter.

Choisissez un objet de concentration. Ce peut être le son de votre respiration ou une prière, un mot ou une phrase que vous répéterez sans arrêt. Vous pouvez aussi compter jusqu'à quatre et recommencer, en suivant votre respiration (1 et 2 pour l'inspiration ; 3 et 4 pour l'expiration). Peu importe l'objet choisi, essayez de garder le même pendant plusieurs semaines avant d'en essayer un autre.

Ce qui est difficile dans la méditation, c'est qu'il faut s'engager à la pratiquer régulièrement. Méditez chaque jour, même si ce n'est que cinq minutes. Faites-le même si vous avez l'impression de perdre votre temps. Ne vous en faites pas si vous n'arrivez pas à apaiser votre esprit, vous n'êtes pas dans l'erreur. Revenez toujours à votre objet de concentration lorsque votre esprit vagabonde.

Essayez d'être patient et ne vous attendez pas à des résultats spectaculaires. Si vous persévérez, vous serez probablement bientôt en mesure de vous calmer devant des situations stressantes. Vous pourrez plus facilement faire fi des petits désagréments de la vie, comme les longues files d'attente. À la longue, votre pratique améliorera votre santé, en faisant diminuer votre pression artérielle, par exemple.

Si vous pensez que vous n'êtes pas capable de méditer, lisez ceci. Jon Kabat-Zinn, Ph.D., l'un des pionniers de l'application de la méditation en santé, a écrit : « Penser que vous êtes incapable de méditer, c'est un peu comme penser que vous êtes incapable de respirer, de vous concentrer ou de vous détendre. À peu près tout le monde peut respirer facilement. Placé dans une situation adéquate, à peu près tout le monde peut se concentrer et se détendre. »

Le don de soi

À part de rares exceptions, tout le monde veut se sentir productif. Quand on se sent inutile, on ne peut faire autrement que de se sentir vieux. Alors que pouvez-vous faire lorsque vous êtes prêt à quitter votre emploi ou que le temps de la retraite est arrivé, surtout si votre identité et votre sentiment de productivité sont intimement liés à votre travail ?

Le bénévolat constitue une solution. Au Canada, 23 % des aînés font du bénévolat. Ils sont mentors, conseillers, professeurs de lecture, assistants dans les bibliothèques et les écoles, chauffeurs pour des centres de services sociaux, préposés dans les hôpitaux, les maisons de repos ou auprès des sans-abri.

Le don de votre temps et de vos talents à une noble cause offre de nombreux bénéfices. En plus de vous sentir productif, vous aurez une meilleure estime de vous, vous développerez de nouvelles compétences et vous vous sentirez plus lié à votre communauté. Certaines études laissent entendre que le bénévolat serait bénéfique à la santé et favoriserait la longévité. On ne sait jamais quelles portes peuvent s'ouvrir lorsqu'on fait le don de soi.

Dans l'étude de l'*American Journal of Public Health* que nous avons mentionnée précédemment et qui démontrait que les gens qui assistaient à des offices religieux toutes les semaines vivaient en moyenne plus longtemps, on a relevé également le fait que le bénévolat favorisait encore plus leur longévité.

Si vous désirez devenir bénévole, parlez-en aux gens qui vous entourent ou adressez-vous à l'hôpital, à la prison, à l'école ou au centre communautaire le plus près de chez vous. Si vous nourrissez une passion pour une cause en particulier, comme aider les analphabètes à apprendre à lire et à écrire, renseignez-vous auprès d'un organisme régional ou national qui fournit ce genre de service. Les organismes de charité pourront aussi vous donner de l'information.

La gratitude

C'est facile de tenir les bonnes choses pour acquises et de ne penser qu'à ce qui va mal. C'est particulièrement vrai lorsqu'on souffre d'une maladie chronique, d'un handicap ou que l'on est confronté à une situation difficile. Cependant, quand on ne pense qu'à ce qui va mal, il n'y a plus de place pour la joie dans notre vie.

Chacun d'entre nous a au moins une raison d'éprouver de la gratitude. La plupart des gens en ont plusieurs. Si vous prenez l'habitude d'être reconnaissant pour ce que vous avez, votre attitude deviendra plus positive et votre vie vous semblera plus belle.

Essayez ce petit truc. Chaque soir avant de vous endormir, pensez à cinq choses qui sont survenues dans la journée et pour lesquelles vous éprouvez de la gratitude. Ce peut être aussi simple qu'un magnifique coucher de soleil ou aussi intense que la rémission d'un cancer. Dites merci au Créateur, à l'univers ou à une personne qui vous a facilité la vie.

Le frère David Steindl-Rast, auteur du livre *Gratefulness : The Heart of Prayer,* a écrit : « En exprimant ma gratitude, j'en suis de plus en plus conscient. Plus grande est ma conscience, plus grand est mon besoin de l'exprimer. Il se produit une ascension en spirale, un processus de croissance en cercles de plus en plus grands autour d'un centre solide. »

Les liens sociaux

L'une des raisons qui expliquent peut-être les effets bienfaisants sur la santé de la fréquentation régulière des lieux de culte, c'est le réseau social que cela procure. Plusieurs études ont démontré que l'appartenance à un réseau social solide favoriserait la longévité et que le soutien des autres protégerait contre les effets destructeurs du stress tout en stimulant le système immunitaire. Comme dirait Georges Brassens : « Les copains d'abord ! ».

Les recherches indiquent que les gens ne faisant pas partie d'un réseau social sont plus stressés et vivent moins longtemps que les autres. En fait, le risque qu'ils tombent malades et qu'ils meurent prématurément est deux fois plus élevé que celui des gens qui ont des amis. Lorsque l'on peut compter sur des proches pour discuter de nos problèmes, on peut éviter la dépression. De plus, lorsque l'on sait que des gens tiennent à nous, on est plus motivé à prendre soin de nous.

Il n'est pas nécessaire que votre réseau de connaissances soit très étendu. Ce n'est pas le nombre d'amis qui compte, mais la qualité des relations. Si vous donnez plus que vous recevez, alors la relation peut vous drainer plus qu'elle vous nourrit. Vous avez besoin d'au moins une personne qui prendra soin de vous autant que vous prenez soin d'elle.

Si vous avez de belles amitiés, faites un effort pour les nourrir. Restez en contact. Faites savoir que vous pensez à vos amis en leur envoyant une carte, un courriel ou en leur téléphonant. Réconciliez-vous avec les amis qui se sont éloignés après un désaccord. Dites-leur que vous êtes désolé et pardonnez-leur. Faites-vous de nouveaux amis, invitez les gens que vous côtoyez à prendre un café ou un repas. Montrez-leur que vous désirez mieux les connaître.

Si vous êtes seul et isolé, ne désespérez pas, il existe des moyens de faire des connaissances. En voici quelques-uns.

Contactez le club de l'Âge d'or de votre région. C'est l'endroit par excellence pour rencontrer des amis et faire une foule d'activités. Si le transport est un problème pour vous, renseignez-vous sur les services de transport pour les aînés de votre communauté.

Participez aux activités de votre groupe confessionnel. Allez aux réunions, suivez des cours ou offrez votre aide pour mettre à profit les compétences que vous avez acquises dans votre vie, votre carrière et vos passe-temps.

Inscrivez-vous à des cours. Le cégep ou l'université de votre région offre peut-être des cours dans un domaine qui vous a toujours intéressé. Mais ne vous limitez pas aux écoles. Vous pouvez trouver des cours intéressants dans des lieux moins conventionnels, comme un jardin botanique, un musée, une bibliothèque ou Internet.

Inscrivez-vous à un centre de conditionnement physique ou à un groupe de marche. Votre santé y gagnera sur plusieurs plans.

Si vous aimez les voyages et les défis, n'hésitez pas. De nombreux groupes organisent des voyages pour les aînés, des plus aventureux aux plus traditionnels.

Devenez membre d'un groupe d'entraide. Si vous êtes atteint d'une maladie chronique ou que vous venez de perdre quelqu'un, il existe fort probablement un groupe d'entraide ou de soutien pour vous. Dans le cadre des rencontres, vous pourrez partager ce que vous éprouvez avec des personnes qui vivent une expérience similaire. En plus d'offrir un soutien moral, ces groupes donnent des informations pertinentes et brisent l'isolement social. Pour trouver le groupe qui vous convient, renseignez-vous auprès d'un professionnel de la santé, d'un hôpital ou d'organismes comme la Société canadienne du cancer ou la Fondation des maladies du cœur, selon vos besoins.

Les prières et les rituels

Il existe une expression anglaise très éloquente à ce sujet : « Il n'y a pas d'athées dans les tranchées. » En temps de crise, la plupart des gens implorent de l'aide. La prière apporte du réconfort, permet d'entrer en relation avec l'être suprême, constitue un moyen d'exprimer de la gratitude et nous soutient pendant les périodes difficiles.

La prière est si puissante que certaines études ont démontré que les prières d'intercession, lorsque des étrangers prient pour un malade, peuvent favoriser la guérison. Plusieurs communautés religieuses offrent des prières aux malades. Cependant, il faudra attendre d'autres données pour tirer des conclusions plus définitives sur les prières d'intercession.

Les rituels mettent de l'ordre dans notre monde. Le rabbin Debra Orenstein explique : « Par les rituels, nous créons des structures qui apportent un élément de prévisibilité et, par conséquent, de sécurité pendant des périodes d'insécurité, de transition ou de perte. »

Même si vous ne vous en rendez pas compte, il y a des rituels dans votre vie. Un rituel annuel pourrait être, par exemple, l'achat de nouvelles chaussures à vos petits-enfants avant chaque rentrée scolaire. Pensez à ce que cela signifie pour vous et pour eux. En plus de susciter un sentiment de sécurité dans ce qui est trop souvent un monde chaotique, les rituels renforcent les liens avec vos amis, votre famille et votre communauté.

Les prières et les rituels aident souvent à affronter les pertes et permettent de se recentrer lorsque la terre semble se dérober sous nos pieds. C'est pourquoi la plupart des traditions religieuses ont établi des rituels pour les transitions les plus importantes de la vie, comme la mort d'un être cher. Pour d'autres transitions, telles qu'un divorce, la ménopause ou l'apparition d'une maladie chronique, il n'existe peut-être pas de rituels établis, mais rien ne vous empêche de créer les vôtres. Tout comme on peut prier en lisant un livre ou en parlant avec notre cœur, on peut observer des rituels établis ou en créer de nouveaux pour toutes les transitions de la vie.

Peu importe la manière dont s'exprime votre spiritualité, que ce soit en prenant contact avec la nature ou au sein d'une religion, en priant, en méditant ou en levant votre verre devant la beauté d'un coucher de soleil, vous en serez nourri. La force de votre âme consolide votre résilience et vous aide à faire face aux changements de la vie, elle affermit votre identité profonde, vous permet de choisir la foi plutôt que le désespoir dans les moments les plus pénibles et apporte un sentiment d'ordre et de stabilité dans les périodes de chaos et de crise.

Anne Lamott, dans son livre *Traveling Mercies : Some Thoughts on Faith*, raconte son cheminement spirituel.

> « L'avènement de ma foi n'est pas survenu comme un grand bond, j'ai plutôt titubé de ce qui semblait être un lieu sûr à un autre. Comme des feuilles de nénuphar, rondes et vertes, ces lieux m'appelaient et me soutenaient pendant que je grandissais. Chacun d'eux me préparait pour la feuille suivante sur laquelle j'allais atterrir, et c'est ainsi que j'ai traversé le marais du doute et de la peur... Avec chaque pas, j'approchais un peu plus de l'île verdoyante de la foi qui me permet de rester à flot aujourd'hui. »

Vos finances

- Vous êtes le principal responsable de vos finances.
- Soyez proactif dans votre planification financière.
- Il existe de nombreuses options, n'hésitez pas à demander de l'aide.
- La sécurité financière est importante pour votre bien-être.

L'argent ne fait pas le bonheur, c'est bien vrai. Pour la plupart d'entre nous, la famille, la foi, la carrière et bien d'autres aspects de la vie sont plus importants que l'argent. Toutefois, l'argent constitue une ressource essentielle pour faire notre chemin dans le monde. Il nous permet de vivre confortablement, peu importe ce que cela signifie pour chacun. Il nous permet de faire ce dont nous avons envie avec le temps libre dont nous disposons à la retraite. Et, ce qui n'est pas négligeable, il nous permet d'aider les autres et de faire une différence dans notre communauté. En bref, l'argent nous permet d'effectuer des choix, il nous ouvre des portes.

Le manque d'argent peut rendre la retraite difficile et frustrante. En fait, ne pas avoir de ressources financières adéquates peut devenir une source de stress majeure, ce qui nuit à votre santé émotionnelle et à votre santé générale. Les gens qui n'ont pas de problèmes financiers réagissent mieux invariablement à la maladie que ceux qui n'ont pas assez d'argent. Autrement dit, avoir assez d'argent pour vivre une retraite confortable et intéressante s'avère important pour votre bien-être, tout comme une bonne alimentation, une vie émotionnelle, spirituelle et sociale saine, l'exercice et les visites régulières chez votre médecin.

S'assurer une sécurité financière pour la retraite, c'est la responsabilité de chacun. L'époque où les retraités étaient pris complètement en charge par les régimes de retraite des entreprises et les programmes de sécurité sociale est révolue. Nous sommes en grande partie responsables de la planification de nos retraites.

Au Canada, la sécurité financière des personnes âgées s'est améliorée depuis 25 ans. Cependant, les futurs retraités n'auront pas nécessairement un tel niveau de sécurité, à moins qu'ils agissent maintenant pour réaliser leurs rêves de retraite.

Sans planification et sans discipline, rien ne garantit que votre revenu de retraite suffise à couvrir vos dépenses et encore moins à financer le style de vie dont vous rêvez. Si vous n'avez pas encore commencé à planifier, évaluez d'abord les montants dont vous pensez avoir besoin à la retraite pour les comparer aux montants que vous aurez probablement à votre disposition. S'il y a un manque à gagner, il n'est peut-être pas trop tard pour prendre des mesures afin de combler cet écart.

Les montants d'argent dont vous aurez besoin

La retraite ne signifie pas que les factures vont cesser de s'empiler dans la boîte aux lettres. Cela ne signifie pas que vous allez perdre votre envie de voyager, de fréquenter les bons restaurants ou de vous procurer un abonnement de saison pour votre sport favori. Cela ne signifie pas non plus que votre toit n'aura pas à être remplacé. Les montants dont vous aurez besoin ou que vous désirerez avoir ne varieront pas beaucoup par rapport à l'époque où vous receviez régulièrement une paie. Selon vos projets, il pourrait même vous en falloir plus. Certains spécialistes estiment que nous avons besoin de 80 % de notre revenu brut pour notre retraite. D'autres sont d'avis qu'il faut en fait 100 % de notre revenu.

C'est à vous de décider du montant dont vous aurez besoin pour jouir d'un style de vie qui vous convient à la retraite. Pour ce faire, vous devez d'abord évaluer combien d'années il est probable que vous viviez. Une estimation raisonnable de votre longévité peut prévenir un grave problème : celui de vivre plus longtemps que vos ressources financières.

Évaluer votre espérance de vie

Bien entendu, nous voulons tous vivre aussi longtemps que possible et mener une vie aussi saine et active que possible. Il est tout à fait naturel de désirer passer encore plusieurs années avec les êtres qui nous sont chers et à faire les activités qui nous tiennent à cœur. Mais vous vous demandez sûrement, et c'est bien normal : «Comment savoir combien d'années je vivrai ? Je pourrais vivre jusqu'à 100 ans ou me faire renverser par un camion demain.»

En général, le Canadien moyen de 65 ans peut s'attendre à vivre 81 ans ; la Canadienne moyenne du même âge, 84 ans. Toutefois, vous êtes un individu unique, non pas un Canadien moyen ou une Canadienne moyenne. Pour planifier votre retraite, vous devez tenir compte de vos antécédents médicaux, de votre mode de vie, de vos antécédents familiaux ainsi que d'autres facteurs pour arriver à un nombre probable d'années entre le début de votre retraite et la fin de votre vie.

Les spécialistes du vieillissement estiment que trois facteurs s'avèrent particulièrement révélateurs pour prédire la durée de vie d'une personne :

- l'hérédité ;

- le mode de vie ;

- l'environnement.

La santé et la longévité de vos parents et de vos grands-parents peuvent fournir une bonne indication pour les vôtres. S'ils ont tous vécu jusqu'à un âge vénérable, il y a de bonnes chances que vous en fassiez autant. Cependant, si des maladies cardiaques, des cancers ou des maladies neurologiques sont présents dans votre famille, vous n'aurez peut-être pas besoin d'un fonds de retraite très élevé.

La façon dont vous vivez a un effet considérable sur la durée de votre vie. Si vous mangez trop, si vous avez un surplus de poids et si vous ne faites pas d'exercice, vous risquez de souffrir de diabète, de maladie du cœur ou de cancer. Si vous buvez trop d'alcool, si vous fumez et si vous prenez de la drogue, vous risquez de mourir plus jeune. Par contre, en restant actif, en gardant un poids santé, en ne fumant pas et en buvant avec modération, vous augmentez vos chances de vivre longtemps et en meilleure santé.

L'endroit où vous vivez et où vous travaillez peut également influencer votre espérance de vie. À titre d'exemple, si vous vivez dans une région très polluée ou que les conditions d'hygiène y sont déficientes, vous vous exposez à un risque plus élevé de tomber malade et de mourir plus jeune. Si vous avez un travail dangereux ou qui se déroule dans un environnement dangereux, vos chances de vivre une longue vie s'amenuisent.

Personne ne peut prédire avec exactitude combien d'années vous vivrez, mais les recherches ont montré que certains facteurs influencent l'espérance de vie. Pour vous aider dans votre calcul, vous pouvez utiliser une «calculatrice d'espérance de vie», comme celle qui existe sur le site du gouvernement ontarien (www.gov.on.ca/MBS/french/government/onlineservices.html).

Choisir le moment de sa retraite

L'âge que vous aurez lorsque vous cesserez de travailler aura un impact important sur l'argent dont vous disposerez pendant votre retraite. En travaillant plus longtemps, vous aurez plus de temps pour mettre de l'argent de côté dans vos comptes de retraite. De plus, vous ne retirerez pas aussi rapidement l'argent de ces comptes, il continuera donc à fructifier puisque les intérêts et les dividendes s'accumuleront. C'est particulièrement important pour les placements à impôt différé. Résistez à l'envie de retirer cet argent aussi longtemps que possible pour qu'il continue à rapporter.

Plusieurs bonnes raisons justifient, par contre, de prendre sa retraite plus tôt. Vous pouvez avoir des problèmes de santé. Vous n'avez peut-être plus envie de travailler et vous avez assez d'argent pour prendre votre retraite. Peu importe la situation, avant de prendre une décision sur le moment de prendre votre retraite, renseignez-vous sur les conséquences d'une retraite anticipée sur vos prestations du gouvernement et sur votre régime de retraite au travail s'il y a lieu. Un planificateur financier pourra également vous aider en vous brossant un portrait complet exhaustif de la situation.

Calculer vos dépenses

En plus d'évaluer le nombre probable d'années de retraite qui vous attendent, vous devez faire une évaluation réaliste du montant que vous dépenserez. Les spécialistes estiment que le retraité moyen devrait planifier de manière à recevoir de 80 à 100 % du revenu brut annuel qu'il touchait avant sa retraite. Là encore, vous n'êtes pas le retraité moyen. Vous êtes un individu unique dont les besoins ne suivent pas nécessairement la norme.

Vous découvrirez peut-être à la retraite que vous avez besoin de plus d'argent qu'auparavant parce que vous êtes libre de faire les activités qui vous plaisent à temps plein. Vous voudrez peut-être faire de nombreux voyages. Vous achèterez peut-être de l'équipement coûteux pour enfin vous consacrer au passe-temps qui vous tient tant à cœur. Vous déménagerez peut-être dans une région plus chaude où le coût de la vie est plus élevé.

Plus tard, au cours de votre retraite, vous aurez peut-être besoin de soins à la maison ou encore vous devrez emménager dans un appartement avec services. Ces services peuvent être coûteux.

Entre les deux, après avoir fait les quatre cents coups et avant d'avoir besoin de soins, vous pourriez tout aussi bien choisir de vivre en dépensant moins. Pendant cette période, vous pourriez choisir un logement plus petit et profiter du temps plus que de l'argent en prenant soin de vos petits-enfants ou en faisant du bénévolat dans un musée, par exemple.

Ce qu'il faut souligner, c'est la nécessité d'évaluer vos projets et vos rêves. Ensuite, si ce n'est déjà fait, faites le calcul de vos dépenses actuelles. Additionnez toutes vos dépenses (oui, oui, toutes) pendant quelques mois pour établir où va votre argent. Comparez ces chiffres avec les budgets hypothétiques pour le début, le milieu et la fin de votre retraite.

Vous découvrirez peut-être que l'argent que vous devriez recevoir, sur la base de toutes vos sources actuelles de revenus, ne suffira pas pour financer les voyages que vous projetez ou votre maison dans le Sud. En fait, il se pourrait que cela ne suffise pas pour maintenir le style de vie qui est le vôtre aujourd'hui. Heureusement, il peut être encore temps d'augmenter votre revenu de retraite en épargnant plus dès aujourd'hui.

D'un autre côté, vous pourriez planifier une retraite moins coûteuse en réduisant votre niveau de vie. Pour plusieurs personnes, la retraite précoce est plus importante qu'un fonds de retraite bien garni. Pour eux, l'échange en vaut la peine : moins d'argent, mais plus de temps pour profiter de la vie.

La retraite idéale est peut-être pour vous plus modeste, fidèle à votre personnalité plus sobre. Vous avez l'intention de rester dans la maison que vous avez payée, de jouer un peu au golf, de lire des piles de romans policiers et de faire un peu de bénévolat. Dans ce cas, un revenu de retraite moins élevé peut suffire.

Plusieurs retraités choisissent de continuer à travailler à temps plein ou partiel, soit dans leur domaine soit dans une nouvelle discipline. Certains le font pour des raisons pratiques, ils ont besoin de ce surplus d'argent pour leur retraite. D'autres le font pour rester actifs et parce qu'ils aiment faire partie d'un milieu du travail. Au Canada, les prestations de retraite peuvent varier selon que vous travaillez ou non ; il peut y avoir un montant maximal de revenu supplémentaire à ne pas dépasser selon les régimes. Renseignez-vous pour profiter au maximum de vos revenus de retraite et de votre travail.

Ce qu'il faut se rappeler, c'est de ne pas tenir pour acquis que vous avez, ou n'avez pas, assez d'argent pour votre retraite. Il faut examiner attentivement les éléments suivants :

- vos habitudes de dépenses ;
- votre revenu de retraite prévu ;
- vos projets de retraite et leurs coûts probables.

Ensuite, prenez en compte les frais de subsistance que vous devez assumer, que vous soyez ou non à la retraite, des assurances aux taxes municipales en passant par les services publics et les frais de scolarité. N'oubliez pas non plus d'inclure les coûts associés au vieillissement tels que les services et les soins qui ne sont pas couverts pas la Régie de l'assurance maladie.

Vous aurez alors une idée du montant dont vous aurez probablement besoin pour votre retraite. Néanmoins, il faut considérer un dernier facteur avant de faire la fête : la valeur de votre argent au moment de votre retraite.

Combien votre argent vaudra-t-il ?

Vous savez probablement combien d'argent il y a dans vos comptes destinés à la retraite. Mais est-ce possible de calculer la valeur qu'aura cet argent lors de votre retraite dans 10, 15 ou 20 ans ? Vous pouvez avoir une assez bonne idée du montant en partant de ce constat : plus le taux d'intérêt que vous recevez sur votre argent est élevé et plus l'argent reste placé longtemps, plus substantiel sera le magot dans votre compte lorsque viendra la retraite.

La règle de 72 et les joies de la capitalisation

Un calcul courant pour déterminer combien de temps il faudra à vos placements de retraite pour doubler de valeur est la règle de 72. Selon cette règle, si on divise 72 par le taux d'intérêt du placement, le résultat équivaut au nombre d'années qu'il faudra pour que le montant double. (En tenant pour acquis que les intérêts et les dividendes sont remis dans le compte.) À titre d'exemple, l'argent investi dans un fonds du marché monétaire avec un taux d'intérêt annuel moyen de 6 % doublera en 12 ans. L'argent placé dans un fonds commun de placement qui offre une croissance constante de 10 % par année doublera en 7,2 ans.

L'un des facteurs qui permettent à votre argent de fructifier plus rapidement, ce sont les intérêts composés. Avec les intérêts simples,

Les bénéfices des intérêts composés

Valeur au fil du temps de 1 $ investi à divers taux d'intérêt

Taux d'intérêt*	Années						
	5	10	15	20	25	30	35
4 %	1,22	1,48	1,80	2,19	2,67	3,24	4,80
6 %	1,34	1,79	2,40	3,21	4,29	5,75	10,29
8 %	1,47	2,16	3,17	4,66	6,85	10,06	21,72
10 %	1,61	2,59	4,18	6,73	10,84	17,45	45,26
12 %	1,76	3,11	5,47	9,65	17,45	29,96	93,05

*Intérêt composé annuellement

vous recevez de l'intérêt seulement sur le montant initial de votre dépôt ou placement. Par exemple, si vous déposez 1 000 $ dans un compte qui offre 6 % en intérêts simples annuellement, chaque année, ce compte vous rapportera 60 $.

Avec les intérêts composés, vous recevez de l'intérêt sur le montant initial du dépôt et sur les intérêts qui s'accumulent dans le compte. Dans l'exemple précédent, la deuxième année, vous toucheriez 6 % d'intérêt sur 1 060 $, soit 63,60 $. La troisième année, on vous payerait 67,42 $ en intérêts. Sur une longue période, l'avantage des intérêts composés peut se traduire par un bon montant. De plus, les intérêts peuvent être composés annuellement, semestriellement, trimestriellement ou même plus fréquemment. Plus les intérêts sont composés fréquemment, plus votre argent fructifiera rapidement.

Malheureusement, il n'est pas facile de prédire le comportement de deux forces économiques bien connues qui grugent tous nos investissements, les privant d'une part de leur valeur chaque année : l'inflation et les impôts. Lorsque vous planifierez vos finances pour votre retraite, ne pensez pas seulement au montant d'argent dont vous disposerez, pensez aussi à la valeur que cet argent aura à ce moment-là.

L'inflation est vorace

Vous rappelez-vous lorsque l'essence se vendait 10 cents le litre et qu'un pain ne vous coûtait que 50 cents ? Avez-vous payé votre nouvelle voiture plus cher que votre première maison ? On parle d'inflation lorsque le prix demandé pour les produits et services augmente et ne baisse plus par la suite. Vous payez plus qu'un dollar pour les mêmes biens et services qui vous coûtaient un dollar auparavant. Votre argent a donc moins de valeur.

Le gouvernement canadien évalue le taux d'inflation sur la base d'une mesure statistique appelée indice des prix à la consommation (IPC), qui suit l'évolution du prix de détail de 600 biens et services courants. Certains prix montent, d'autres descendent, mais l'inflation constitue la tendance générale.

D'une manière ou d'une autre, l'inflation n'est pas constante. Même si le taux d'inflation est assez bas et raisonnable maintenant, il y a une génération, les taux étaient assez élevés. On ne s'attend pas à ce que l'inflation devienne galopante de sitôt, mais c'est toujours une possibilité. Un taux élevé d'inflation constitue l'une des forces économiques les plus destructrices que les organismes de réglementation et les banquiers essaient avec vigueur de tenir en échec.

Que l'inflation soit élevée ou faible, elle tend à s'accumuler et à dévaloriser l'argent au fil des ans. Cela signifie que certains des biens que vous achetez aujourd'hui coûteront un peu plus cher dans un an et

Le pouvoir d'achat de 100 $ au fil du temps

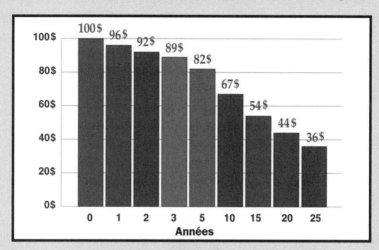

Comment l'inflation agit sur vos épargnes

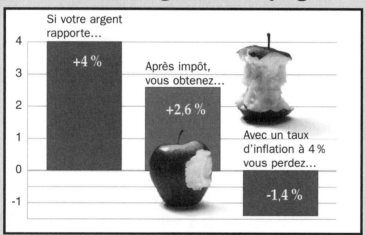

Est-ce que l'épargne et l'investissement sont synonymes ?

Si vous avez répondu non, vous savez que dans un compte d'épargne, le montant original de dépôt (le capital) sera garanti, mais que votre argent ne fructifiera pas beaucoup. Les intérêts touchés sur vos épargnes ne suivront probablement pas l'inflation.

L'épargne n'équivaut pas à l'investissement. Parmi les différences, on note principalement de plus hauts taux d'intérêt sur l'investissement, comme les fonds communs de placement et les actions, et l'effet positif des intérêts composés de ces taux d'intérêt plus élevés. Ces avantages vous donnent la possibilité de combattre l'inflation. Lorsque vous planifierez vos finances, rappelez-vous que l'épargne vous permet de conserver l'argent mis de côté, alors que l'investissement peut se traduire par une croissance de votre revenu.

Le tableau ci-dessus illustre la manière dont l'inflation agit sur vos épargnes, sur la base d'un taux d'inflation de 4 % et d'un taux d'imposition de 36 %.

encore plus cher à votre retraite. Par exemple, une boisson gazeuse en 1955 coûtait 5 ou 10 cents. Aujourd'hui, il faut débourser un dollar. Si vous avez acheté une voiture moyenne au début des années 60 (une berline à quatre portes, disons), elle a dû coûter à peu près 2 000 $. De nos jours, il vous faudrait faire un chèque de 20 000 $. C'est la conséquence de l'inflation.

Si une personne a planifié sa retraite dans les années 60 pour l'an 2000 et qu'elle a mis à son budget 2 000 $ pour un modèle de voiture 2001, elle se retrouvera sur la paille.

La même chose peut se passer avec les biens et les services que vous désirez à la retraite ou dont vous aurez besoin si vous ne pensez pas arrêter de travailler avant plusieurs années. La voiture de 20 000 $ aujourd'hui pourrait valoir 100 000 $ dans une génération ou deux. C'est pour cette raison qu'il faut éviter à tout prix de croire que les revenus de votre retraite calculés aujourd'hui (et qui sont adéquats pour les coûts actuels) suffiront à tous vos besoins dans plusieurs années.

L'impôt ne prend pas sa retraite

En 1789, Benjamin Franklin écrivait : « En ce monde, rien n'est certain, sauf la mort et les impôts. » Même si bien des choses ont changé depuis, ces mots empreints de sagesse sonnent toujours aussi juste. On ne peut prévoir si le taux d'imposition augmentera ou diminuera, mais il y a de fortes chances que vous payiez encore de l'impôt à la retraite. Et si vous avez réussi à mettre un bon montant de côté, avec le revenu tiré de ce pactole vous pourriez vous retrouver dans une tranche d'imposition plus élevée que maintenant. N'allez pas croire que parce que vous êtes un retraité et un aîné méritoire vous serez exempté d'impôts. De plus, vous aurez probablement droit à moins de déductions.

Plusieurs banques et compagnies d'assurances proposent des calculateurs de retraite (en ligne ou à leurs succursales) et vous en trouverez un également sur le site de Développement social Canada (www.dsc.gc.ca). En quelques étapes, ils vous permettent d'évaluer si l'argent que vous mettez de côté sera suffisant à votre retraite. Ces calculateurs tiennent compte de variables telles que vos objectifs, l'inflation et le rendement annuel des investissements.

Sources de revenus

Votre revenu de retraite proviendra probablement de plusieurs sources.
Par exemple, de la Sécurité de la vieillesse (SV), du Régime de rentes du
Québec (RRQ), de vos épargnes, de vos investissements, d'un régime
privé de retraite et du revenu gagné.

Régimes gouvernementaux

Si la sécurité financière des personnes âgées au Canada s'est améliorée,
c'est grâce à la mise en place d'un système public de revenu de retraite
qui leur procure un revenu minimum de base. Au pays, on peut diviser
les revenus de retraite en trois paliers. Tout d'abord, on retrouve la Sécurité de la vieillesse (SV) et le Supplément de revenu garanti (SRG), deux
programmes fédéraux. Au deuxième palier, il y a le Régime de pensions
du Canada et le Régime de rentes du Québec (RPC/RRQ) selon qu'on
habite le Québec ou une autre province canadienne. Les régimes privés
de retraite et les régimes enregistrés d'épargne retraite (REER) forment
le troisième palier. Dans cette section, nous décrirons d'abord les programmes gouvernementaux, soit les deux premiers paliers, puis les
autres sources de revenu pour la retraite.

   Sécurité de la vieillesse. Programme du gouvernement du Canada
qui offre un soutien financier à la population canadienne âgée d'au
moins 65 ans. Il comprend trois types de prestations. La pension de la
Sécurité de la vieillesse, offerte à tous les Canadiens de plus de 65 ans.
Le Supplément de revenu garanti, offert aux retraités dont le revenu est
nul ou faible, en dehors de la pension de la Sécurité de la vieillesse. Puis
l'Allocation de la Sécurité de la vieillesse qui est versée au conjoint ou
au survivant d'un pensionné de la Sécurité de la vieillesse âgé de 60 à 64
ans qui répond aux conditions d'admissibilité.

   Régime de rentes du Québec. Rente de retraite de la Régie des rentes
du Québec (RRQ) versée aux retraités qui ont cotisé au régime.

   Régime de pensions du Canada. Rente de retraite versée aux Canadiens retraités qui vivent dans une autre région que le Québec et qui ont
contribué à ce régime.

   Les rentes du RPC et du RRQ sont imposables. Les prestations de la
Sécurité de la vieillesse peuvent être soumises à un impôt de récupération
si votre revenu est élevé. Les prestations et les rentes gouvernementales
sont indexées en fonction de l'indice des prix à la consommation (IPC).

La proportion de personnes âgées va croître dans les années à venir, ce qui a amené le gouvernement à annoncer un projet de réforme. Même aujourd'hui, les pensions gouvernementales ne garantissent pas un revenu équivalent au seuil de la pauvreté. C'est pour cette raison que lors de la planification de votre retraite, vous devrez considérer les sommes des programmes gouvernementaux comme un des nombreux éléments qui vous permettront de subvenir à vos besoins à la retraite. En comprenant mieux la place que les allocations gouvernementales prendront dans votre revenu de retraite, vous pourrez mieux planifier pour répondre au manque de revenu.

À combien j'aurai droit ? Le montant des prestations que vous recevrez dépend de plusieurs facteurs, comme le nombre d'années de cotisation et l'âge à la retraite. Toutefois, il est possible de demander un relevé de participation au Régime de rentes du Québec. C'est la même chose pour les résidants des autres provinces, qui doivent demander un état de compte du cotisant au Régime de pensions du Canada. Rappelez-vous que ces montants vont varier, votre revenu pourrait augmenter ou diminuer. Vous ne connaîtrez le montant exact de vos prestations qu'au moment où vous commencerez à les recevoir.

À quel âge devrais-je commencer à retirer mes prestations ? Pour recevoir la pension de la Sécurité de la vieillesse, vous devez avoir 65 ans et en faire la demande. Pour l'allocation de la Sécurité de la vieillesse, il faut avoir entre 60 et 65 ans. Quant aux rentes du RRQ et du RPC, tous les travailleurs qui ont cotisé au régime et qui ont pris leur retraite y ont droit à partir de 60 ans. Toutefois, si vous faites votre demande entre 60 et 65 ans, le paiement de la rente sera inférieur à celui de la rente intégrale qui serait versée si la demande était faite à 65 ans.

Comme on l'a vu, la situation de chaque retraité ou futur retraité est différente. Vous trouverez les réponses aux questions les plus souvent posées, des guides de planification, ainsi que l'information la plus à jour sur ces programmes auprès des gouvernements.

Développement social Canada
www.dsc.gc.ca
1 800 277-9915

Régie des rentes du Québec
www.rrq.gouv.qc.ca
1 800 463-5185

Pauvreté chez les aînés

La pauvreté a baissé chez les aînés depuis 25 ans, mais elle est encore très présente. En 1997, 19 % de la population totale des Canadiens de 65 ans et plus vivaient sous le seuil de la pauvreté. Les femmes âgées sont plus susceptibles d'avoir un faible revenu que les hommes âgés. En 1999, 25 % des femmes âgées vivaient dans un foyer à faible revenu contre 13 % des hommes âgés. Cet écart est dû en partie au fait que les femmes vivent plus longtemps, mais aussi parce que plusieurs d'entre elles sont restées à la maison pour élever leurs enfants. Elles n'ont pas travaillé à temps plein ou ont gagné un salaire moindre que les hommes, ce qui se reflète dans leurs prestations de retraite, puisqu'elles ont moins contribué à des régimes de retraite. Une plus grande part de leur revenu de retraite provient donc des prestations de la Sécurité de la vieillesse (38 % contre 21 % pour les hommes).

Le célibat est également un facteur qui joue dans la pauvreté. En 1997, 45 % des personnes âgées de 65 ans et plus célibataires avaient de faibles revenus comparativement à 7 % des personnes âgées vivant en famille ou en couple.

Épargnes et investissements

Si ce n'était de l'érosion que subit l'argent accumulé pour notre retraite par l'inflation et l'impôt, plusieurs d'entre nous préférerions ne pas faire de placements trop risqués. Si nous pouvions compter sur un taux d'intérêt constant de 5 ou de 8 % dans un placement à revenu fixe, comme les comptes d'épargne, les certificats de dépôt (CD) et les obligations, nous pourrions bâtir notre fonds de retraite en risquant peu.

Toutefois, cela ne reflète pas la réalité, l'inflation et les impôts peuvent avaler plus de la moitié de la valeur des dollars si difficilement gagnés pour notre retraite dans de tels investissements prudents. C'est assez pour nous motiver à rechercher des placements qui offrent de meilleures perspectives de rendement. Par contre, plus la gratification potentielle est grande, plus le risque est élevé.

Peu importe vos choix, la tolérance au risque est une affaire personnelle. Certains ne peuvent supporter le risque et préfèrent miser sur des investissements sécuritaires, mais à faible rendement. D'autres choisissent de parier le tout pour le tout et privilégient les actions à haut risque et autres placements spéculatifs. La majorité d'entre nous sommes entre ces deux extrêmes, tentant d'équilibrer le risque et la sécurité. Selon votre tolérance au risque, vous répartirez vos investissements différemment à chacune des époques de votre vie avant la retraite.

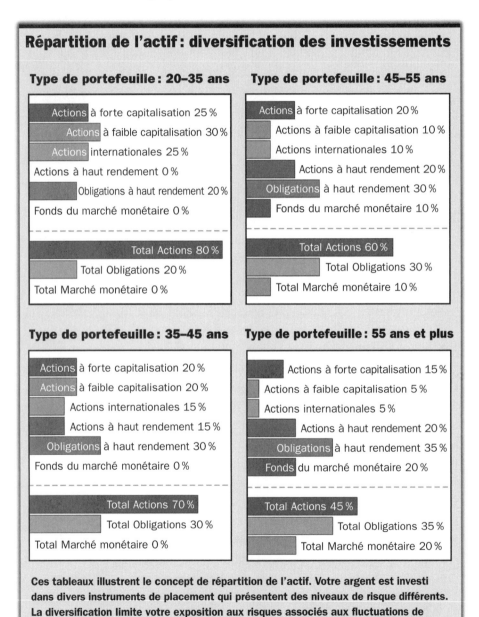

Répartition de l'actif : diversification des investissements

Type de portefeuille : 20–35 ans

- Actions à forte capitalisation 25 %
- Actions à faible capitalisation 30 %
- Actions internationales 25 %
- Actions à haut rendement 0 %
- Obligations à haut rendement 20 %
- Fonds du marché monétaire 0 %

- - - - - - - -

- Total Actions 80 %
- Total Obligations 20 %
- Total Marché monétaire 0 %

Type de portefeuille : 45–55 ans

- Actions à forte capitalisation 20 %
- Actions à faible capitalisation 10 %
- Actions internationales 10 %
- Actions à haut rendement 20 %
- Obligations à haut rendement 30 %
- Fonds du marché monétaire 10 %

- - - - - - - -

- Total Actions 60 %
- Total Obligations 30 %
- Total Marché monétaire 10 %

Type de portefeuille : 35–45 ans

- Actions à forte capitalisation 20 %
- Actions à faible capitalisation 20 %
- Actions internationales 15 %
- Actions à haut rendement 15 %
- Obligations à haut rendement 30 %
- Fonds du marché monétaire 0 %

- - - - - - - -

- Total Actions 70 %
- Total Obligations 30 %
- Total Marché monétaire 0 %

Type de portefeuille : 55 ans et plus

- Actions à forte capitalisation 15 %
- Actions à faible capitalisation 5 %
- Actions internationales 5 %
- Actions à haut rendement 20 %
- Obligations à haut rendement 35 %
- Fonds du marché monétaire 20 %

- - - - - - - -

- Total Actions 45 %
- Total Obligations 35 %
- Total Marché monétaire 20 %

Ces tableaux illustrent le concept de répartition de l'actif. Votre argent est investi dans divers instruments de placement qui présentent des niveaux de risque différents. La diversification limite votre exposition aux risques associés aux fluctuations de l'économie. Avec l'âge, vous voudrez sans doute transférer votre argent dans des investissements plus sûrs.

Règle générale, plus on est jeune, plus on tolère le risque et plus c'est facile d'essuyer les pertes qu'il peut entraîner. Plus on s'approche de la retraite, plus on cherche à diminuer le risque dans notre portefeuille de placements. On cherche alors des investissements qui fournissent un revenu assuré plutôt qu'une plus-value.

Au début de votre carrière, si vous avez une grande tolérance au risque, vous pouvez envisager de placer les trois quarts de votre argent dans des actions et des fonds communs de placement d'actions et le reste dans des investissements à revenu fixe, comme les certificats de dépôt et les obligations.

En tant qu'investisseur qui redoute le risque et qui approche de la retraite, vous pourriez réduire votre pourcentage d'actions et de fonds communs de placement de 20 à 30 % et augmenter vos investissements à revenu fixe.

Si vous êtes très inquiet à l'idée de perdre de l'argent ou de ne pas faire d'argent du tout, comme il arrive parfois avec de solides actions cotées en bourse, vous avez probablement une faible tolérance au risque. Si, par contre, vous n'êtes pas ébranlé par les baisses de valeur de vos actions ou le faible rendement à court terme, et que vous comprenez que pour investir efficacement dans les actions, il faut voir à long terme, vous pouvez vous ranger parmi les gens qui tolèrent bien le risque. Rappelez-vous cependant que votre retraite pourrait durer 30 ans, vous devez donc planifier vos sources de revenus à long terme. Peu importe votre décision, respectez votre niveau de tolérance à l'égard du risque.

Comptes d'épargne. À moins d'avoir la chance d'être l'unique héritier d'un oncle ou d'une tante riche qui prévoit vous laisser un héritage fabuleux, vous devrez mettre de l'argent de côté pour financer vos stratégies d'investissement pour la retraite. Pour la plupart des Canadiens, le premier endroit où se retrouve cet argent est dans un compte à la banque ou à la caisse populaire. Ces comptes ne font pas fructifier énormément votre argent de retraite, les faibles taux d'intérêt arrivent à peine à suivre l'inflation, mais ils présentent peu de risque et permettent de retirer facilement votre argent. Ces comptes devraient être pour vous des solutions temporaires et non faire partie des stratégies à long terme.

- *Comptes d'épargne.* Un compte d'épargne de base vous permet de déposer ou de retirer de l'argent à votre discrétion. Les comptes d'épargne ne paient qu'un intérêt sur le solde. Dans de nombreux comptes d'épargne, il faut conserver un solde minimal.

- *Comptes chèques.* Un compte chèques de base vous permet de faire des dépôts quand bon vous semble. Vous retirez de l'argent du compte par chèque ou encore avec une carte de débit ou de paiement. Certains comptes chèques versent des intérêts sur le solde, comme les comptes d'épargne. Plusieurs comptes chèques exigent un minimum de dépôts et sont assujettis à d'autres conditions. Vous pourriez avoir à payer des frais si vous dérogez à ces conditions.

- *Comptes de dépôt du marché monétaire.* Le compte de dépôt du marché monétaire est similaire au compte chèques, mais avec un solde minimum plus élevé. Le taux d'intérêt est généralement plus élevé que pour un compte chèques à intérêt ordinaire.

- *Certificats de dépôt.* Les certificats de dépôt (CD) offrent de meilleurs taux d'intérêt que tous les autres types de comptes d'épargne. L'avantage des CD est que les taux sont fixes jusqu'à l'échéance du certificat, qui peut être quelques jours ou quelques années plus tard. Le désavantage des CD, c'est que si vous devez retirer votre argent avant l'échéance, vous aurez peut-être à payer une pénalité à la banque. De plus, vous payez de l'impôt sur l'intérêt touché chaque année, même s'il est réinvesti dans le certificat et qu'il ne vous est pas versé directement.

Obligations. Il existe deux façons de participer à l'économie capitaliste autrement qu'au moyen de notre emploi ou de notre entreprise. On peut acheter des parts d'une compagnie sous forme d'actions (nous en traiterons un peu plus loin) ou acheter une reconnaissance de dette émise par un gouvernement ou une société qui promet de nous rembourser avec intérêts à une échéance spécifiée (en mois ou en années). On appelle généralement ces titres de créance des obligations. Elles intéressent de nombreux investisseurs puisqu'elles sont fiables et présentent peu de risque. On retrouve une panoplie d'obligations qui peuvent être offertes par les gouvernements, des organismes gouvernementaux ou des sociétés.

- *Obligations d'épargne du Canada.* L'organisme Placements Épargnes Canada commercialise et gère des produits d'épargne et de placement pour la population canadienne afin de financer la dette publique. Grâce à leur produit le plus connu, les Obligations d'épargne du Canada, les Canadiens prêtent de l'argent au gouvernement. C'est l'obligation la plus sûre de ce type sur le marché.

- *Obligations d'épargne du Québec.* L'organisme Épargne Placements Québec vous offre divers types d'obligations émises et garanties par le gouvernement québécois.

- *Obligations municipales.* Ce sont des titres de créance émis par les municipalités.

- *Obligations de société.* Titres de créance émis par des compagnies. Elles offrent souvent un meilleur taux d'intérêt que les obligations des gouvernements, mais elles comportent plus de risque. Dans un sens, les obligations de société ressemblent à des actions, leur valeur dépend de la santé financière de la compagnie qui les émet. Procédez avec la même prudence lors de l'achat de ce type d'obligation que lors de l'achat d'actions.

- *Obligations à haut risque ou à haut rendement.* Ces obligations de société ou des gouvernements sont émises par des organismes ou des compagnies qui ont une faible cote de crédit. Elles offrent un meilleur rendement parce qu'elles constituent un investissement qui présente beaucoup plus de risque.

La cote de crédit des obligations est établie par deux firmes de notation indépendantes : la Canadian Bond Rating Service (CBRS) et la Dominion Bond Rating Service (DBRS). La cote AAA est la plus élevée (obligations qui présentent le moins de risque). Les obligations qui reçoivent une cote AA ou A constituent de très bons placements, mais elles présentent plus de risque que celles cotées AAA. Les obligations cotées BBB représentent un investissement correct, mais avec une plus grande part de risque. Toutes les obligations dont les cotes vont de BB en descendant (jusqu'à D, défaut de paiement) sont placées dans la catégorie des obligations à haut risque. Les obligations à haut risque offrent un rendement supérieur en contrepartie d'un risque très élevé. N'investissez dans les obligations à haut risque que si votre tolérance au risque est grande et que vous acceptez de perdre un peu d'argent.

Actions. De tous les investissements, les actions, parts de propriété d'une société, présentent le plus grand potentiel de gratification et de pénalisation. À titre d'exemple, si vous avez investi dans les entreprises Internet au milieu des années 1990 et que vous avez vendu vos actions avant que les entreprises point.com soient dévaluées en 2000, vous avez probablement réalisé des gains considérables. Par contre, si vous avez conservé vos actions jusqu'aux années 2000, elles ont peut-être perdu une grande partie de leur valeur. Selon le moment où vous décidez de vendre vos actions, vous pouvez faire beaucoup d'argent, ne pas faire d'argent du tout ou perdre de l'argent.

Heureusement, il existe un large éventail d'actions différentes. Les deux types de base sont les actions privilégiées et les actions ordinaires.

Les actions privilégiées plaisent à ceux qui veulent un revenu de dividendes régulier et spécifique sur leur investissement et la priorité par rapport aux détenteurs d'actions ordinaires sur les actifs de la compagnie en cas de liquidation. Quand vous détenez des actions privilégiées, vous ne pouvez pas voter aux assemblées des actionnaires et ne jouissez pas nécessairement des mêmes droits que les détenteurs d'actions ordinaires.

Si vous optez pour des actions ordinaires, vous aurez le droit de voter aux assemblées des actionnaires ou par procuration (une sorte de bulletin d'absent). Vous participerez à l'élection des administrateurs de la compagnie. Vous aurez le droit d'acheter les nouvelles parts mises en vente avant les autres. Cependant, vous n'obtiendrez pas nécessaire-ment de dividendes et si la compagnie est liquidée, vous serez parmi les derniers à recevoir de l'argent.

Pour ce qui est de la capitalisation boursière, soit la valeur de toutes les actions en bourse, les actions se divisent en trois catégories : faible, moyenne et forte. Les actions à faible capitalisation proviennent de petites compagnies, parfois instables, qui tentent de croître avec agres-sivité et dont la capitalisation boursière n'excède pas un milliard de dollars. Les actions à moyenne capitalisation combinent croissance et stabilité. Leur capitalisation boursière se situe entre un milliard et 10 milliards de dollars. Les actions à forte capitalisation proviennent de compagnies dont la capitalisation boursière dépasse 10 milliards de dollars. Les actions de la compagnie IBM, par exemple, sont des actions à forte capitalisation.

Parmi les milliers d'actions que les investisseurs peuvent acquérir, il existe plusieurs catégories.

- Les actions de premier ordre représentent des sociétés réputées qui ont prouvé leur capacité à croître et à générer des dividendes réguliers pour leurs investisseurs. Elles font partie des actions qui présentent le moins de risque. Seules 30 sociétés de premier ordre forment l'indice Dow Jones.

- Les actions de croissance sont les actions d'une compagnie dont l'objectif principal est d'augmenter ses profits et, généralement, elles ne payent pas de dividendes. Elles ont tendance à être plus risquées que les actions de premier ordre, mais elles disposent d'un plus grand potentiel d'appréciation.

• Les actions à fort rendement montrent une moins forte croissance, mais payent des dividendes plus élevés que la moyenne. Si vous approchez de la retraite ou si vous êtes retraité, les actions à fort rendement peuvent générer un revenu régulier.

• Les actions de valeur sont des actions de compagnies saines qui font de bons profits, mais dont les actions se vendent à un faible prix. Autrement dit, elles valent plus que ce que leur prix indique, de bonnes affaires sont alors en perspective.

Vous pouvez aussi choisir vos actions selon les secteurs du marché : haute technologie, biotechnologie, finances, santé, assurances, médias, services publics, transport et énergie.

Le potentiel des actions pour enrichir votre revenu de retraite est élevé. Toutefois, comme elles peuvent également jouer de mauvais tours, elles ne conviennent pas aux investisseurs peu expérimentés. Avant d'investir votre argent pour la retraite, vous devrez faire beaucoup de recherche ou confier votre avoir à un courtier ou à un conseiller en placement en qui vous avez confiance.

Fonds communs de placement. Même si vous désirez placer une partie de votre argent dans le marché des valeurs mobilières pour votre retraite, l'idée d'acheter des actions par vous-même peut vous mettre mal à l'aise, soit parce que vous n'avez pas confiance en votre jugement ou que vous n'avez pas rencontré de courtier ou de conseiller financier qui vous plaise. Ce peut être aussi parce que vous ne voulez pas mettre trop d'œufs dans le même panier (une seule société ou un seul type d'actions).

Dans ce cas, un fonds commun de placement d'actions peut être la solution. Les fonds communs de placement d'actions possèdent des douzaines, des centaines ou même des milliers d'actions individuelles de sociétés. Ces fonds offrent à l'investisseur la possibilité de posséder des parts dans plusieurs compagnies. La philosophie d'investissement du fonds peut refléter le jugement personnel du gestionnaire de fonds. Le gestionnaire fait donc de son mieux pour que ces choix traduisent la philosophie ou l'approche du fonds, que l'accent soit sur la croissance, le revenu ou l'investissement dans certains segments du marché (comme l'énergie, la biotechnologie ou la finance).

Il existe deux types de fonds commun de placement, les fonds avec frais d'acquisition et les fonds sans frais d'acquisition. Les frais d'acquisition sont des frais de vente payables au courtier ou au fonds, ou encore aux deux. Vu la qualité et la performance des fonds sans frais d'acquisition, il y a peu d'intérêt à investir dans des fonds avec frais d'acquisition.

Comme les actions, les fonds communs de placement ne présentent pas tous le même niveau de risque.

- Les fonds d'actions et de revenu investissent généralement dans les actions qui produisent de bons dividendes, comme les actions des services publics ou de premier ordre. Ils présentent un niveau modéré de risque.

- Les fonds de croissance et de revenu cherchent à offrir des dividendes substantiels tout en favorisant la possession d'actions qui vont connaître une croissance. Ils présentent également un niveau modéré de risque.

- Les fonds indiciels reflètent la performance d'indices boursiers et de marchés spécifiques. Les fonds indiciels présentent généralement un risque modéré.

- Les fonds à forte capitalisation sont constitués d'actions de grandes sociétés renommées. On considère qu'elles ont un coefficient de risque moins élevé.

- Les fonds à moyenne capitalisation privilégient les compagnies de taille moyenne. Ces fonds offrent un meilleur rendement que ceux à forte capitalisation, mais ils sont plus risqués.

- Les fonds de croissance favorisent les actions qui ont une forte croissance, mais peuvent être moins rentables lorsqu'il y a effondrement du marché. Ils comportent une plus grande part de risque.

- Les fonds internationaux sont constitués d'actions de sociétés étrangères et présentent plus de risques.

- Les fonds de croissance agressive peuvent entraîner des gains substantiels ou perdre beaucoup de valeur. Ils sont très risqués.

- Les fonds à faible capitalisation peuvent être très rentables ou mener à de lourdes pertes. C'est également un investissement à haut risque.

Vous avez peut-être remarqué qu'il n'y a pas de fonds communs de placement d'actions qui présentent peu de risque, c'est que par définition, le monde des actions est un univers de risque. Les actions peuvent toujours perdent de leur valeur ou rester stables, même lorsque ce sont des actions de sociétés solides. Les fonds communs de placement reflètent ces pertes. De plus, des appellations comme « forte capitalisation » ou « de croissance » peuvent être ajoutées par le gestionnaire du fonds pour des raisons de marketing. Soyez donc prudent.

Ceux qui détestent prendre des risques ont quand même des options dans l'univers des fonds communs de placement. Il existe des fonds à risque faible ou modéré. C'est que certains fonds n'investissent pas du tout dans le marché des valeurs mobilières ou y investissent seulement une partie de leur actif. Les fonds communs de placement peuvent aussi investir dans des titres de créance, comme les obligations. Bien entendu, ces fonds ne peuvent avoir la progression spectaculaire qu'un fonds de croissance offre parfois (vous n'y verrez jamais de taux de 30 % par année), mais vous aurez l'esprit en paix en sachant que votre argent fructifie tranquillement et qu'il y a peu de risque de le perdre.

Voici quelques fonds à faible risque :

- Les fonds du marché monétaire placent l'argent dans des certificats de dépôt et d'autres investissements prudents. Votre argent y est en sécurité et les intérêts sont semblables à ceux des certificats de dépôt. Le risque est faible.

- Les fonds d'obligations à court terme peuvent être exonérés d'impôts ou non. Ils sont constitués d'obligations de sociétés ou d'obligations gouvernementales du Canada, de l'étranger ou des deux. Le niveau de risque est assez faible.

- Les fonds d'obligations à long terme peuvent être exonérés d'impôts ou non. Ils sont un peu plus risqués que le type de fonds précédent, mais peuvent générer un meilleur rendement.

- Les fonds d'obligations internationales investissent dans des obligations de sociétés et de gouvernements étrangers et font la même chose dans une moindre mesure au pays. Le niveau de risque de ces fonds est modéré.

Immobilier. Investir directement dans l'immobilier, c'est-à-dire posséder des propriétés qui génèrent un revenu et qui prendront, on le souhaite, de la valeur, c'est autant un travail qu'un placement. Si vous rêvez d'avoir une nouvelle entreprise ou de nouvelles responsabilités à votre retraite, alors l'immobilier peut vous convenir. Cela peut même

La mise au point de nos finances

Il me semble qu'hier à peine nous étions de jeunes mariés avec des enfants en bas âge et une grosse hypothèque. Aujourd'hui, notre maison est payée et le plus jeune de nos trois enfants vient d'obtenir son diplôme universitaire. Il restait encore 20 ans avant notre retraite lorsque j'ai commencé à m'inquiéter de notre situation financière, surtout parce que je ne la comprenais pas bien.

Mon mari était convaincu que nous cheminions vers une retraite confortable. Nous faisons partie de ce qu'on appelle la classe moyenne, peut-être même de la classe moyenne supérieure. Mais comment savoir si nous avions assez d'argent pour notre retraite ? Avions-nous pris les meilleures décisions pour notre avenir financier ? Après tout, nous pourrions vivre jusqu'à 100 ans.

Une publicité télévisée m'a poussée à suggérer à mon mari de consulter un planificateur financier. Dans cette publicité, on voyait des gens qui avaient l'air d'être bien à l'aise et au-dessus de leurs affaires, mais qui s'inquiétaient en leur for intérieur de l'organisation de leurs finances. Je me sentais tout à fait comme eux. Mon mari a contribué aux caisses de retraite de ses trois employeurs. Moi, j'aurai une bonne retraite également, puisque j'enseigne la littérature dans un cégep. On peut ajouter à cela nos REER, quelques actions, une assurance vie et un compte de négociation en ligne avec un courtier sur Internet. Il fallait mettre de l'ordre dans tout cela.

Mon mari s'est un peu hérissé quand j'ai insinué qu'il n'avait peut-être pas toutes nos finances bien en main. Comme il adore sa moto, je l'ai amadoué avec une analogie qu'il ne pouvait qu'apprécier. Je lui ai dit : « Les éléments de nos finances sont comme les rayons d'une roue de moto. Si un rayon est brisé, les autres ne fonctionneront pas aussi bien qu'ils le devraient. »

Nous avons demandé conseil à des amis qui nous ont suggéré un jeune homme qui nous a fait tout de suite bonne impression. Il facture à l'heure et ne représente aucune gamme de produits, alors il ne cherche pas à nous vendre un produit plutôt qu'un autre. De plus, il ne prend pas de pourcentage sur les revenus de nos placements.

Il a examiné notre situation financière de A à Z. Nous avons appris que nous étions sur le bon chemin, mais que notre santé financière n'était pas à son maximum. Il nous a d'abord recommandé de modifier notre stratégie de placement pour payer moins d'impôt. Il nous a démontré que, dans notre cas, il était plus profitable de prendre les prestations du Régime à prestations déterminées de mon mari en un montant forfaitaire et de l'investir dans un REER, au lieu de recevoir une rente mensuelle. Il nous a aussi montré des façons de mieux protéger nos biens de l'impôt. Il nous a également parlé de fiducies pour que l'argent gagné à la sueur de notre front ne s'envole pas en impôt.

Ensuite, il a mis toute cette information dans un programme de l'ordinateur et il nous a donné une « biographie financière », un cahier dans lequel est inscrit tout ce que nous et nos enfants devons savoir sur nos polices d'assurance, nos fonds de retraite, nos fiducies, nos testaments et nos biens.

Il nous a aidés à économiser beaucoup d'argent, beaucoup plus que le montant qu'il nous a facturé. Nous lui avons même parlé de ma mère qui allait avoir besoin de soins à long terme. Il connaissait tous les détails des programmes d'aide. Il lui a fait remplir un mandat en cas d'inaptitude et nous a aidés à comprendre le jargon de sa police d'assurance.

Maintenant, mon mari répète à ses amis que la planification financière, c'est comme les voitures. À une époque, il était possible de faire la mise au point d'une voiture chez soi, mais avec les nouveaux moteurs, c'est impossible. Aujourd'hui, il faut un spécialiste pour regarder sous le capot si notre moteur financier est en bon état de marche. On ne peut que gagner si on planifie bien.

Louise, professeure

Pistes de réflexion

- La planification financière est cruciale, il ne faut pas laisser faire le hasard.
- Un bon planificateur financier peut vous aider à gérer votre actif pour vous assurer une vie confortable pendant les 20 années et plus que peut durer votre retraite.
- La planification financière est plus complexe qu'autrefois parce qu'il existe davantage d'options de placement.
- Un bon planificateur financier ne prend pas le contrôle de vos finances, il s'assure que vous êtes en contrôle.

s'avérer gratifiant et rentable. Par contre, si vous n'avez pas envie d'avoir constamment à l'esprit vos propriétés et vos locataires (sans mentionner les dépenses d'entretien, de taxes et d'assurances), alors ne vous aventurez pas dans ce type d'investissement. Les problèmes sont nombreux ; ce n'est pas du tout comme acheter des parts d'un fonds commun de placement ou un certificat de dépôt.

Si vous n'avez pas envie de déneiger le stationnement de votre immeuble à logements à cinq heures du matin, vous pouvez investir indirectement dans l'immobilier. Les parts d'une société de placement immobilier se vendent et s'achètent comme celles d'un fonds commun de placement. Il en existe trois types : celles qui investissent dans la propriété (immeubles de bureaux, d'appartements), celles qui investissent dans les hypothèques et les valeurs garanties par hypothèque, et celles qui investissent dans les deux.

De la même manière que si vous achetiez des actions ou des parts d'un fonds commun de placement, il faut faire des recherches avant d'investir dans une société de placement immobilier. La qualité de la gestion tout comme la qualité des propriétés dans lesquelles la société a investi sont primordiales. Évaluez les bénéfices provenant de l'exploitation, ils reflètent les gains de la société.

Même si les sociétés de placement immobilier sont à la merci des fluctuations du marché immobilier, qu'elles soient positives ou négatives, elles fournissent généralement un bon revenu et affichent une légère croissance. Bien entendu, ce type d'investissement est beaucoup plus risqué que les obligations et ne devrait pas constituer la base de votre stratégie d'investissement.

Assurance vie. Il existe deux types fondamentaux d'assurance vie.

L'assurance vie temporaire vous assure seulement contre la possibilité d'un décès subit par la maladie ou un accident. Elle assure le paiement d'une prestation en argent d'un montant prédéterminé à vos bénéficiaires (que vous choisissez). Idéalement, ce montant prédéterminé correspond aux sommes dont vos survivants auront besoin pour bien vivre sans vous. Les primes augmentent à mesure que vous prenez de l'âge (et que vous êtes peut-être plus malade), car le risque que vous mouriez est plus grand.

L'assurance vie entière, par contre, a deux fonctions. Elle paiera à vos bénéficiaires une prestation prédéterminée si vous mourez. Et elle sert également, en quelque sorte, de compte d'épargne à impôt différé. C'est qu'une partie de l'argent que vous donnez qui n'est pas consacrée au paiement des primes d'assurance s'accumulera et se transformera en valeur de rachat brute à la fin de la durée du contrat. En raison de cet élément d'investissement, les primes d'assurance vie entière sont plus élevées, mais demeurent prévisibles. Lorsque vous retirez de l'argent de la police, vous payez des impôts sur les bénéfices.

Cependant, la valeur de rachat brute sur laquelle vous comptez n'est pas prévisible complètement. Le joli taux de rendement que vous a fait miroiter l'agent d'assurances au moment de la vente ne constitue qu'une estimation. Le montant qui vous revient peut varier considérablement en raison de nombreux facteurs, dont la performance des investissements de la compagnie, le nombre de résiliations de police et le taux de mortalité des détenteurs de police.

Certains spécialistes soutiennent que vous obtiendrez un aussi bon rendement en achetant une assurance vie temporaire et en investissant le reste. Ainsi, vous n'êtes pas restreint à un seul investissement pour plusieurs années, comme lors de l'achat d'une police d'assurance vie entière. L'assurance vie entière ne peut être payante que si vous y contribuez jusqu'à la fin de la durée de la police. Si vous résiliez votre contrat plus tôt, vous pourriez perde l'argent que vous avez épargné.

Par contre, l'un des avantages de l'assurance vie entière, c'est qu'elle oblige l'épargnant réticent (celui qui ne trouve jamais l'argent pour contribuer à son REER) à mettre de côté un peu d'argent. Lorsque la compagnie d'assurances vous explique que vous perdrez votre solde si vous ne payez pas vos primes, c'est un bon incitatif pour faire le chèque.

L'assurance vie universelle est un peu à cheval entre l'assurance vie temporaire et l'assurance vie entière. Elle offre une assurance vie de base avec une prime peu élevée (comme l'assurance vie temporaire), mais vous avez ensuite la possibilité d'augmenter les primes et de placer les sommes supplémentaires dans un compte d'épargne à l'intérieur de la police. Souvent, il s'agit de polices d'assurance vie universelles variables qui proposent diverses options d'investissement.

Rentes. Offertes par les compagnies d'assurance vie, les rentes vous permettent de placer autant de dollars après impôts que vous le désirez et l'impôt sur l'appréciation sera différé. Vous pouvez acheter une rente avec un paiement forfaitaire ou des paiements mensuels. Lorsque vous retirez l'argent des rentes, on vous impose seulement sur l'appréciation, pas sur le capital. Si vous décédez, la compagnie d'assurances paiera à vos héritiers le montant le plus élevé entre ce que vous avez placé dans la rente et sa valeur marchande actuelle.

Une rente peut se retirer par versements réguliers jusqu'à la fin de votre vie ou par des versements pendant une certaine période, suivie du paiement d'un montant forfaitaire. Si vous choisissez la première option, sachez que si vous mourez peu après votre retraite, la compagnie d'assurances peut garder une partie de la rente à laquelle vous avez contribué.

Vous pouvez choisir entre deux types de rentes. Dans les rentes variables, on investit votre argent dans des fonds communs de placement d'actions ou d'obligations. Le rendement varie selon la performance de ces fonds, mais on vous promet généralement un taux minimum. Les rentes fixes paient un taux déterminé.

Peu importe le type de rentes que vous choisissez, rappelez-vous que vous payez de l'impôt sur l'argent que vous placez dans les rentes et sur le revenu que vous en tirez à la retraite. C'est pour cette raison que vous devriez maximiser vos investissements à impôt différé avant de placer votre argent dans une rente. L'argent que vous investissez dans un REER, par exemple, ne sera imposé qu'au moment de votre retraite. On voit l'intérêt à privilégier ce type d'investissement plutôt qu'une rente.

Régimes et comptes de retraite

Régime classique. Le régime de retraite classique est un régime à prestations déterminées financé par les contributions de votre employeur. L'argent ne provient pas de votre salaire. Le montant de vos prestations de retraite dépend généralement du nombre d'années de service et du salaire au moment de la retraite. Plus vous travaillez longtemps chez un employeur, plus vos prestations augmentent. Cependant, la plupart de ces régimes n'offrent pas de protection contre l'inflation.

Ces régimes de retraite ne sont pas transférables. Ils atteignent un montant X au moment où vous quittez votre emploi et vous n'avez droit qu'à ce montant lorsque vous êtes à la retraite. Il faut commencer à zéro dans votre nouvel emploi si l'entreprise offre un régime similaire. Si vous comptez beaucoup sur les prestations de ce type de régime pour votre retraite, il est préférable de conserver votre emploi le plus longtemps possible. Les travailleurs instables s'en tirent moins bien généralement.

Si vous êtes un employé moyen dans une entreprise moyenne, il y a de fortes chances que vos prestations de retraite vous soient versées, même si la compagnie pour laquelle vous travaillez a des problèmes financiers. La plupart des régimes de retraite sont assurés par la Société canadienne pour les assurances de personnes (SIAP), une agence qui garantit un paiement maximal, selon diverses règles. Pour plus d'informations : www.siap.ca ou 1 800 361-8070.

Régimes de retraite à cotisation déterminée. Si vous travaillez dans une entreprise à but lucratif, il y a de fortes chances que vous puissiez mettre de côté un pourcentage de votre salaire avant impôts dans un régime de retraite à cotisation déterminée. De plus, l'employeur investit de son côté une portion de votre contribution dans la plupart des cas. Dans un tel régime, l'argent est investi de diverses façons. Vous pourriez avoir un mot à dire sur les types de placements. On vous fera

Économiser de l'argent en partageant votre logement

Si vous êtes un propriétaire à la retraite, et que vous trouvez difficile de faire face à toutes les dépenses avec votre revenu de retraite, vous pourriez partager votre logement. Plusieurs personnes choisissent la cohabitation pour la compagnie et la sécurité que ce mode de vie procure. Si vous possédez la maison, cela se traduira pour vous par un revenu supplémentaire sous forme de loyer. Avant d'aller de l'avant et de choisir quelqu'un pour vivre avec vous, vérifiez les règlements municipaux pour ne pas contrevenir aux ordonnances de zonage. Vous devrez vérifier aussi si ce revenu supplémentaire affectera vos prestations de retraite et si vos impôts et vos assurances augmenteront.

Finalement, pensez à votre personnalité. Un revenu supplémentaire peut être attrayant, mais il ne faut pas oublier que vous accueillerez une personne chez vous qui aura les droits et les privilèges d'un locataire. Êtes-vous prêt à abandonner une partie de votre intimité et à faire des compromis ? Pouvez-vous accepter de partager votre cuisine et votre salle de bains avec une autre personne ? Comment procéderez-vous pour les tâches ménagères et les autres obligations ? À quel point vous entendez-vous avec votre locataire potentiel ?

De plus, il vous faudra mettre au point une méthode pour évaluer les candidats ainsi qu'une stratégie au cas où l'arrangement ne fonctionnerait pas.

choisir entre des fonds communs de placement d'actions, des fonds du marché monétaire, des fonds d'obligations et des actions de votre compagnie s'il y a lieu. Si vous changez d'idée quant à la manière dont vous voulez qu'on investisse votre argent, vous pouvez généralement faire des modifications. Toutefois, il faut parfois attendre une date prédéterminée.

Si vous quittez votre emploi, vous pouvez garder le solde investi dans le régime de votre employeur ou faire un transfert libre d'impôt vers un REER. Donc, la somme transférée va directement dans votre compte REER et non pas dans vos poches. Si le chèque est fait à votre nom, votre employeur devra retenir de l'impôt sur le montant.

Rappelez-vous que si vos droits ne sont pas tous acquis, c'est-à-dire que si vous n'avez pas travaillé assez longtemps pour recevoir 100 % de la contribution de votre employeur, on ne vous redonnera pas tout l'argent contribué par ce dernier.

Régime enregistré d'épargne retraite (REER). Régime qui permet à un particulier, salarié ou travailleur autonome, de reporter l'impôt à payer sur l'argent qu'il met de côté pour sa retraite. Ainsi, vous pouvez déduire de votre revenu annuel les sommes investies dans un REER, ce qui entraîne une économie d'impôt. De plus, l'impôt à payer sur le capital et sur les intérêts est reporté au moment de votre retraite, quand votre revenu sera probablement moindre ; vous serez donc imposé à un pourcentage moins élevé. Le REER n'est pas un produit particulier, vous pouvez choisir le type de placement qui vous convient et profiter des économies d'impôt.

Fonds enregistrés de revenu de retraite (FEER). Le FEER constitue une autre façon de reporter l'impôt si vous détenez des REER. Au moment de la retraite, vous pouvez transférer les montants de vos REER dans un FEER à l'abri de l'impôt. Vous retirez une fraction de cette somme chaque année, qui est imposable.

N'hésitez pas à vous informer auprès de professionnels pour bien comprendre les régimes auxquels vous participez et profiter pleinement des avantages de chacun.

Revenus du travail

Certains retraités restent sur le marché du travail. Quelques-uns le font par nécessité, parce que le revenu qu'ils tirent des prestations du gouvernement et des investissements qu'ils ont faits ne suffit pas à subvenir à leurs besoins. D'autres choisissent de le faire parce qu'ils apprécient la stimulation et les défis que cela leur procure, les rencontres qu'ils y font et le sentiment d'être utiles. Bien entendu, ils profitent aussi d'un revenu supplémentaire.

Peu importe ce qui vous pousse à travailler à la retraite, de nombreuses possibilités s'offrent à vous. Plusieurs employeurs recherchent des employés à temps partiel compétents et responsables. Les retraités qui ont travaillé presque toute leur vie en savent un bout sur l'éthique du travail. La retraite peut également être synonyme de nouveaux défis. Vous pourriez retourner sur les bancs de l'école afin de découvrir un nouveau domaine.

Vous pourriez même être en mesure de vous entendre avec votre employeur afin de prendre une retraite progressive. Vous diminuez graduellement les heures de travail, ce qui diminue votre paie et vous donne plus de temps libre. Pendant ce temps, vous ne touchez pas à vos prestations de retraite.

Planification financière

Si vous êtes du genre à tout planifier méticuleusement, à savoir exactement ce que vous avez gagné et dépensé, à suivre sans problème votre budget et à éviter les surprises financières désagréables, vous n'aurez aucune difficulté à planifier l'aspect financier de votre retraite. Pour vous, ce sera du gâteau.

Par contre, si vous n'êtes pas doué pour la planification et que vous n'avez pas assez de discipline pour respecter un budget, ce serait le moment de pallier cette lacune. Sans une bonne planification, vous risquez de vous retrouver à court d'argent au moment d'entreprendre votre retraite ; un scénario noir. Vous devez analyser votre situation actuelle, déterminer ce que vous voulez faire à votre retraite et établir des stratégies pour atteindre vos objectifs.

Chacun a une façon unique d'atteindre ses objectifs de retraite. Les ressources et les projets d'une personne ne sont pas les mêmes que ceux d'une autre. Si vous avez eu des enfants dans la vingtaine, votre retraite sera complètement différente de celle d'une personne qui a eu ses enfants à la fin de la trentaine ou au début de la quarantaine. Si vous êtes célibataire, votre cheminement vers la retraite ne sera pas le même que celui d'une personne mariée.

Fixer des objectifs

Pour réaliser la sécurité financière dont vous rêvez pour votre retraite, vous devez commencer par décider d'une date. Aspirez-vous à une retraite anticipée ? Préférez-vous travailler jusqu'à la fin de la soixantaine ? Peu importe le temps qu'il reste, considérez cette date comme une échéance que vous devez respecter pour parvenir à vos objectifs à long terme.

Cependant, n'oubliez pas les objectifs à court terme. Chaque année jusqu'à votre retraite, vous devrez économiser de l'argent. Vous voudrez également diminuer vos dettes chaque année pour entreprendre votre retraite sans être trop endetté. Si vous vous fixez de tels objectifs chaque année et que vous les concrétisez, vous serez dans une excellente situation à la retraite.

Certains experts recommandent d'épargner au moins 10 % de votre revenu annuel avant impôts.

Autant pour les objectifs à long terme que ceux à court terme, écrivez vos stratégies, mettez tout en œuvre pour les réaliser et comparez vos résultats avec ce que vous aviez planifié. Par contre, ces objectifs ne sont pas immuables. Vous devez garder une certaine souplesse pour effectuer des modifications si votre situation personnelle ou au travail change de manière significative.

Principes de base

Fixer des objectifs à court et à long terme, c'est très bien, mais comment faire pour les réaliser ? Voici quelques principes de base.

- Sachez où va votre argent en notant toutes vos dépenses importantes, du coût hebdomadaire de l'épicerie à votre hypothèque.

- Sachez où votre argent fructifie en faisant l'inventaire de tous vos comptes bancaires, vos investissements, vos comptes de retraite, vos propriétés, etc. Cette information qui doit être mise à jour régulièrement peut être inscrite dans un livre comptable ou encore dans un de ces logiciels pour les finances personnelles si populaires. Si vous utilisez un logiciel, faites des copies de sauvegarde fréquemment.

- Établissez un budget et essayez de le suivre.

- Avant tout, remboursez le plus possible les dettes non déductibles dont le taux d'intérêt est élevé. Si vous ne pouvez pas vous libérer de vos dettes avant longtemps, essayez de les refinancer à un taux plus bas. Par exemple, vous pourriez essayer de transférer le solde de vos cartes de crédit dans un emprunt à intérêt plus bas. Si vous vous sentez submergé par vos dettes, voyez un conseiller en crédit qualifié pour mettre au point un plan de désendettement. L'idéal, c'est de se libérer de toutes ses dettes avant la retraite.

• Participez au régime de retraite de votre entreprise en y versant autant de dollars avant impôts qu'il est permis de le faire. Si possible, placez votre argent dans les régimes à impôt différé disponibles (autant que vous pouvez jusqu'au maximum permis). Un bon montant minimum serait environ 10 % de votre salaire, que les contributions soient imposables ou à impôt différé.

• Amorcez la transition vers la retraite dès aujourd'hui en vivant avec le budget prévu de votre retraite. Vous serez ainsi confronté à la réalité.

• N'oubliez pas que l'impôt et l'inflation auront un effet négatif sur l'argent économisé pour votre retraite. Ce qui vous semble un bon montant aujourd'hui pourrait ne pas être suffisant dans plusieurs années. Planifiez vos investissements en conséquence. Utilisez la règle de 72 (voir page 97) lorsque vous évaluez les effets de l'inflation. Si l'inflation annuelle est de 8 %, le pouvoir d'achat d'un dollar sera réduit de moitié en 9 ans (72 ÷ 8 = 9).

• Soyez prudent quand il s'agit de votre propriété. Rappelez-vous que si vous obtenez un prêt sur la valeur nette de votre maison, vous risquez de la perdre si vous n'arrivez pas à effectuer les paiements. Vous risquez également de perdre votre maison si vous la donnez en garantie pour un emprunt, qu'il soit pour vous ou pour un membre de votre famille.

• Les personnes âgées sont des cibles privilégiées pour les fraudeurs et les escrocs. Leur argent est souvent volé par de faux télévendeurs, par des entrepreneurs qui font mal leur travail ou ne font rien du tout, par de prétendus inspecteurs de banque ou de supposés courtiers qui leur offrent l'affaire du siècle. Ne donnez jamais votre argent à un individu qui ne peut fournir un minimum de trois références sérieuses et qui ne peut attendre que vous preniez le temps de penser à son offre. Souvenez-vous, si cela semble trop beau pour être vrai, que c'est probablement le cas.

• N'oubliez pas l'élément le plus important pour réaliser vos objectifs de retraite : votre santé. Si vous fumez, arrêtez. Placez l'argent que vous économiserez dans un compte du marché monétaire et regardez-le fructifier. Si vous êtes inactif, faites de l'exercice. Si vous buvez trop, réduisez votre consommation. Si vous n'allez pas régulièrement chez le médecin, commencez maintenant. Des habitudes de vie saines pourraient faire toute la différence au moment de votre retraite. Avec la santé, vous pourrez profiter de toutes vos économies.

Choisir un planificateur financier

Devriez-vous vous occuper de votre planification financière vous-même ? Peut-être avez-vous un revenu suffisant pour subvenir à vos besoins et avez réussi à ne pas trop vous endetter. Vous avez placé vos épargnes dans des fonds communs de placement, des obligations, des actions et d'autres placements. Vous avez appris sur le tas et fait quelques erreurs, mais vos investissements ont fructifié et vous êtes content du résultat. Certaines personnes aiment bien la planification financière, et elles ont les capacités et l'intérêt pour la mener à bien.

Pour d'autres, c'est le contraire. Ils n'ont pas les connaissances, l'intérêt ou le temps pour s'occuper de leurs finances aussi efficacement qu'ils le devraient. Peut-être avez-vous de nouvelles dépenses en perspective (la venue d'un nouveau bébé) ou que la manne tombe du ciel (un héritage imprévu). Peut-être avez-vous simplement besoin de faire

---

Questions à poser à un planificateur financier

Le Certified Financial Planner Board of Standards (www.cfp-board.org) recommande que vous posiez les questions suivantes aux planificateurs financiers avant de faire votre choix :

Quelle est votre expérience ?

Quelles sont vos qualifications ?

Quels services offrez-vous ?

Quelle est votre approche en planification financière ?

Serez-vous la seule personne à travailler sur mon dossier ?

Comment s'effectueront les paiements pour vos services ?

Quels sont vos honoraires généralement ? (Tarif horaire, honoraires fixes ou pourcentage des capitaux administrés ?)

Est-ce que d'autres personnes que moi pourraient bénéficier de vos recommandations ?

Avez-vous déjà été puni publiquement pour des actes illégaux ou contraires à la déontologie au cours de votre carrière ?

Puis-je avoir ces renseignements par écrit ?

un peu de ménage dans vos finances. Dans de tels cas, un planificateur financier peut s'avérer des plus utiles. Cette personne analyse votre situation actuelle, suggère des modifications pour augmenter le rendement de votre avoir et établit des stratégies pour réaliser vos objectifs. Elle revoit et met à jour régulièrement ces stratégies.

Vous devriez toujours vous assurer que le professionnel auquel vous vous adressez est qualifié. Au Québec, seuls les professionnels reconnus par l'Institut québécois de planification financière peuvent porter le titre de planificateur financier. Soyez prudent si un conseiller pousse un produit avec trop d'énergie ou s'il vous promet des résultats extraordinaires en peu de temps. Un bon planificateur vous proposera une approche lente et stable pour faire fructifier votre argent. Demandez des références, idéalement des gens qui font affaire avec ce planificateur depuis trois ans et plus.

Planification successorale

Même si vous avez réussi à planifier une retraite confortable, il ne faut pas oublier que vous êtes mortel. Un jour, vous allez mourir (le plus tard possible, c'est ce qu'on souhaite) et ce qui restera de vos biens ira à votre conjoint, à vos enfants, à vos petits-enfants, à une œuvre de bienfaisance qui vous est chère ou à d'autres héritiers que vous aurez choisis. L'efficacité et la facilité avec lesquelles vos biens seront transférés dépendent en grande partie du soin que vous mettrez maintenant à formuler les dispositions pour léguer votre héritage. Vous désirez sûrement que les personnes qui vous tiennent à cœur bénéficient des fruits de votre travail et de votre sagesse financière. Il n'en tient qu'à vous pour que cela soit ainsi.

Évaluation des biens

Avant de planifier votre succession, vous devez faire l'inventaire de tous vos biens, c'est-à-dire de tout ce que vous possédez qui a de la valeur. Voici, en gros, ce que cet inventaire devrait contenir :

- la maison ;
- les autres propriétés ;
- les parts d'entreprise ;
- l'assurance vie ;
- les placements ;
- les comptes de retraite ;

- les comptes d'épargne ;

- les véhicules ;

- les autres biens personnels.

Testament

La façon la plus simple de vous assurer que vos héritiers reçoivent ce que vous voulez leur léguer est de rédiger un testament. Environ la moitié des Canadiens meurent sans testament. Dans ce cas, au Québec la succession se fait en suivant les règles de partage selon les catégories de membres de votre famille qui sont établies dans le Code civil du Québec.

Il existe trois formes valides de testament. Le testament olographe (sans témoin), signé par le testateur ; il doit être vérifié par la Cour après le décès. Le testament devant témoins, signé par le testateur et deux témoins majeurs ; il doit aussi être vérifié par la Cour. Le testament notarié qui, lui, n'a pas besoin d'être vérifié par la Cour.

Lorsque la perte du conjoint entraîne l'insécurité financière

Chez les femmes âgées, le veuvage ou le divorce fait souvent surgir le spectre des difficultés financières. Ce qui constitue un autre obstacle pour certaines d'entre elles, c'est le manque de confiance dans leur capacité à comprendre et à gérer leurs finances. Leur mari a souvent pris en charge tous les aspects financiers de leur vie, elles ignorent donc tout ce qui se rapporte au budget et aux placements. Inquiètes de leur avenir financier, plusieurs s'avèrent incapables de prendre des décisions ou adoptent une attitude trop prudente, ce qui entraîne des pertes de revenu.

C'est pour cette raison que dans une union, les deux partenaires doivent avoir une vue d'ensemble de la situation financière et participer à la planification, même si l'un ou l'autre n'est pas attiré par ce domaine. Pour les veufs et les veuves, les divorcées et les divorcés, la meilleure façon d'éviter un avenir financier inquiétant, c'est d'apprendre ce qu'il faut savoir dès aujourd'hui.

Fiducie entre vifs

Il existe une autre façon de distribuer votre patrimoine à vos héritiers : la fiducie entre vifs révocable.

Une fiducie entre vifs est également un document légal rédigé par un notaire ou un avocat. On y décrit comment vous voulez que vos biens soient distribués lors de votre décès et le nom d'un fiduciaire qui verra à l'exécution de vos volontés. Comme un testament, cela vous permet de choisir à qui iront vos biens. Vous pouvez aussi y inscrire la manière dont vos propriétés devraient être administrées si vous deveniez inapte. Elle ne prend effet que lorsque vous transférez vos propriétés à la fiducie.

Votre succession

Que vous ayez peu de biens ou une fortune, que votre situation soit simple ou complexe, il est préférable de faire appel à des professionnels, notaires, comptables, avocats ou autres, pour rédiger vos dispositions quant à la distribution de l'argent et des propriétés que vous avez accumulés tout au long de votre vie.

Les lois qui régissent les successions sont compliquées et difficiles à comprendre sans l'aide d'un professionnel. Ce dernier pourra vous guider de manière que votre succession se fasse sans problème et que vos héritiers paient le moins d'impôt possible.

Avis de non-responsabilité : Les informations contenues dans ce chapitre sont d'ordre général et ne présentent nullement un portrait exhaustif de vos possibilités en fait de planification financière. Il ne s'agit pas non plus de recommandations de la Clinique Mayo quant à la supériorité d'un type de planification financière, d'un produit ou d'un service par rapport à un autre. L'investissement de votre argent est un processus complexe et lourd de conséquences qui est constamment influencé par la situation des marchés, les changements dans les lois sur l'impôt et les politiques monétaires des gouvernements. On ne peut garantir qu'un produit d'investissement acheté aujourd'hui aura le même rendement d'année en année. Nous vous conseillons donc de faire un maximum de recherches sur les options offertes et de consulter un planificateur financier ou un conseiller en placements de renom si vous n'êtes pas à l'aise dans ce domaine.

Chapitre 6

Soins de santé

- **Ne tenez rien pour acquis lorsqu'il s'agit de votre santé.**
- **Les bilans de santé annuels sont essentiels.**
- **Préparez un mandat en cas d'inaptitude et parlez-en à votre entourage.**

Peu importe votre âge, il est essentiel de surveiller votre santé pour détecter les problèmes le plus tôt possible, au moment où les traitements s'avèrent les plus efficaces. Plus vous vieillissez, plus c'est important. Avec l'âge, votre corps change. Les problèmes d'ordre physique sont très différents et fort variés. Près de neuf personnes sur 10 âgées de plus de 65 ans souffrent d'au moins une maladie chronique, comme l'arthrite, une maladie cardiaque ou le diabète. Et près d'une personne sur trois de plus de 65 ans est atteinte d'au moins trois de ces maladies.

En vieillissant, vous êtes également plus vulnérable aux médicaments et aux interactions médicamenteuses indésirables. Même les médicaments en vente libre que vous preniez sans problème peuvent provoquer des effets secondaires surprenants

De plus, vos symptômes, s'ils se manifestent, s'avèrent parfois difficiles à détecter et ils engendrent des conséquences plus graves s'ils ne sont pas traités. À titre d'exemple, vous pourriez avoir une petite crise cardiaque sans vous en rendre compte, car vous ne ressentez pas la douleur à la poitrine qui signale habituellement ce problème.

Le chemin vers la guérison est également plus long qu'autrefois. Cela est dû en partie au fait qu'avec l'âge, on assiste généralement à un déclin des fonctions des organes. Donc, votre corps ne travaille pas aussi efficacement qu'auparavant pour guérir. On ne se remet pas aussi facilement lorsqu'on vieillit.

Malgré tout, vos années de retraite peuvent être les plus belles de votre vie, vous serez libéré du boulot quotidien, vous passerez plus de temps avec votre famille et vos amis, et vous pourrez faire ce qui vous plaît. Toutefois, pour profiter de ces années et de la vie au maximum, il vous faudra faire de votre santé une priorité. La première étape consiste à choisir un médecin que vous apprécierez.

Qualités d'un bon médecin

Si vous n'avez pas de médecin personnel, qu'on appelle parfois médecin de premier recours ou médecin de famille, c'est le moment d'en trouver un. C'est ce professionnel qui vous aidera à prendre la plupart des décisions concernant votre santé et qui supervisera les soins que vous prodigueront les spécialistes. Si vous attendez d'être malade et d'avoir besoin rapidement de soulagement, vous risquez d'être forcé de prendre des décisions graves concernant votre traitement avec un médecin que vous ne connaissez pas et qui ne vous connaît pas. Cela peut aggraver la situation. Lorsqu'on est malade, ce n'est pas le moment de parcourir les pages jaunes à la recherche d'une clinique.

Vous avez le choix entre trois types de praticiens : un médecin de famille, un interniste ou un gériatre. Un médecin de famille fournit des soins de santé pour des gens de tous âges. Un interniste traite des adultes et peut avoir une expertise dans plusieurs disciplines médicales, comme les maladies cardiaques. Un gériatre a été formé en médecine familiale ou en médecine interne en plus d'être un spécialiste des soins aux personnes âgées.

Avant de commencer vos recherches, réfléchissez au type de médecin que vous aimeriez avoir. Dressez une liste des qualités essentielles ainsi que des caractéristiques qui vous plairaient, mais qui ne sont pas absolument nécessaires.

Au haut de la liste, inscrivez ces trois attributs fondamentaux :

- digne de confiance ;
- bon communicateur ;
- disponible.

Vous devez être en mesure de vous fier aux conseils de votre médecin sur les soins de santé dont vous avez besoin. Ce médecin doit prendre le temps d'écouter vos préoccupations et vous parler en des termes que vous comprendrez facilement. Il doit prendre le temps de vous expliquer les termes médicaux de votre diagnostic et vous aider à comprendre l'intérêt de certains tests. Si vous ne pouvez pas faire confiance à votre médecin ou le comprendre, vous ne prendrez probablement pas ses conseils médicaux avec autant de sérieux que vous le devriez et votre santé pourrait en souffrir.

Votre médecin doit être facilement accessible. Choisissez un médecin près de chez vous. Vous irez plus volontiers le consulter si le trajet pour y aller n'est pas compliqué.

En dressant cette liste, pensez aux médecins que vous avez consultés par le passé et à ce que vous avez aimé ou non chez eux.

Si vous êtes une femme, vous préférerez peut-être voir une femme. Si vous êtes un homme, vous serez peut-être plus à l'aise avec un autre homme. Si vous souffrez d'une maladie chronique comme le diabète, vous pourriez choisir un médecin qui a fait de cette maladie sa spécialité.

Voici d'autres questions à considérer lorsque vous établirez votre liste.

- Préférez-vous un médecin qui pratique dans une clinique médicale ou dans un CLSC ?
- À quelle distance de votre maison est situé son bureau ?
- Est-il rattaché à un hôpital qui vous convient ?

Trouver un médecin

La meilleure façon de trouver un bon médecin, c'est le bouche-à-oreille. Demandez à vos amis, aux membres de votre famille, à vos collègues ou à d'autres professionnels de la santé s'ils connaissent un praticien qu'ils vous recommanderaient. Demandez-leur ce qu'ils aiment chez ce médecin et s'il y a des aspects négatifs que vous devriez connaître. Cela vous permettra de réduire la liste des candidats.

Téléphonez au bureau du médecin

Lorsque vous aurez choisi deux ou trois médecins, appelez à leur bureau. Expliquez à la réceptionniste que vous cherchez un médecin et que vous voudriez vous entretenir avec quelqu'un qui pourrait vous parler du médecin et du mode de fonctionnement de son bureau. Notez la façon dont les employés vous répondent, car si vous choisissez ce médecin, vous aurez à les côtoyer. Sont-ils courtois et efficaces ? Sont-ils brusques ? Avez-vous senti que vous les dérangiez ?

Vous devez d'abord demander si le médecin accepte de nouveaux patients. Si la réponse est affirmative, voici d'autres questions pertinentes.

- Quelle est la spécialité de ce médecin ?
- Soigne-t-il beaucoup de personnes âgées ?
- Quelles sont ses heures de bureau ?
- Combien de jours par semaine voit-il des patients ?
- Est-il possible de prendre rendez-vous le soir et la fin de semaine ?
- Si j'ai une question d'ordre médical, est-ce que je peux téléphoner et parler au médecin ?
- Qu'est-ce qui arrive si j'ai une question médicale après les heures de bureau ?
- Doit-on prendre les rendez-vous longtemps d'avance ? (Si c'est plus d'un mois d'avance, ce médecin est probablement débordé ; vous feriez mieux d'en choisir un autre.)
- Quel est le temps d'attente en moyenne lors des rendez-vous ?
- Ce médecin est-il disposé à adresser ses patients à un spécialiste ?
- Quelle est la durée moyenne des rencontres ?

Formation des médecins

Au Québec, le Collège des médecins garantit la qualité des diplômes de tous les médecins qui exercent en plus de contrôler l'exercice des médecins pendant leurs années de pratique. Si vous le désirez, vous pouvez vérifier si un médecin a des antécédents disciplinaires en vous adressant au Collège des médecins du Québec : www.cmq.org ou (514) 933-4441, poste 5589.

Visite au bureau du médecin

Après avoir choisi votre médecin, prenez un rendez-vous. Profitez-en pour faire un bilan de santé. Lorsque vous prendrez le rendez-vous, expliquez que c'est une première visite et que vous aimeriez avoir assez de temps pour discuter avec le médecin.

Si vous désirez qu'il fasse votre bilan de santé, lisez les conseils de la section « Préparation pour le bilan de santé » à la page 139.

Comme vous l'avez fait lors du premier appel téléphonique au bureau du médecin, lorsque vous arrivez sur place, prêtez une attention particulière à la façon dont vous traite le personnel. Notez aussi la durée de votre attente. Si l'attente dépasse 20 minutes, renseignez-vous sur la raison du retard. Le personnel a pu oublier votre nom sur la liste ou le médecin a pu être retenu à l'hôpital. Dans ce cas, vous pourriez prendre un autre rendez-vous.

Lorsque vous rencontrerez le médecin, n'hésitez pas à lui demander :

- quel est son parcours professionnel ;
- pourquoi il a choisi tel ou tel domaine médical ;
- s'il traite beaucoup de personnes de votre âge ou qui souffrent du même problème de santé que vous le cas échéant.

Fiez-vous à votre instinct

Si vous ne sentez pas d'affinités avec ce médecin, voyez-en un autre. Vous suivrez plus volontiers les conseils d'un médecin avec qui vous êtes à l'aise. Les médecins le savent, alors ne craignez pas de les offenser. Concentrez-vous sur vos besoins.

Spécialités médicales

Comment savoir si vous avez besoin de consulter un spécialiste ou un autre professionnel de la santé tel qu'un physiothérapeute ou un ergothérapeute ? En général, ce sera votre médecin qui vous adressera à un spécialiste si vous avez un problème de santé qui le justifie. Par contre, si vous croyez que votre médecin de famille ne traite pas adéquatement les problèmes de santé dont vous souffrez, vous pouvez de votre propre chef consulter un spécialiste.

Les connaissances sur les maladies et leurs traitements se développent à une telle vitesse que des spécialités et des sous-spécialités de la médecine ont émergé pour répondre aux besoins. Un médecin de famille ou un interniste, par exemple, ne peut être au courant des percées dans tous les domaines, de la tête jusqu'aux pieds. Les spécialistes sont alors appelés à la rescousse pour effectuer des tests de diagnostic et interpréter des données. C'est rassurant, autant pour vous que pour votre médecin, de savoir que des spécialistes pourront évaluer les problèmes médicaux complexes qui pourraient survenir.

Si vous voyez un spécialiste, demandez à ce que les rapports concernant le diagnostic et le traitement soient envoyés à votre médecin de famille, qui doit connaître tous les détails concernant votre santé. Demandez également une copie des documents pour vous. Lors de la visite suivante à votre médecin de famille, faites-lui un compte rendu des soins reçus chez le spécialiste.

Les spécialistes

Voici une courte liste des spécialistes que vous aurez peut-être à consulter en prenant de l'âge, ainsi que des systèmes, des maladies, des affections et des traitements dans leur champ de spécialité.

Allergologue, immunologue. Allergies, comme le rhume des foins ou aux piqûres d'insecte, asthme ainsi que certaines maladies du système immunitaire.

Audiologiste. Audition.

Cardiologue. Affections du cœur, des vaisseaux sanguins et de la circulation sanguine.

Dermatologue. Maladies de la peau, qui sont courantes chez les personnes âgées et qui peuvent être mortelles.

Endocrinologue. Problèmes liés aux glandes qui contrôlent le système hormonal du corps, comme l'hypophyse, la thyroïde, la surrénale, les ovaires et les cellules responsables de la production d'insuline dans le pancréas. Vous pourriez rencontrer ce type de spécialiste si vous souffrez de diabète.

Gastro-entérologue. Maladies du système digestif affectant l'œsophage, l'estomac, le côlon, le foie et le pancréas.

Gériatre. Vieillissement et maladies liées au vieillissement.

Gynécologue. Maladies et organes de la femme.

Hématologue. Maladies du sang, dont l'anémie, la leucémie et les lymphomes.

Néphrologue. Problèmes des reins.

Neurologue. Maladies du système nerveux, qui comprend le cerveau, la moelle épinière et les nerfs.

Orthopédiste. Affections des os, des articulations, des muscles, des ligaments et des tendons.

Oncologue. Cancer.

Physiatre ou spécialiste en réadaptation. Réadaptation grâce à des exercices thérapeutiques et à diverses techniques telles que la chaleur, le froid, l'électrostimulation et la rétroaction biologique.

Psychiatre, psychologue. Troubles mentaux. Le psychiatre (un méde-cin) peut diagnostiquer des troubles ou des maladies et prescrire des médicaments. Le psychologue se spécialise dans l'évaluation psycholo-gique et la psychothérapie.

Pneumologue. Maladies reliées à la respiration, telles que l'asthme ou l'emphysème, qui se développent principalement dans les poumons et les bronches. On peut consulter aussi ce spécialiste pour l'apnée du sommeil et le ronflement.

Rhumatologue. Problèmes aux articulations, aux muscles et aux tis-sus conjonctifs, dont l'arthrite. Les rhumatologues traitent également des affections liées à l'immunité comme le lupus.

Autres professionnels de la santé

Infirmière. Si vous êtes hospitalisé, vous verrez probablement plus sou-vent les infirmières que les médecins, car elles fournissent la plupart des soins. Les infirmières observent les symptômes et vous demandent de les décrire. Elles participent au traitement et évaluent les résultats.

Les infirmières sont titulaires d'un diplôme d'études collégiales ou d'un baccalauréat (infirmière bachelière) en sciences infirmières. Elles doivent réussir un examen professionnel pour obtenir leur permis d'exercice.

Les infirmières praticiennes spécialisées étudient plus longuement pour développer leur expertise dans un domaine médical particulier. Elles peuvent prescrire des tests diagnostiques, des médicaments et des traitements dans leur spécialité.

Ergothérapeute. Si vous êtes blessé ou handicapé, l'ergothérapeute vous aidera à retrouver les habiletés nécessaires pour exécuter les tâches quotidiennes et celles liées à votre emploi. Ce spécialiste vous aidera à retrouver votre autonomie au travail comme à la maison en vous per-mettant de vous habiller, de vous laver, de faire le ménage ainsi que de retrouver vos activités de loisir. Ce thérapeute peut recommander cer-tains changements aux lieux physiques au travail comme à la maison, comme la disposition des meubles ou l'ajout de barres et de rampes, pour faciliter les déplacements et l'exécution des tâches.

Pharmacien. Le pharmacien est une source précieuse d'informations au sujet des médicaments sur ordonnance ainsi que des médicaments en vente libre. Comme le pharmacien conserve au dossier tous les médica-ments que vous achetez à sa pharmacie, il est recommandé de toujours vous procurer les médicaments sur ordonnance à la même pharmacie.

Cela permet une double vérification pour éviter les interactions médicamenteuses. Le pharmacien peut également vous conseiller les médicaments en vente libre qui vous conviendront le mieux. Toutefois, si vous prenez un médicament en vente libre pour la première fois alors que vous prenez déjà des médicaments sur ordonnance, il est préférable d'en parler à votre médecin auparavant.

Physiothérapeute. Comme l'ergothérapeute, le physiothérapeute aide les gens blessés ou handicapés à récupérer les fonctions physiques perdues par des exercices, des massages et des ultrasons. L'objectif de ce spécialiste est de maximiser la capacité physique et de compenser pour les fonctions physiques perdues.

Questions à poser avant une intervention chirurgicale

Que cette opération soit recommandée par votre médecin ou un chirurgien, il y a plusieurs questions à poser.

Qu'est-ce qui sera fait au cours de l'opération ? Demandez que l'on vous décrive clairement l'opération. Si c'est nécessaire, demandez au médecin de faire un dessin pour bien comprendre ce qui se passera.

Y a-t-il une autre solution que l'intervention chirurgicale ? Parfois, seule une opération peut régler le problème. Par contre, il arrive que l'on puisse attendre pour observer si le problème de santé s'atténuera ou s'aggravera.

Comment cette chirurgie m'aidera-t-elle ? Le remplacement d'une hanche, par exemple, peut signifier que vous serez en mesure de marcher aisément à nouveau. À quel point cette opération m'aidera-t-elle ? Les bénéfices seront-ils durables ? Vous devez avoir des attentes réalistes. Si cette opération ne vous soulage que pendant un moment et si vous devez vous faire opérer à nouveau dans quelques années, vous voudrez le savoir.

Quels sont les risques ? Toutes les interventions chirurgicales comportent des risques. Analysez les risques par rapport aux bénéfices. Renseignez-vous également sur les effets secondaires

Voici les problèmes de santé chez les personnes âgées qui demandent parfois de la physiothérapie :

- l'arthrite ;
- le déconditionnement ;
- l'incontinence ;
- le remplacement d'une articulation ;
- l'ostéoporose ;
- la maladie de Parkinson ;
- les lésions à la moelle épinière ;
- les accidents vasculaires cérébraux et autres affections neurologiques.

de l'opération, comme le niveau de douleur auquel vous devez vous attendre et la durée de cet inconfort.

Avez-vous de l'expérience dans ce type d'opération ? Combien de fois ce chirurgien a-t-il pratiqué cette opération ? Quel est son pourcentage de réussite ? Pour réduire les risques, il faut un chirurgien bien formé et qui a de l'expérience dans ce type d'intervention chirurgicale.

Où sera pratiquée l'opération ? Aujourd'hui, de nombreuses opérations se font en externe. Vous allez à l'hôpital ou à la clinique pour l'opération et vous retournez chez vous le soir même.

Aurai-je besoin d'une anesthésie générale ? L'opération peut ne nécessiter qu'une anesthésie locale, ce qui signifie qu'une région de votre corps sera engourdie pendant une courte période. Lors d'une anesthésie générale, vous perdez conscience.

Quelle sera la durée de la convalescence ? Vous voudrez savoir quand la majorité des personnes peuvent reprendre leurs activités normales, à la maison et au travail. Vous pourriez penser que vous n'aurez aucun problème à lever un sac d'épicerie après une semaine ou deux, alors que ce n'est pas le cas. Suivez attentivement les conseils de votre médecin. Il sait ce qui est arrivé aux autres personnes qui ont subi la même intervention.

Chirurgien. Votre médecin vous orientera vers le chirurgien approprié si vous avez besoin d'une opération. Si vous devez subir un remplacement de la hanche, il vous recommandera probablement un chirurgien orthopédiste, un spécialiste des opérations aux articulations, aux muscles et aux os. Le chirurgien choisi devrait avoir une bonne expérience dans le type d'intervention chirurgicale dont vous avez besoin.

Si j'avais su...

Je n'avais jamais entendu parler de testament biologique. Mais après ce qui est arrivé lorsque mon mari est décédé, je conseille à tous ceux que je connais d'en rédiger un.

Gaétan est mort à 66 ans, il souffrait de maladie broncho-pulmonaire chronique obstructive. Au début, il manquait de souffle et il était faible. Puis son système immunitaire s'est affaibli et il a été malade plus souvent et plus longtemps chaque fois. Son cœur devait pomper plus fort pour que l'oxygène parvienne à toutes les régions de son corps et il s'est dilaté pour tenir le coup. Finalement, son cœur a flanché. Après une série de crises cardiaques, ses poumons se sont remplis de liquide et il est mort d'insuffisance cardiaque.

Ce fut un long calvaire. Après les crises cardiaques, les médecins le réanimaient toujours, mais chaque fois il y laissait une part de lui-même. Puis il est entré dans le coma.

Les médecins nous ont demandé si nous voulions donner des instructions pour ne pas le réanimer. Ce qui signifiait que s'il avait une autre crise cardiaque, il n'y aurait pas de réanimation. Nous avons tenu une réunion de famille dans la salle d'attente du service des soins intensifs. Mon plus jeune fils était contre et mon fils aîné trouvait que c'était la meilleure solution. Moi, je ne savais pas quoi faire. J'avais l'impression d'être au beau milieu d'un cauchemar.

Mon médecin a demandé si mon mari avait un testament biologique. Je ne savais même pas ce que c'était. Il m'a expliqué que c'est un document que l'on rédige pour que les médecins et notre famille sachent quels types de soins médicaux nous désirons recevoir si nous ne pouvons plus communiquer.

Il m'a montré un exemple. C'est facile à remplir et ça ne coûte rien. Je l'ai regardé en me demandant ce que Gaétan aurait écrit. Aurait-il voulu que l'on tente l'impossible sur le plan médical alors qu'il n'y avait aucune chance qu'il puisse profiter de la vie à nouveau ? Je l'ignorais.

Comme les interventions chirurgicales comportent une part élevée de risques, il peut être sage d'avoir l'avis d'un second chirurgien. Cette décision peut venir de vous comme de votre médecin. Ne cachez pas à votre médecin que vous allez consulter un autre chirurgien.

Pendant ce temps, ma famille était divisée par ce drame. Les garçons n'arrêtaient pas de se disputer et même des différends passés qui n'avaient rien à voir avec le coma de leur père refaisaient surface. L'anxiété, l'amertume et l'incertitude prenaient toute la place. Mon plus jeune fils disait : « C'est notre père, nous ne pouvons pas le laisser mourir. » L'autre répondait : « Notre père n'aurait jamais voulu vivre ainsi. » J'étais entre les deux, tourmentée par l'indécision, devant ce bout de papier. Gaétan et moi ne parlions jamais de ces choses-là. Si seulement il avait rédigé un testament biologique !

Son médecin m'a dit que la décision me revenait. Je ne dormais plus, j'étais envahie par l'émotion. Je n'arrivais pas à signer le document pour empêcher qu'on le réanime. Gaétan a eu une autre crise cardiaque, ils l'ont réanimé, mais il est resté dans le coma. Une semaine plus tard, alors qu'on pensait le faire admettre dans un centre d'hébergement et de soins de longue durée, son cœur s'est arrêté de nouveau. Cette fois, ils n'ont pas réussi à le faire revenir à la vie.

Au moment du décès de Gaétan, les garçons ne s'adressaient plus la parole. Si Gaétan avait rédigé un testament biologique, ça aurait été quand même une terrible épreuve, mais nous aurions au moins su ce qu'il voulait. Nous avons dû jouer aux devinettes et il n'y a eu que des perdants.

Anna, veuve

Pistes de réflexion

- Évitez d'accroître le chagrin et l'émotion de votre famille en parlant dès maintenant de la façon dont vous voulez terminer votre vie.
- Rédigez un testament biologique et un mandat en cas d'inaptitude, et parlez-en à vos proches.
- Assurez-vous que vos proches savent où se trouvent ces documents.

Assurances

Assurance maladie et assurance santé

Au Québec, les soins de santé sont couverts par la Régie de l'assurance maladie du Québec. Toutefois, il existe de nombreux produits d'assurances santé qui couvrent certains soins de santé que les régimes provinciaux ne couvrent pas. La brève description qui suit ne saurait remplacer les conseils d'un professionnel. Si vous choisissez de vous assurer, pour les soins de longue durée par exemple, contactez plusieurs compagnies d'assurances. Les produits varient beaucoup et il serait inutile de vous assurer si vous êtes déjà couvert par le régime de votre employeur, par exemple.

Assurance maladies graves. Paiement d'un montant forfaitaire à la suite du diagnostic d'une des maladies décrites dans la police. Ce montant d'argent vous permet de vous rétablir de la façon dont il vous convient.

Assurance soins de longue durée. Paiement des soins ou services sociaux, personnels et médicaux des individus qui ont perdu la capacité de prendre soin d'eux-mêmes. L'assurance couvre les soins que les autres régimes ne couvrent pas ou comble l'écart qui existe entre ce qui est offert et ce que vous désirez.

Assurance santé personnelle. Couvre les soins de santé usuels non couverts par les programmes gouvernementaux et les frais de santé imprévus. C'est une assurance similaire à celle offerte par de nombreux employeurs et les soins couverts comme les primes varient grandement.

Les soins de santé, tout comme les assurances, peuvent constituer une dépense considérable dans votre budget avec l'âge. C'est pourquoi il faut prendre le temps de bien évaluer vos besoins avant de souscrire à un type ou à un autre d'assurance, en gardant toujours à l'esprit que les soins de santé usuels sont couverts par la Régie pour tous.

Assurance médicaments

Depuis 1997, tous les Québécois et les Québécoises doivent être couverts par une assurance médicaments, que ce soit par un régime privé ou le régime public.

Régime privé. Assurance collective ou régime d'avantages sociaux qui offre une couverture de base pour les médicaments. En général, ce genre de régime est offert dans les milieux de travail, par des associations, des ordres professionnels ou des syndicats.

Régime public. Régime gouvernemental qui offre une protection de base pour les médicaments à ceux qui n'ont pas accès à un régime privé. Il s'adresse :

- aux personnes de 65 ans et plus ;
- aux prestataires de l'assistance-emploi et aux autres détenteurs d'un carnet de réclamation ;
- aux personnes qui n'ont pas accès à un régime privé ;
- aux enfants des personnes assurées par le régime public.

Les individus de moins de 65 ans qui sont admissibles à un régime privé ne peuvent profiter du régime public. Pour les personnes de 65 ans et plus, il y a diverses options. Automatiquement, à 65 ans, vous êtes inscrit au régime public sans démarche de votre part. Si votre régime privé continue d'offrir une couverture après 65 ans, vous devez faire un choix : être assuré par le régime public, par les deux (Régie, premier payeur ; régime privé, second payeur) ou uniquement par le régime privé. Il faut bien s'informer avant de prendre cette décision afin d'opter pour la solution la plus avantageuse, car la décision de renoncer à un régime privé est irrévocable.

Préparation pour le bilan de santé

Vous devez vous faire examiner régulièrement par un médecin pour deux raisons déterminantes. D'abord, cet examen permet au médecin d'identifier très tôt des problèmes de santé, parfois même avant l'apparition des symptômes. C'est généralement le moment où les traitements s'avèrent les plus efficaces. Deuxièmement, les soins préventifs qui peuvent résulter d'un bilan de santé réduisent le risque de développer certaines maladies. À titre d'exemple, si votre analyse de sang révèle que votre taux de cholestérol frôle la limite acceptable, si vous désirez rester en santé, vous changerez certaines habitudes alimentaires et ferez plus d'exercice, ce qui diminuera le risque de maladies cardiaques et d'accidents vasculaires cérébraux.

Vous êtes-vous déjà demandé à quelle fréquence vous devriez faire un bilan de santé ? Si vous présentez des facteurs de risque pour certaines maladies, vous devriez le faire chaque année. Par contre, si vous êtes en santé, vous pouvez suivre les recommandations suivantes :

- deux fois dans la vingtaine ;
- trois fois dans la trentaine ;

- quatre fois dans la quarantaine ;
- cinq fois dans la cinquantaine ;
- tous les ans à partir de la soixantaine.

Si vous devez être examiné plus souvent, votre médecin vous le dira.

Lors de ces bilans de santé, le médecin examinera attentivement vos antécédents médicaux, y compris tous les médicaments sur ordonnance ou en vente libre que vous prenez. Il vous fera un examen physique

Il vaut mieux prévenir que guérir

On dit que les gens de mon âge doivent faire un bilan de santé chaque année. Alors, c'est ce que je fais. Chaque année, mon médecin examine ma prostate. C'est désagréable, mais ça ne dure pas longtemps. Depuis peu, je passe le test de l'antigène prostatique spécifique (APS) également. Ce n'est pas un examen sophistiqué. Ils prennent déjà des échantillons de sang pour vérifier mon taux de glycémie et mon taux de cholestérol. Le test de l'APS n'est qu'un test sanguin de plus.

Les 10 premières années, j'ai eu un score de champion, à 2 ; ce qui est normal. Au printemps 1998, mon taux d'APS a doublé. Trois mois plus tard, il était à 6,2. Le médecin m'a fait une biopsie qui a révélé que j'avais le cancer de la prostate.

J'ai reçu un traitement, des implants radioactifs permanents, et aujourd'hui le cancer a disparu. Mon examen rectal était normal et je ne présentais aucun symptôme. Si je n'avais pas passé le test de l'APS, personne n'aurait su que j'avais ce cancer et maintenant, je suis en rémission. Ce petit test vaut son pesant d'or.

Louis, 62 ans

Pistes de réflexion

- Les personnes âgées de 60 ans et plus devraient subir un examen physique une fois par an. À partir de 50 ans, ce devrait être une fois tous les deux ans.
- Les tests de dépistage associés à l'examen physique peuvent repérer des problèmes qui n'auraient pas été décelables autrement.
- Si vous êtes un homme de plus de 50 ans, parlez à votre médecin du test de l'APS.

complet ; vous aurez donc besoin de vous dévêtir. Portez des vêtements faciles à enlever et à remettre. Il vous fera également passer des tests de dépistage qui peuvent révéler des problèmes potentiels ou nouveaux.

Mise à jour des informations

Lorsque le médecin connaît vos antécédents médicaux ainsi que ceux de votre famille, il est plus facile pour lui de poser un diagnostic, de vous soigner et d'anticiper les problèmes de santé qui pourraient survenir. Toutefois, c'est à vous de lui faire part de ces informations. Comment pouvez-vous organiser tous ces renseignements ?

Vous devriez créer un dossier médical personnel contenant les informations suivantes.

Vos allergies. Faites une liste de toutes les substances auxquelles vous êtes allergique ou sensible, comme les médicaments, les aliments, le pollen (indiquez la saison où vous êtes incommodé), la moisissure, la poussière, les piqûres d'insecte, le ruban adhésif, le latex, le colorant utilisé pour les radiographies. Si vous avez déjà souffert de complications au cours d'une anesthésie, mentionnez-le aussi.

Vos antécédents médicaux. Notez toutes les maladies ou les traitements qui ont nécessité une hospitalisation, une opération ou des soins d'urgence. Inscrivez la maladie, le traitement, l'hôpital où l'on vous a soigné et la date.

Vos antécédents familiaux. Les gènes que vous partagez avec les membres de votre famille peuvent augmenter le risque que vous développiez certaines maladies. Si votre médecin connaît les maladies qui affectent les membres de votre famille (ceux avec qui vous avez un lien de sang : frères, sœurs, parents et grands-parents), vous pouvez diminuer votre risque d'en être atteint. Les renseignements sur les oncles et les tantes peuvent aussi être utiles.

Inscrivez le nom de chaque membre de la famille, votre relation avec lui, son état de santé, son âge s'il est vivant ou l'âge qu'il avait à sa mort et la cause de son décès.

Vos vaccins. Constituez un dossier d'immunisation personnel. Inscrivez l'année où vous avez souffert des maladies suivantes ou la dernière fois que vous avez reçu le vaccin : tétanos, diphtérie, hépatite A, hépatite B et grippe. Pour des informations supplémentaires sur ces vaccins, consultez la page 157.

Vos médicaments. Votre médecin doit connaître tous les médicaments que vous prenez, c'est-à-dire les médicaments sur ordonnance ou en vente libre, les vitamines, les minéraux et tous les suppléments. De nombreux médicaments peuvent interagir lorsqu'on les prend ensemble. Si vous êtes plus âgé, vous êtes plus vulnérable en raison des transformations chimiques de votre corps et du fait que vous prenez probablement plus de médicaments.

Vous devriez au moins dire à votre médecin le nom de chacun des médicaments que vous prenez, la dose, la fréquence et le moment de la journée où vous le prenez. N'oubliez pas les médicaments en vente libre et les remèdes à base d'herbes médicinales. Pour éviter les erreurs, vous pouvez apporter les contenants originaux chez votre médecin. Celui-ci, par exemple, pourrait ne pas être d'accord avec la décision d'un pharmacien de remplacer un médicament d'origine par un médicament générique moins coûteux.

Liste de questions

Avant le bilan de santé, réfléchissez aux sujets que vous désirez aborder. Faites une courte liste de vos principales inquiétudes par ordre d'importance. Au haut de la liste, inscrivez les problèmes qui vous inquiètent le plus. Ce pourrait être, à titre d'exemple : « Mon frère vient d'avoir une crise cardiaque et je sens une certaine oppression dans la poitrine, est-ce que j'ai un problème cardiaque ? »

Ensuite, inscrivez les sujets moins préoccupants. Peut-être devez-vous vous lever plusieurs fois par nuit pour uriner et cela vous empêche de bien dormir. Peut-être qu'il arrive que vos mains soient raides et douloureuses le matin. N'oubliez pas les troubles émotionnels. Si vous avez souffert de dépression, de nervosité ou de stress de manière continue, inscrivez-le sur votre liste et parlez-en à votre médecin.

Prenez votre part de responsabilité dans le succès de ce bilan. Posez toutes vos questions de manière à être entendu. Ne vous laissez pas intimider par un médecin qui semble trop occupé, mais rappelez-vous que la durée de la consultation est limitée, c'est pourquoi il faut parler des sujets les plus importants.

Janet Vittone, M.D., gériatre à la Clinique Mayo, a préparé une liste de questions utiles.

- Quels sont mes risques de maladie cardiaque ? Les maladies du cœur, dont la crise cardiaque et l'insuffisance cardiaque, constituent la principale cause de décès chez les hommes et les femmes de plus de 50 ans.

- Est-ce que je risque d'être atteint du cancer ? Le cancer est la deuxième cause de décès chez les aînés. Chez les hommes, les décès sont associés majoritairement aux cancers du poumon, de la prostate et du côlon. Alors que chez les femmes, ce sont les cancers du poumon, du sein et du côlon qui sont les principales causes de décès.

- Quels sont les risques que je sois victime d'un accident vasculaire cérébral ? L'AVC est la troisième cause de décès chez les personnes âgées. Le risque augmente si vous fumez, si vous souffrez d'hypertension artérielle ou si vous avez un taux trop élevé de cholestérol (gras dans le sang).

- Est-ce que je risque de souffrir du diabète ? Un patient sur 10 de plus de 65 ans sera atteint du diabète.

- Dois-je vraiment prendre tous les médicaments qu'on m'a prescrits ? En moyenne, une personne de plus de 65 ans prend sept médicaments sur ordonnance. Si le coût ou les effets secondaires de ces médicaments vous inquiètent, parlez-en à votre médecin.

Lorsque le médecin prescrit des tests

- Comment se déroule le test ?
- Quels sont les risques ?
- Y a-t-il des coûts ?

Après un diagnostic

- Quel est le pronostic à long terme de cette maladie ? Qu'arrive-t-il à la plupart des patients ?
- Avez-vous de la documentation à ce sujet ?
- Que puis-je faire pour améliorer ma santé ?
- Existe-t-il des séances d'information à ce sujet ou des groupes de soutien auxquels je pourrais me joindre ?

Si le médecin prescrit un médicament

- Quand le médicament commencera-t-il à agir ?
- Quels sont les effets secondaires potentiels ?
- Pendant combien de temps devrai-je prendre ce médicament ?
- Puis-je le remplacer par un médicament générique ?

Signes et symptômes dont il faut tenir compte

Avant votre bilan de santé, pensez aux symptômes inhabituels que vous avez observés dernièrement. Si vous êtes comme la majorité des gens, vous pourriez être tenté de ne pas les mentionner. Cependant, certains symptômes constituent des signes avant-coureurs de problèmes de santé qu'il vaut mieux déceler rapidement. Le traitement précoce de ces problèmes peut les éliminer ou atténuer la gravité des complications par la suite.

Vous devriez décrire vos symptômes de façon claire et concise. Votre description doit être la plus fidèle possible. L'examen physique et les tests sont utiles dans le diagnostic, mais ce sont souvent les symptômes qui aiguillent le médecin dans la bonne direction.

La liste de questions ci-dessous vous aidera à décrire vos symptômes. Votre médecin vous laissera parler librement puis triera les informations pertinentes.

- Quel est votre problème principal ?
- Depuis quand se manifeste-t-il ?
- À quelle fréquence survient-il ?
- Les symptômes sont-ils intermittents ou continuels ?
- Qu'est-ce qui le provoque (une activité, un aliment, une position, le stress) ?
- À quel moment est-il le pire ?
- Qu'est-ce qui le soulage (un médicament, l'arrêt d'une activité) ?
- Qu'est-ce qui l'aggrave ?
- Est-il associé à d'autres symptômes ?

Voici une courte description des symptômes qui pourraient signaler un problème de santé grave. Si vous présentez l'un de ceux-ci, placez-le au haut de votre liste pour en parler avec votre médecin, et si vous n'avez pas encore pris de rendez-vous pour un bilan de santé, faites-le.

Sang dans les selles. Souvent, le sang dans les selles est simplement causé par les hémorroïdes. Les hémorroïdes se déchirent et du sang rouge vif se retrouve dans vos selles, sur le papier hygiénique ou dans l'eau de la toilette. Parfois, le sang est plus foncé et la couleur des selles rappelle le goudron ou l'acajou. Des selles noires indiquent que le sang a été digéré et que le saignement provient du tube digestif, généralement de l'estomac ou de la partie supérieure des intestins. Cela peut signaler un ulcère ou un cancer.

Vomissement de sang. Cela arrive habituellement lorsqu'il y a blessure ou maladie de la gorge, de l'œsophage, de l'estomac ou de la partie supérieure de l'intestin (duodénum). Les causes les plus fréquentes sont :

- les ulcères ;
- les déchirures de la paroi de l'œsophage ;
- l'inflammation de l'œsophage, l'estomac ou l'intestin grêle ;
- le cancer de l'œsophage ou de l'estomac.

Le sang est rouge vif, en général. À l'occasion, il est plutôt noir ou brun foncé et ressemble à du marc de café, ce qui veut dire qu'il a été en partie digéré, soit dans l'estomac soit dans la partie supérieure des intestins. Cela indique souvent un problème de santé grave.

Cracher du sang en toussant. Quand on crache du sang lorsqu'on tousse, cela indique habituellement un problème aux poumons ou à la trachée. Le sang est souvent rouge vif, mousseux et salé. Parmi les causes possibles, on retrouve :

- une infection des poumons ou des bronches ;
- un caillot sanguin dans les poumons ;
- un traumatisme à la poitrine (blessure causée par un objet contondant) ;
- le cancer du poumon.

Douleur à la poitrine. Une indigestion peut causer des douleurs thoraciques, tout comme une crise cardiaque. La douleur de la crise cardiaque varie d'une personne à l'autre, mais habituellement, on ressent une forte douleur oppressante au centre de la poitrine. Elle peut durer plusieurs minutes ou être intermittente. Elle peut être accompagnée de sueurs abondantes.

La douleur à la poitrine peut s'étendre jusqu'au bras et à l'épaule gauche, au dos, et même aux dents et à la mâchoire. Souvent, la douleur est causée par un caillot qui empêche le sang de circuler dans l'une des artères principales qui nourrissent le cœur. Cela réduit ou coupe complètement l'approvisionnement en oxygène dans cette partie du cœur, ce qui a pour conséquence la mort du muscle cardiaque dans cette région.

Très souvent, le caillot qui cause la crise cardiaque se forme dans une artère coronaire rétrécie par des dépôts de gras.

Problèmes de peau. Votre peau change avec l'âge. Généralement, la peau s'amincit et perd de son élasticité. À partir de 55 ans, des taches sur la peau peuvent apparaître. La plupart de ces marques sont bénignes, comme les taches de vieillesse. Certains types de marques peuvent devenir cancéreux, mais le traitement est simple la plupart du temps.

Consultez votre médecin si un grain de beauté ou une autre tache sur votre peau change de couleur ou de taille, saigne ou s'enflamme. Les grains de beauté dont les contours sont irréguliers, qui sont congénitaux (présents à la naissance), qui sont bleu-noir ou qui sont situés près des ongles et des organes génitaux doivent être examinés avec plus d'attention.

Étourdissements et évanouissements. Une circulation sanguine réduite du cœur au cerveau est la cause principale d'étourdissements répétés, qui peuvent survenir simplement lorsqu'on se relève trop vite. Parmi les autres causes plus sérieuses, on retrouve l'irrégularité du rythme cardiaque, un rétrécissement important de la valvule aortique ou l'accumulation de dépôts de gras dans les artères du cou.

Il existe d'autres causes d'étourdissements : les fluctuations hormonales, les troubles neurologiques et les effets secondaires de certains médicaments.

Confusion. Comme les étourdissements, une confusion subite peut être causée par une circulation réduite du sang vers le cerveau. La confusion associée à des difficultés d'élocution et de compréhension constitue un signe avant-coureur classique d'un accident vasculaire cérébral. La confusion peut également être un effet secondaire des médicaments ou être causée par l'hypoglycémie, la déshydratation et des carences nutritionnelles (surtout en niacine, en thiamine, en vitamine C ou en vitamine B-12).

Perte de poids inexpliquée. Le poids chez tout individu fluctue chaque jour. Toutefois, une perte de poids soudaine et involontaire de plus de 5 % en quelques semaines ou de 10 % en six mois n'est pas normale et devrait vous inquiéter. Parmi les causes possibles, on retrouve :

- des difficultés à avaler, qui vous obligent à moins manger ;
- un trouble de la digestion qui entrave l'absorption des nutriments ;
- une maladie du pancréas ou du foie ;
- un cancer ;
- la dépression ;
- la démence.

Sensations de picotement ou d'engourdissement. Des sensations récurrentes de picotement ou d'engourdissement peuvent signaler le diabète. Normalement, votre corps décompose une partie des aliments en sucre. Le sang le transporte jusqu'aux muscles et aux tissus pour les fournir en énergie et assurer leur développement. Toutefois, lorsqu'on souffre de diabète, une trop grande quantité de ce sucre reste dans le sang, ce qui endommage les nerfs qui sont nourris par le sang.

Les lésions aux nerfs peuvent entraîner bon nombre de symptômes, mais les plus courants sont les picotements et la perte de sensation dans les mains et dans les pieds. Les lésions nerveuses surviennent lentement, souvent après des mois ou des années d'hyperglycémie. Il arrive qu'on ne se rende pas compte des dommages, car on ne sent rien de spécial. Lorsque les nerfs sont endommagés, on peut se blesser sans s'en apercevoir. Vous pourriez vous brûler et ne pas sentir de douleur. La blessure qui n'est pas soignée peut s'infecter et entraîner des problèmes plus graves.

Des picotements sous la plante des pieds peuvent indiquer un problème à un disque intervertébral, comme un nerf coincé dans la moelle épinière. Si vous n'en prenez pas soin, des lésions nerveuses irréversibles peuvent survenir.

Pertes de la vision. De nombreux problèmes causent des pertes de la vision. Une difficulté subite à voir d'un oeil ou des deux peut être le signe avant-coureur d'un accident vasculaire cérébral. Des accidents vasculaires cérébraux peuvent survenir près du nerf optique. Mais des accidents vasculaires cérébraux dans les régions du cerveau qui traitent les signaux en provenance des yeux peuvent aussi affecter votre vision, causant souvent des anomalies de la perception de la profondeur, une vision généralement faible ou la perte de la moitié du champ visuel.

Le glaucome est un problème de la vision causé par une augmentation de la pression du liquide (humeur aqueuse) à l'intérieur du globe oculaire. Avec le temps, cette pression intensifiée endommage le nerf optique qui achemine les stimuli visuels au cerveau, ce qui entraîne une détérioration de la vision. Malheureusement, la perte de la vision est si graduelle (la vision périphérique est souvent atteinte en premier) que de nombreuses personnes subissent des pertes de vision irréversibles avant que le diagnostic soit établi et le traitement prescrit. Seul un faible pourcentage des personnes souffrant de glaucome ressentent de la douleur.

L'incidence du glaucome augmente avec l'âge. Par conséquent, un examen ophtalmologique qui inclut un test de vision et de la pression dans le globe oculaire doit être fait à des intervalles de deux à quatre ans si vous avez entre 40 et 65 ans, et à tous les ans ou aux deux ans par la suite.

Le décollement de la rétine est un autre problème grave de la vision qui survient plus souvent chez les personnes âgées. À l'arrière du globe oculaire, derrière le cristallin, se trouve une substance gélatineuse appelée corps vitré. Cette substance est attachée à la rétine, la partie de l'œil qui reçoit les sensations visuelles. Avec l'âge, le corps vitré tend à se liquéfier, ce qui mène à l'apparition de corps flottants qui ressemblent à des taches ou à des poils dans le champ de vision. Lorsque le corps vitré se liquéfie, il s'affaisse vers l'intérieur et tire sur la rétine. Cela peut causer un décollement de la rétine, une menace sérieuse à la vision.

Cette complication se manifeste par une augmentation des corps flottants et l'apparition d'éclairs de lumière même lorsque les yeux sont fermés ou que l'on est dans l'obscurité. Si de tels symptômes apparaissent, il faut consulter rapidement un ophtalmologiste. Il faut soigner tout déchirement ou décollement de la rétine pour préserver la vision.

Les cataractes, l'une des maladies des yeux les plus courantes chez les aînés, peuvent brouiller ou déformer les cristallins (lentilles) des yeux. Environ la moitié des Canadiens âgés de 65 à 75 ans ont des cataractes à des degrés divers. Heureusement, la chirurgie pour les soigner est l'une des opérations qui connaît le plus de succès de nos jours.

Essoufflement. Lorsque vous manquez de souffle, c'est que vos poumons n'arrivent pas à absorber assez d'oxygène. Voici les causes potentielles.

- La maladie coronarienne, qui réduit la circulation sanguine.
- Le déconditionnement causé par le manque d'activité physique.
- La pneumonie, une infection ou une inflammation des poumons. Cette infection peut être causée par une bactérie ou un virus, par l'inhalation de poussière ou de produits chimiques irritants, ou par des aliments. Chaque année, au Québec, la pneumonie et la grippe tuent entre 1 300 et 1 600 personnes ; 90 % des décès surviennent chez les 65 ans et plus.
- La bronchite, une inflammation des bronches, causée généralement par des virus, la fumée du tabac, la poussière, les moisissures et, parfois, des bactéries.
- L'insuffisance cardiaque, qui entraîne une accumulation de liquide dans les poumons et les pieds.
- Le cancer du poumon, surtout s'il y a du sang dans le mucus que vous crachez.

- Des difficultés respiratoires graves et subites peuvent être causées par un caillot sanguin qui s'est déplacé de votre jambe à vos poumons ; c'est ce qu'on appelle une embolie pulmonaire.

Pendant le bilan de santé

Au cours du bilan de santé, le médecin passera en revue vos symptômes, votre mode de vie, vos habitudes qui ont un effet sur votre santé, ainsi que vos antécédents médicaux et familiaux. Le médecin effectuera aussi un examen physique de la tête aux pieds. Voici les étapes habituelles de ce type d'examen :

- mesure de la taille, du poids, de la pression artérielle et du rythme cardiaque ;
- examen de l'intérieur de la bouche et de la gorge ;
- examen des yeux, des oreilles, du nez et de la peau (un examen de la peau de tout le corps pour dépister le cancer de la peau à tous les deux ou trois ans et annuellement après 50 ans) ;
- palpation pour détecter des ganglions lymphatiques enflés dans le cou, sous les bras et dans l'aine ;
- auscultation pour déceler des bruits anormaux venant du cœur, des poumons ou de l'abdomen ;
- palpation pour détecter des anomalies dans l'abdomen, en particulier au foie, à la rate ou aux reins ;
- auscultation et palpation du pouls dans le cou, l'aine et les pieds (pour vérifier si la circulation est adéquate) ;
- percussion des genoux pour vérifier les réflexes ;
- examen des seins et examen pelvien (pour les femmes) ;
- examen des testicules pour déceler des masses ou un gonflement (pour les hommes) ;
- insertion d'un doigt dans le rectum (toucher rectal) pour vérifier la taille de la prostate (pour les hommes).

Tests de dépistage

Les tests de dépistage constituent le meilleur moyen de détecter des problèmes potentiels à un stade précoce lorsque les chances de guérison sont les meilleures. Quels tests de dépistage sont appropriés pour vous ? Seuls vous et votre médecin êtes en mesure de répondre à cette question. Cependant, nous avons dressé une liste de 15 tests recommandés de façon générale aux personnes âgées. Si vous présentez des risques pour une maladie en particulier, votre médecin peut suggérer d'autres tests.

Cholestérol. Le cholestérol est un type de gras cireux présent dans le sang. Un taux trop élevé de ce gras peut obstruer les artères, ce qui accroît votre pression artérielle, forçant le cœur à travailler plus fort, ce qui augmente le risque de crise cardiaque et d'accident vasculaire cérébral. Chaque fois que vous abaissez votre taux de cholestérol de 1 %, vous diminuez votre risque de souffrir d'une crise cardiaque, d'un accident vasculaire cérébral ou d'autres maladies cardiovasculaires de 2 %.

Un test de cholestérol se compose en fait de plusieurs tests sanguins. On mesure les taux de cholestérol total, de cholestérol des lipoprotéines de faible densité (LDL ou «mauvais cholestérol»), de cholestérol des lipoprotéines de haute densité (HDL ou «bon cholestérol») et de triglycérides, un autre type de gras. Le mauvais cholestérol favorise les dépôts graisseux sur les parois des artères, alors que le bon cholestérol transporte ces dépôts graisseux vers le foie pour qu'ils soient éliminés.

Interpréter les taux de cholestérol 30 ans et plus			
	Normal	Plan I : modification du régime et du mode de vie recommandée	Plan II : modification du régime et du mode de vie essentielle. Médication peut-être nécessaire.
Cholestérol total	Inférieur à 5,2 mmol/L (200 mg/dl)	5,2 à 6,2 mmol/L (200 à 240 mg/dl)	Supérieur à 6,2 mmol/L (240 mg/dl)
Cholestérol LDL	Inférieur à 3,4 mmol/L (130 mg/dl)	Supérieur à 3,4 mmol/L (130 mg/dl)	
Cholestérol HDL	Supérieur à 0,9 mmol/L (35 mg/dl)	Inférieur à 0,9 mmol/L (35 mg/dl)	
Triglycérides	Inférieur à 2,3 mmol/L (200 mg/dl)	Supérieur à 2,3 mmol/L (200 mg/dl)	

Référence : *Fondation des maladies du cœur*

Pour effectuer ce test, on prend un échantillon de sang à jeun. Vous devriez passer ce test tous les trois ou cinq ans si votre taux de cholestérol est normal. Les taux recommandés dépendent de l'âge, du sexe et de la santé, il faut donc voir avec votre médecin les taux à viser dans votre cas.

Pression artérielle. La pression artérielle est déterminée par la quantité de sang que votre cœur peut pomper et la résistance que rencontre la circulation sanguine dans les artères. Les artères rétrécies, comme celles obstruées par des dépôts de gras, restreignent la circulation sanguine. Plus les artères sont étroites, plus le cœur peine pour pomper le sang. Également, plus on attend avant de traiter l'hypertension artérielle, plus le risque de crise cardiaque, d'accident vasculaire cérébral, d'insuffisance cardiaque et de lésions aux reins augmente.

Pour mesurer la pression artérielle, un brassard pneumatique est attaché en haut du coude sur votre bras. Il mesure la pression qu'exerce votre cœur lorsqu'il propulse le sang vers les artères (tension systolique) et la pression dans les artères lorsque le cœur est au repos entre les battements (tension diastolique).

Faites mesurer votre pression artérielle quand vous allez chez le médecin (au moins tous les deux ans). Le risque de souffrir d'hypertension artérielle augmente si vous avez plus de 35 ans, si vous avez un surplus de poids, si vous êtes inactif, si vous avez des antécédents familiaux ou si vous êtes d'origine africaine.

Voici un tableau pour vous aider à interpréter les mesures de la pression artérielle.

Interpréter les mesures de la pression artérielle

	Excellente	Normale	À surveiller	Élevée
Systolique (le premier chiffre)	120 ou moins	Moins de 130	130–139	140 et plus
Diastolique (le second chiffre)	80 ou moins	Moins de 85	85–89	90 et plus

Un nouveau sentiment de force

J'évitais les médecins, car je ne voulais pas entendre de mauvaises nouvelles. De plus, je savais que j'aurais droit à des conseils sérieux, mais je n'avais pas le temps de bien manger et de faire de l'exercice. À 53 ans, j'étais un avocat bien en vue ; un avocat trop gros, pas du tout en forme qui ne pouvait vivre sans ses cigarettes. Il a fallu un triple pontage coronarien pour que je me réveille.

Lorsque notre vie s'arrête aussi subitement, on doit prendre le temps de réfléchir. Sylvia, tout comme moi, allait prendre sa retraite dans une dizaine d'années et qui sait combien de temps elle durerait. J'ai compris que je n'en profiterais pas longtemps si je ne prenais pas les choses en main.

J'ai parlé à quelques amis, j'ai fait un peu de recherche et j'ai trouvé un médecin que j'aimais bien. Il m'a donné des choix plutôt que des conseils. Il m'a écouté. Nous étions partenaires. Ce que j'aime surtout, c'est son sens de l'humour. Il m'a dit : « Êtes-vous certain de vouloir arrêter de fumer ? Les professionnels de la santé comptent sur les gars comme vous pour avoir du travail. » Il n'a pas eu besoin de me faire un dessin, j'ai pigé.

Je connaissais les faits et j'ai relevé le défi. Je me suis mis à faire de l'exercice : de la musculation, de la machine à ramer et de longues marches en compagnie de Sylvia. J'ai réduit le nombre de cigarettes. Oui, oui, au début, je n'ai pas arrêté tout de suite, mais j'y suis arrivé. Ça n'a pas été facile. Je mange ce qui est bon pour mon cœur, c'est-à-dire des aliments moins riches en graisses saturées, plus de riz et de haricots. Je fais d'ailleurs un plat au riz et aux haricots noirs du tonnerre.

Je me sens bien. J'ai perdu 15 kilos. Ma tension artérielle a diminué, tout comme mon taux de cholestérol. Je ne suis plus à bout de souffle après avoir tondu la moitié du gazon. Mon corps est plus ferme, plus fort. Même mon golf s'est amélioré. Je crois que c'est parce que mon swing est plus puissant. J'ai remarqué que j'ai les pensées plus claires grâce à l'exercice. Il se peut que Sylvia doive m'endurer encore longtemps !

Martin, avocat

Pistes de réflexion

- L'exercice est ce qui se rapproche le plus de la fontaine de jouvence.
- Il n'est jamais trop tard pour réparer les dommages.
- Une personne âgée en forme est plus en santé qu'un jeune qui ne fait pas d'exercice.
- Si vous n'avez pas envie de toucher vos prestations de retraite, ça ne vaut pas la peine de faire de l'exercice régulièrement.

Dépistage du cancer du côlon. On se sert de plusieurs tests pour dépister le cancer du côlon et pour détecter les polypes (excroissances) sur les parois internes du côlon parce qu'ils peuvent devenir cancéreux. Nombreux sont ceux qui évitent les tests de dépistage du cancer du côlon par crainte qu'ils soient embarrassants ou désagréables. Pourtant, ces tests peuvent vous sauver la vie. En plus de détecter le cancer à un stade précoce, au moment où le traitement est le plus efficace, ces tests peuvent détecter des polypes précancéreux qui peuvent être facilement excisés. On évite ainsi l'apparition du cancer.

Passez un test de dépistage tous les trois ou cinq ans à partir de l'âge de 50 ans. Il se peut qu'il soit nécessaire de le faire plus tôt ou plus souvent si vous présentez un risque élevé de polypes ou de cancer en raison de vos antécédents familiaux, ou si vous souffrez d'une maladie inflammatoire de l'intestin.

Voici les divers tests :

- toucher rectal ;
- recherche de sang occulte dans les selles ;
- sigmoïdoscopie ;
- coloscopie ;
- radiographie du côlon (lavement baryté).

Pour le toucher rectal, le médecin met un gant et utilise son doigt pour examiner les premiers centimètres de votre rectum. Des examens plus approfondis sont généralement nécessaires en plus de ce simple test.

La recherche de sang occulte dans les selles peut se faire au bureau du médecin ou à la maison. Cependant, ce ne sont pas tous les cancers qui provoquent des saignements et lorsqu'ils le font, c'est souvent de façon intermittente. Des recherches poussées se déroulent en ce moment pour déterminer si on peut développer un examen des selles plus précis ; pour déceler, par exemple, les cellules cancéreuses dans les selles (grâce aux colonocytes). Des recherches se poursuivent également pour déterminer si l'aspirine et les autres anti-inflammatoires non stéroïdiens réduisent le risque de cancer colorectal.

Lors de la sigmoïdoscopie, le médecin examine la partie inférieure du côlon (où la plupart des cancers se déclarent). Il insère un fibroscope (endoscope flexible) dans le rectum. Cet examen ne dure que quelques minutes. Les polypes peuvent même être excisés sans douleur à ce moment-là. Lorsque les polypes et les cancers à un stade précoce sont décelés et excisés avant l'apparition des symptômes, le taux de guérison frôle les 100 %. C'est pourquoi ces types de tests de dépistage sont si importants.

La coloscopie ressemble à la sigmoïdoscopie, mais l'examen est plus approfondi. Le fibroscope est plus long, ce qui permet au médecin d'examiner tout le côlon. Ce test, qui dure environ une demi-heure, est la méthode de dépistage la plus efficace en ce moment. La sigmoïdoscopie combinée à une radiographie est une alternative à la coloscopie.

Une technique de dépistage expérimentale, la coloscopie virtuelle, semble prometteuse. Elle permet l'examen de l'intérieur du côlon grâce à des images générées par ordinateur sans qu'on ait à pénétrer à l'intérieur du corps. On l'appelle également colographie par tomodensitométrie. Il s'agit d'un tomodensitogramme (une sorte de rayons X très puissants) de l'abdomen. La visualisation par ordinateur permet d'avoir une image multidimensionnelle du côlon. Avant l'examen, les intestins sont vidés pour gonfler le côlon d'air. Les chercheurs examinent maintenant la possibilité de passer l'examen sans avoir à vider les intestins.

Test de glycémie à jeun. Le test de glycémie à jeun sert à dépister le diabète. Il mesure la quantité de sucre dans le sang. Pour ce faire, l'échantillon de sang doit être prélevé après un jeûne d'une nuit. Si vous avez 45 ans ou plus, vous devriez passer ce test et le repasser tous les trois ou cinq ans. Si vous présentez des risques élevés de diabète, il faut passer le test plus jeune et plus souvent. Il y a un risque accru avec l'âge, le surplus de poids, les antécédents familiaux de diabète ou si vous êtes d'origine amérindienne, africaine ou hispanique.

Mammographie. Une mammographie est une radiographie des seins pour détecter les cancers ou les changements précancéreux. Les seins sont comprimés doucement entre deux plaques de plastique et le radiologue prend une radiographie du tissu mammaire.

Le risque de cancer augmente avec l'âge et est accru si vous avez des antécédents familiaux de cancer du sein ou si vous avez déjà subi des biopsies anormales aux seins.

Une mammographie annuelle est nécessaire après 50 ans. Avant 50 ans, la fréquence recommandée dépend des facteurs de risque et sera déterminée par votre médecin.

Test de Pap. Le test de Pap détecte les cancers et les changements précancéreux du col de l'utérus, l'ouverture à la base de cet organe. Le médecin insère un spéculum de métal ou de plastique à l'intérieur du vagin. Puis, à l'aide d'une brosse douce, il gratte délicatement pour recueillir des cellules du col. Cela ne prend généralement que quelques secondes. Ensuite, le médecin dépose les cellules sur une plaque en verre qu'il envoie au laboratoire pour un examen microscopique.

Vous devriez passer votre premier test de Pap à 18 ans, ou lorsque vous commencez à avoir des rapports sexuels, et le repasser ensuite tous les ans ou à tous les trois ans au maximum. Après trois tests de Pap normaux consécutifs, votre médecin avec votre accord peut décider de diminuer la fréquence. Chez les femmes qui ont subi une hystérectomie totale qui n'était pas liée à un cancer, les tests de Pap de routine sont inutiles, puisqu'il n'y a plus de col utérin.

Vous présentez un risque accru de cancer du col si vous avez souffert d'une maladie transmissible sexuellement, si vous avez de nombreux partenaires sexuels, des antécédents de cancer du col utérin, du vagin ou de la vulve, ou encore si vous fumez.

Prostate. Comme on l'a vu précédemment, le toucher rectal permet de vérifier la taille de la prostate. Un test sanguin est également utilisé pour mesurer le taux d'antigènes prostatiques spécifiques (APS), une protéine sécrétée par la prostate. Un taux élevé d'APS peut indiquer un cancer de la prostate ou une affection non cancéreuse. Si vous êtes un homme âgé de 50 ans ou plus, demandez à votre médecin de passer le test de l'antigène prostatique spécifique.

Analyses de la chimie du sang. Les tests sur la chimie du sang fournissent des informations sur la manière dont les organes, tels que le foie et les reins, fonctionnent. On mesure donc le taux de certaines substances dans le sang : le sodium, le potassium, le calcium, le phosphore et le glucose, ainsi que les enzymes hépatiques, comme la bilirubine et la créatinine.

Numération globulaire. La numération globulaire, qu'on appelle également formule sanguine, permet de détecter la présence de nombreux problèmes de santé, tels que l'anémie, les infections et la leucémie. Ce test mesure les éléments suivants :

- l'hémoglobine (révèle la capacité du sang à transporter l'oxygène) ;
- l'hématocrite (pourcentage du volume sanguin composé de globules rouges) ;
- les globules blancs (qui combattent les infections) ;
- les plaquettes sanguines (qui permettent au sang de coaguler, ce qui assure la guérison des blessures).

Acides aminés dans le sang. Une quantité trop élevée d'homocystéine, un acide aminé dans le sang, peut endommager les artères et augmenter le risque de problèmes cardiaques et d'accidents vasculaires cérébraux.

Les vitamines du complexe B, B-6, B-12 et acide folique, favorisent la réduction des taux d'homocystéine. En vieillissant, le corps absorbe moins bien les vitamines B, il faut donc vous assurer de consommer ces vitamines en quantité suffisante.

Il n'y a pas de recommandations officielles sur le moment où vous devriez passer un test pour déterminer votre taux d'homocystéine. Certains médecins conseillent ce test aux gens qui ont des antécédents familiaux d'athérosclérose (artères rétrécies) et à ceux qui souffrent d'une maladie cardiovasculaire.

Analyse des urines. Un échantillon d'urine permet de déceler en laboratoire des substances qu'on ne retrouve généralement pas dans l'urine. La présence de sucre signale le diabète. Des globules blancs peuvent indiquer la présence d'une infection. Des globules rouges signalent parfois une tumeur ou un problème aux reins, à l'uretère ou à la vessie. De la bile peut indiquer une maladie du foie.

Électrocardiogramme. Un électrocardiogramme est un examen au cours duquel des électrodes sont fixées à divers endroits du corps pour mesurer les impulsions électriques en provenance du cœur et leur répartition. Ce test permet d'identifier des blessures au muscle cardiaque, des rythmes irréguliers, l'hypertrophie d'une cavité cardiaque ou des dommages causés par une crise cardiaque. Passez un test de référence à 40 ans et faites un suivi régulier selon les recommandations de votre médecin.

Le risque de problèmes cardiaques augmente avec l'âge. Il y a aussi un risque accru dans les cas d'hypertension artérielle, d'hypercholestérolémie, de surpoids, d'inactivité ou s'il y a des antécédents familiaux de problèmes cardiaques.

Audition. Au cours du test d'audition, le médecin vérifie votre élocution et la reconnaissance des sons à divers volumes pour déceler les pertes auditives. Le risque de perte auditive augmente si vous avez été exposé à des bruits intenses (coups de feu et machineries lourdes, par exemple), si vous avez des infections de l'oreille fréquemment ou si vous avez plus de 60 ans.

Passez un test de référence à 60 ans si vous croyez avoir perdu de votre acuité auditive.

Densité osseuse. Le test qui mesure la densité osseuse est une radiographie rapide et sans douleur du bas du dos et de la région des hanches pour détecter les pertes de masse osseuse. Une perte de masse osseuse augmente le risque de fractures (c'est ce qu'on appelle l'ostéoporose).

Passez un test de référence à 65 ans ou plus tôt si vous présentez des risques accrus d'ostéoporose. Le risque augmente si vous avez eu une ménopause précoce, si vous n'avez pas recours à l'hormonothérapie substitutive après la ménopause, si vous avez des antécédents familiaux, si vous avez pris des médicaments à base de cortisone sur une longue période ou si vous fumez.

Vaccination

Personne n'aime les injections, pourtant les vaccins protègent contre des maladies autrement plus désagréables.

De nombreux vaccins sont importants et vous devriez savoir si vous avez reçu ou non ces vaccins. Si vous ne vous en souvenez pas, votre médecin peut recommander une analyse sanguine pour mesurer votre immunité face à ces maladies ; vous saurez ainsi si vous avez eu la maladie en question ou le vaccin. Les recommandations qui suivent sont d'ordre général. Votre médecin peut vous recommander d'autres vaccins selon votre santé, vos projets de voyage ou votre travail.

Grippe. La grippe est une infection virale qui se transmet d'une personne à une autre lorsqu'on respire des gouttelettes infectées en suspension dans l'air. Vous devriez recevoir un vaccin contre la grippe chaque année si vous avez 60 ans ou plus. Les autres personnes qui présentent un risque élevé et qui devraient être vaccinées chaque année sont celles qui souffrent d'une maladie chronique (comme l'asthme et l'emphysème), celles qui prennent des médicaments immunosuppresseurs et celles qui rencontrent beaucoup de personnes (enseignants, infirmières et médecins).

Pneumonie. La pneumonie est une infection, souvent bactérienne, qui attaque les poumons et peut se propager au sang. C'est une maladie courante et grave qui peut entraîner la mort. Si vous avez plus de 65 ans, faites-vous vacciner. Faites-le également si vous êtes plus jeune, mais que vous souffrez d'une affection chronique, comme une maladie du cœur ou de l'asthme, qui augmente le risque d'infection. Une injection dure toute une vie, mais on recommande une dose de rappel six ans après le vaccin si vous présentez des risques élevés ou si vous avez été vacciné avant 65 ans.

Le vaccin vous protège contre la pneumonie bactérienne (à pneumocoques), mais non contre les pneumonies causées par les virus, les champignons et les autres microbes.

Hépatite A. L'hépatite A est une infection virale du foie transmise surtout par l'eau ou des aliments contaminés. Cette immunisation nécessite deux vaccins avec un intervalle d'au moins six mois entre les deux. Les gens qui présentent un risque élevé sont ceux qui souffrent de maladie du foie ou de troubles de la coagulation, ainsi que ceux qui voyagent dans des régions où les installations d'eau propre et d'évacuation des eaux usées ne sont pas généralisées.

Hépatite B. L'hépatite B est une autre infection virale du foie, mais elle est souvent transmise par du sang contaminé. L'immunisation consiste en trois vaccins sur une période de six mois. Vous présentez un risque accru si votre travail vous met en contact avec du sang humain ou d'autres liquides organiques, si vous êtes en dialyse, si vous avez de nombreux partenaires sexuels ou si vous avez reçu du sang ou des produits sanguins.

Tétanos. Le tétanos est une infection bactérienne qui se développe à l'intérieur de blessures profondes ; lorsqu'un clou rouillé pénètre dans la peau, par exemple. Faites-vous vacciner tous les 10 ans. Si vous vous faites une blessure profonde et souillée et que votre vaccin remonte à cinq ans ou plus, faites-vous donner une injection de rappel dans les 48 heures qui suivent.

Diphtérie. La diphtérie est une infection bactérienne de la gorge qui s'attrape lorsque l'on respire des gouttelettes infectées. Le schéma de vaccination est le même que pour le tétanos et les deux vaccins sont souvent administrés dans la même injection.

Vos médicaments

Si vous êtes comme la plupart des gens, votre pharmacie est un entrepôt miniature de médicaments où se côtoient comprimés, capsules, pastilles, sirops, suppositoires, crèmes et poudres. Avec l'âge, vous verrez probablement votre pharmacie se remplir d'un nouvel éventail de médicaments. Environ le quart de tous les médicaments sur ordonnance ont été prescrits à des personnes de plus de 65 ans.

Vous pouvez obtenir de l'information sur des médicaments spécifiques ou sur les médicaments en général en consultant le site de Santé Canada : www.hc-sc.gc.ca. Cependant, trois aspects de la prise de médicaments sont particulièrement importants pour les aînés.

Interactions entre les médicaments

Comme votre besoin de médication augmente, vous devrez probablement prendre divers médicaments chaque jour, ce qui accroît le risque d'interactions néfastes. Votre médecin de famille peut vous prescrire certains médicaments, le spécialiste en prescrira d'autres. S'y ajouteront les médicaments en vente libre que vous achèterez. Malheureusement, l'action d'un médicament peut altérer l'action d'un autre, soit en bloquant l'effet désiré soit en l'amplifiant dangereusement. Même des médicaments en vente libre qui semblent inoffensifs peuvent réagir ainsi avec certains médicaments sur ordonnance.

Le risque d'interactions néfastes n'augmente pas seulement parce que les personnes âgées prennent plus de médicaments, mais aussi parce que leur corps change. Avec l'âge, les tissus musculaires maigres diminuent au profit des tissus adipeux (gras). De nombreux médicaments sont conçus pour se loger dans les tissus adipeux. Comme vous avez plus de gras, la quantité de médicaments qui s'accumule est plus grande. De plus, le foie et les reins arrivent moins bien à décomposer et à éliminer les médicaments, ces derniers restent donc plus longtemps dans l'organisme et peuvent entraîner plus d'effets secondaires néfastes.

Votre médecin doit toujours connaître tous les médicaments que vous prenez. Il arrive que les médecins prescrivent de nouveaux médicaments sans vérifier ce que le patient prend déjà. Soyez toujours sur le qui-vive et demandez à votre médecin si le nouveau médicament peut interagir avec les autres remèdes que vous prenez.

Si vous devez prendre beaucoup de médicaments, vous pouvez vous tromper et prendre à l'occasion trop ou trop peu d'un médicament. Avec l'âge, ce genre d'erreur peut s'avérer dangereux. Adoptez une méthode qui vous aide à prendre le bon médicament au bon moment. Les piluliers et les horaires de médication donnent un bon coup de pouce. Choisissez une pharmacie près de chez vous et achetez tous vos médicaments au même endroit. Essayez de parler le plus souvent possible au même pharmacien.

Médicaments d'origine et médicaments génériques

De nombreux médicaments sont disponibles sous la marque de la compagnie qui les a conçus ainsi que sous des marques génériques moins coûteuses. La compagnie qui crée un médicament obtient un droit d'exclusivité pour la vente pendant plusieurs années, afin de récupérer les coûts du développement. Lorsque le brevet expire, d'autres compagnies pharmaceutiques peuvent commercialiser le médicament, ce qu'elles font généralement à un prix moindre.

Bien que les médicaments génériques soient moins dispendieux, plusieurs médecins sont d'avis qu'ils ne satisfont pas aux mêmes standards que les médicaments d'origine. L'excipient (la substance de remplissage) qui forme la masse du comprimé peut ne pas être la même que dans l'original, par exemple, ce qui pourrait altérer son efficacité.

La décision de prendre des médicaments d'origine ou génériques devrait être prise en collaboration avec votre médecin.

Médicaments en vente libre

Les médicaments en vente libre sont ceux que l'on peut se procurer à la pharmacie sans ordonnance. Ils comprennent l'aspirine, les remèdes contre le rhume, les comprimés contre la douleur (les douleurs menstruelles, par exemple) ainsi que les crèmes pour les éruptions cutanées. Certains de ces médicaments peuvent interagir avec les autres médicaments que vous prenez. Comme votre corps change, certains médicaments n'auront pas le même effet sur vous que pendant votre jeunesse. Les décongestionnants, par exemple, peuvent rendre si confus que certains en viennent à croire qu'ils souffrent de la maladie d'Alzheimer.

Parmi ces médicaments en vente libre, on retrouve les herbes, les suppléments vitaminiques et les suppléments minéraux qui ne subissent pas un contrôle aussi strict que les autres médicaments. Santé Canada a voulu remédier à ce problème. Le Règlement sur les produits de santé naturels est en vigueur depuis le 1er janvier 2004 et sera mis en place progressivement sur deux à six ans. Il couvre la fabrication des produits et la mise en marché ainsi que l'information fournie sur l'étiquette. La désignation NPN ou un DIN-HM (une identification numérique pour remèdes homéopathiques) indiquera à l'utilisateur que la formulation, l'étiquetage et le mode d'emploi d'un produit ont été examinés et approuvés.

Malgré tout, que vous preniez des herbes, des vitamines ou tout autre médicament en vente libre, il faut en aviser votre médecin.

Traitements alternatifs

Parfois, les traitements médicaux ne peuvent guérir votre problème de santé ou entraînent des effets secondaires incommodants. C'est pour cette raison que de nombreuses personnes se tournent vers ce qu'on appelle les thérapies alternatives ou complémentaires. Plusieurs médecins n'approuvent pas ces traitements parce qu'ils n'ont pas fait l'objet d'études scientifiques sérieuses pour se faire une idée juste. Néanmoins, de plus en plus de recherches indiquent que certaines de ces pratiques médicales alternatives peuvent jouer un rôle positif dans le traitement de quelques maladies.

Il existe de nombreux types de traitements et certains sont particulièrement appréciés par les aînés.

Acupuncture. En acupuncture, une technique chinoise vieille de 2 500 ans, on insère de fines aiguilles sous la peau. Les chercheurs croient que cela stimule la sécrétion des substances chimiques qui atténuent la douleur dans le corps. Vous pouvez vous renseigner auprès de l'Ordre des acupuncteurs du Québec (1 800 474-5914).

Manipulations articulaires. Certains chiropraticiens et certains ostéopathes utilisent la manipulation des articulations pour soulager les symptômes de l'arthrose. Ils estiment que cela détend les tissus autour des articulations et favorise la circulation. La pertinence de ce traitement n'a pas été prouvée.

Bracelets de cuivre. Pendant des décennies, des gens ont vanté les mérites des bracelets de cuivre pour soulager l'arthrite. Selon leur théorie, des parcelles de cuivre passeraient à travers la peau pour neutraliser les radicaux libres, ces molécules toxiques qui endommagent les cellules.

Le port de bijoux en cuivre est probablement sans danger ; le seul effet secondaire connu est la décoloration de la peau. La plupart des médecins n'encouragent pas le port de bijoux de cuivre, car il n'existe pas suffisamment de données scientifiques prouvant leur efficacité.

La fontaine de jouvence sous forme d'injection ?

Dans votre esprit, vous avez peut-être l'impression d'avoir 25 ans, mais votre corps vous rappelle constamment que c'est faux. Vous vous fatiguez plus rapidement. Vos genoux vous font mal. Et la seule partie de votre corps qui amincit, ce sont vos cheveux. Vous vous demandez si les produits contre le vieillissement peuvent réellement arrêter la marche du temps.

L'un des traitements contre le vieillissement les plus médiatisés est à base d'hormone de croissance humaine (HCH) synthétique. Dans le corps, l'hypophyse sécrète l'HCH qui aide à la formation des muscles et des os et qui est responsable des poussées de croissance chez les enfants. Après l'adolescence, le taux d'HCH diminue progressivement.

Depuis 35 ans, les médecins prescrivent des injections d'HCH aux enfants qui sont anormalement petits (en raison d'un dérèglement de l'hypophyse) ainsi qu'aux adultes dont le corps produit si peu de cette hormone qu'ils souffrent de vieillissement précoce et d'autres problèmes physiques.

Bien que ce ne soit pas une pratique répandue, certains médecins utilisent l'HCH à d'autres fins, soit pour contrer les effets naturels du vieillissement. Des personnalités connues ont eu recours à ce traitement et prétendent que cette hormone brûle les graisses, réduit le poids, affermit les muscles, augmente la densité osseuse, améliore la vision, adoucit la peau, épaissit les cheveux, accroît la mémoire et donne un regain d'énergie ainsi que de vitalité sexuelle.

Ce traitement coûte cher et n'est disponible que sur ordonnance. Les injections coûtent plus de 1 300 dollars par mois et ne sont généralement pas remboursées par les assurances.

En plus du coût, le traitement à l'HCH entraîne parfois des effets secondaires : rétention d'eau, douleurs articulaires, diabète, hypertension artérielle, syndrome du tunnel carpien et croissance des seins chez les hommes.

Certaines études démontrent que l'hormone de croissance humaine ralentit le vieillissement, mais elles ne sont pas nombreuses. Majoritairement, les médecins sont d'avis qu'il n'y a pas assez de données pour tirer des conclusions. Comme il n'y a pas de preuve que l'HCH prévienne le vieillissement, alors que ses effets secondaires, eux, sont connus, la prudence est de rigueur.

Autres approches alternatives. Il existe de nombreuses autres thérapies, que ce soit l'aromathérapie, le venin d'abeille, les anneaux d'or, les
traitements à base d'herbes médicinales, les aimants, le venin de serpent
et les suppléments alimentaires. Avant d'essayer l'un ou l'autre de ces
traitements, informez-vous auprès de votre médecin ou en consultant
des ouvrages ou des sites Web fiables, comme celui de Santé Canada ou
de la Clinique Mayo.

Prévoir avant qu'il ne soit trop tard

Ce n'est jamais facile de penser à la mort ou à l'éventualité que vous
soyez si malade qu'il sera impossible de communiquer. Néanmoins, il
est préférable pour vous comme pour les gens que vous aimez de prévoir ces deux possibilités en rédigeant des directives préalables. On
inclut dans les directives préalables le mandat en cas d'inaptitude et le
testament biologique (ou de vie). La loi varie d'une province à l'autre
quant à ces documents. Le gouvernement du Québec offre des informations complètes ainsi que des modèles. Lorsque vous aurez rédigé ces
documents en bonne et due forme, remettez-en une copie à votre
notaire et à vos mandataires. Assurez-vous que les membres de votre
famille savent où trouver ces documents.

Testament biologique

Un testament biologique, appelé également testament de vie ou directives préalables, décrit vos volontés quant aux soins que vous voulez ou
non recevoir dans l'éventualité où vous pourriez ne plus être en mesure
de les communiquer. Vous pouvez indiquer au médecin, par exemple,
votre désir qu'il ait recours ou non à un traitement spécifique pour vous
garder en vie si vous êtes en phase terminale (respirateur artificiel,
gavage, réanimation en cas d'arrêt cardiaque). Vous pouvez aussi y
mentionner vos volontés quant au don d'organes.

Le testament biologique n'est pas reconnu légalement au Québec,
contrairement à d'autres provinces. Le médecin traitant demeure le seul
responsable de ses décisions professionnelles. Cependant, il a une
valeur éthique et, s'il est fait dans les règles et que vos proches sont au
courant, il sera votre voix lorsque vous n'en aurez plus.

Les progrès dans le monde médical tout comme vos convictions
quant aux soins que vous désirez recevoir peuvent changer. C'est

pourquoi il ne faut pas hésiter à modifier votre testament biologique au besoin. Avertissez vos proches le cas échéant.

Le testament biologique est un complément recommandé au mandat en cas d'inaptitude qui, lui, a une valeur juridique.

Mandat en cas d'inaptitude

Au Québec, toute personne majeure et saine d'esprit peut désigner à l'avance un mandataire pour s'occuper de ses biens ou de sa personne (ou les deux) si elle devient inapte. Il s'agit donc d'un document qui exprime vos volontés au cas où vous seriez incapable de le faire un jour. Le mandat peut être fait par acte notarié ou devant témoins. Il peut y avoir deux mandataires, l'un pour vos biens et l'autre pour votre personne, par exemple. On conseille de le conserver en lieu sûr et d'en donner une copie au mandataire en plus d'en informer les proches. Lorsque l'inaptitude de la personne qui a rédigé un tel mandat est constatée, on doit procéder à l'homologation du mandat par un greffier ou un juge de la Cour supérieure.

Le Curateur public du Québec

Si un citoyen qui n'a pas rédigé de mandat en cas d'inaptitude est déclaré inapte à prendre soin de lui-même ou à administrer ses biens partiellement ou totalement, de façon temporaire ou permanente, et qu'il a

---

Qui devrait rédiger des directives préalables ?

Tout adulte sain d'esprit peut rédiger des directives préalables. Les personnes de moins de 18 ans peuvent également en rédiger, mais ce sont les parents et les médecins qui prendront les décisions.

La rédaction des directives préalables n'est pas obligatoire. Cependant, si vous avez des convictions profondes sur ce que vous voulez recevoir comme traitement si vous êtes très malade ou si vous voulez désigner une personne pour prendre ces décisions, c'est un document très utile, surtout s'il accompagne un mandat en cas d'inaptitude.

Le personnel médical, même s'il n'est pas obligé par la loi, suivra vos directives le plus possible tant qu'elles respectent les limites raisonnables de la pratique médicale.

besoin de protection en raison de sa situation familiale ou sociale, c'est le Curateur public du Québec qui désignera un ou des mandataires.

Pensez au don d'organes

En 2004, au Québec, il y a eu 424 transplantations d'organes, 872 patients étaient en attente d'un organe et 42 sont décédés parce qu'ils n'ont pas reçu d'organe à temps. Ces centaines de patients sur les listes d'attente ont besoin d'organes ou de tissus pour vivre ou pour retrouver une qualité de vie satisfaisante, pour retrouver la vue ou remplacer la peau brûlée, par exemple. Les organes que l'on peut donner sont le cœur, les reins, le pancréas, les poumons, le foie, les intestins et l'estomac. Les tissus que l'on peut donner comprennent la cornée, la peau, la moelle osseuse, les valvules du cœur, les os, les veines et les tendons.

Il n'y a pas de limite d'âge. Des nouveau-nés comme des personnes très âgées peuvent être donneurs. Le facteur déterminant est la santé des organes ou des tissus, non pas l'âge du donneur. Les dons d'organes ne défigurent pas le corps et il est possible ensuite d'ouvrir le cercueil si telle est la volonté.

Pour devenir un donneur, il suffit de signer l'autocollant acheminé par la Régie de l'assurance maladie du Québec lors du renouvellement de la carte d'assurance maladie et de le coller au verso. Il est important d'en parler à votre famille, car même si votre carte est signée, un membre de la famille doit signer un consentement autorisant le prélèvement d'organes ou de tissus. En devenant un donneur, vous pourriez adoucir la peine de vos proches qui sauront que votre dernière action aura permis à une autre personne de vivre.

Funérailles

Pour des funérailles traditionnelles, il faut compter plusieurs milliers de dollars (l'incinération coûte moins cher). Cela constitue donc l'un des plus gros achats pour les aînés.

C'est pour cette raison que de plus en plus de personnes gardent de l'argent en réserve à cet effet ou signent des contrats d'arrangements préalables avec des entreprises funéraires. Au Québec, la Loi sur les arrangements préalables de services funéraires et de sépulture balise ces contrats.

Ces deux approches sont intéressantes, car elles enlèvent un poids pour vos proches, qui n'auront pas à se soucier de trouver des milliers de dollars au moment du deuil.

Si vous décidez d'acheter une sépulture ou de payer d'avance pour les services funéraires (cercueil, formalités légales, transport, etc.), vous devriez comparer les prix. Il n'y a rien de mal à choisir un salon funéraire ou un cimetière pour leur réputation ou leur emplacement, mais si vous ne vous adressez qu'à un endroit, vous pourriez payer trop cher. Visitez au moins deux salons funéraires et deux cimetières. Les entreprises funéraires sont tenues par la loi de mettre à la disposition des clients une liste détaillée et à jour du prix des biens et des services qu'elles offrent.

Si vous optez pour un contrat d'arrangements préalables de services funéraires, celui-ci doit préciser le prix de chaque bien, comme le cercueil, et de chaque service ainsi que les taxes applicables. Le contrat de sépulture doit préciser le prix et la description de la sépulture et des services d'entretien. Voici les services qu'offrent habituellement les salons funéraires :

- rencontre initiale ;
- copies du certificat de décès dont vous aurez besoin pour les assurances, les impôts, les prestations de retraite, etc. ;
- transport de la dépouille jusqu'au salon funéraire, puis au lieu de sépulture ;
- préparation du corps pour l'inhumation ;
- utilisation des lieux pour les visites ou le service funèbre ;
- autres options : fleurs, rédaction des avis de décès, etc.

Penser à un tel sujet lorsqu'on est en santé n'est pas chose facile. C'est encore plus difficile d'y consacrer l'argent nécessaire. Toutefois, si vous y arrivez, les gens que vous aimez sauront que vous l'avez fait pour eux.

Chapitre 7

Rôles et relations humaines

Messages à retenir

- **N'essayez pas d'y arriver seul.**
- **Les situations changent, il faut s'adapter.**
- **Sachez comment aider les autres.**

De votre première respiration sur cette terre à la dernière, les relations seront toujours au cœur de votre vie. Vous avez des parents et aussi peut-être des frères et sœurs, qui vous lient à votre famille d'origine. Vous avez eu des amis d'enfance et vous vous êtes peut-être marié. Si vous avez eu des enfants, vous avez créé une nouvelle famille avec sa propre dynamique, ses particularités et ses traditions.

Les relations profondes nous nourrissent tout au long de notre vie. On y trouve le réconfort lorsque tout va mal, le soutien lorsque la vie est difficile et la joie lorsqu'on partage de bons moments. On a du plaisir à être ensemble, mais on sait qu'un ami fidèle, c'est aussi une épaule sur laquelle on peut pleurer. Si vous êtes lucide et chanceux, vous avez cultivé des alliances qui vous apportent, et vous permettent d'apporter, du réconfort, et vous avez mis un terme aux relations stériles. Ces relations humaines constituent votre filet de sécurité.

Avec l'âge, ces liens étroits deviennent encore plus importants. Des études démontrent que si vous n'avez que peu de relations ou seulement des relations superficielles, votre risque de décès est deux à quatre fois plus élevé que celui des personnes qui savent s'entourer de gens qui les aiment et qu'elles peuvent aimer en retour, sans distinction d'âge, de race ou d'habitudes personnelles. En fait, un réseau de connaissances, amis et famille, sur qui on peut compter constitue l'un des facteurs les plus fiables pour prédire la longévité.

On ne peut pas nier le réconfort que procurent les relations humaines profondes. Comme l'écrivait la romancière américaine Pearl S. Buck : « Celui qui tente de vivre seul ne peut pas réussir en tant qu'être humain. Son cœur se flétrit s'il ne comble pas un autre cœur. Son esprit s'étiole s'il n'entend que l'écho de ses pensées et qu'il ne trouve pas d'autre inspiration. »

De plus, une vie remplie de gens qui nous sont très attachés comporte de nombreux aspects pratiques. Voici comment le réseau social constitué de vos amis et des membres de votre famille peut vous être bénéfique, en particulier au cours de la vieillesse.

- Grâce à vos amis et à votre famille, il est plus facile pour vous de donner et de recevoir de l'affection, ce qui renforce votre système immunitaire et favorise une meilleure santé.

- Vous êtes plus susceptible de recevoir des traitements médicaux précoces si vos amis et votre famille vous rappellent de prendre rendez-vous chez votre médecin ou s'ils vous y conduisent.

- Vous aurez tendance à adopter des habitudes saines si vous êtes entouré de personnes pour qui c'est important et qui peuvent, par exemple, vous convier à faire de l'exercice ou à cesser de fumer avec elles.

- Vous pouvez profiter de leur aide sur des aspects pratiques de la vie, comme les questions financières, la manière de couper un arbre ou encore le choix d'un médecin.

- Vous pouvez améliorer vos aptitudes mentales en jouant à des jeux ou en ayant de longues conversations.

Dans ce chapitre, nous verrons comment le maintien de bonnes relations peut contribuer à une vie longue et en santé. Nous aborderons aussi les rôles qui se transforment tout au long de la vie. À titre d'exemple, vous aurez peut-être à prendre soin de vos parents âgés, puis viendra le moment où on devra prendre soin de vous. Enfin, nous examinerons le rôle des aidants naturels, ce que cela représente d'en être un et comment cette réalité évolue.

Maintenir son réseau

Auparavant, les membres d'une famille avaient des liens étroits. Les grands-parents vivaient près de leurs petits-enfants et ils leur fournissaient des occasions innombrables d'apprentissage et de découverte, sans compter les heures de gardiennage, un cadeau sans prix pour les jeunes parents. Parfois, ils allaient vivre avec leur enfant adulte, créant ainsi des foyers où l'on comptait trois générations. Ces situations créaient parfois des tensions, mais des études ont démontré que ces familles élargies favorisaient la longévité.

En fait, le manque de relations sociales peut être un risque majeur pour la santé, comparable à l'hypertension artérielle, au tabagisme ou au manque d'exercice. Aujourd'hui, de nombreux Canadiens n'habitent plus dans la ville où ils sont nés et il est beaucoup plus rare de voir des foyers où vivent trois générations. De nos jours, seulement 7 % des gens de 65 ans et plus vivent avec un de leurs enfants. Les frères et sœurs avec leurs nouvelles familles vivent souvent au loin. Au lieu du soutien des membres de leur famille de façon concrète et quotidienne, les Canadiens du XXIe siècle doivent compter sur les garderies, les voisins et les collègues de travail.

Quant aux amis, comme bien des gens déménagent souvent, ils se dispersent au fil du temps. Les amis d'enfance sont oubliés et les nouveaux partent souvent de leur côté.

Si cela résume bien votre situation, vous ne pouvez pas attendre que vos enfants aient grandi, que votre conjoint meure ou que vous soyez à la retraite pour renforcer votre réseau. Les gens qui vous soutiennent vont nécessairement être moins nombreux avec l'âge. C'est pour cette raison qu'il faut toujours maintenir un bon réseau de connaissances et se faire de nouveaux amis à chaque étape de la vie. L'écrivain anglais Samuel Johnson a écrit : « Si un homme ne se fait pas de nouveaux amis à mesure qu'il avance dans la vie, il se retrouvera rapidement seul. On devrait constamment raccommoder ses amitiés. »

Le club des petits-déjeuners

Je suis un des copains de Gloria. Gloria est la serveuse en chef du café Centre-Ville. J'étais devenu une vraie nuisance pour ma femme Dorothée. Ce n'était pas volontaire, mais à la retraite depuis peu, après 40 années aux ventes dans une entreprise d'acier, j'étais toujours à la maison, ce qui l'horripilait. Je n'étais pas le plus heureux des hommes, car je n'avais rien à faire et personne à qui parler. La plupart de mes amis venaient de mon milieu de travail. J'ai essayé de garder le contact avec quelques-uns, mais j'ai vite compris que c'était le travail qui nous unissait.

Daniel, un gars avec lequel j'ai été jumelé au club de golf, m'a invité à prendre un café avec ses amis au café Centre-Ville. Ça fait déjà quatre ans. Depuis, j'essaie d'y aller au moins trois fois par semaine.

Nous nous assoyons toujours à la table ronde dans le coin, près de la grande fenêtre où l'on peut admirer les jolies passantes. Oups ! Oubliez ce dernier détail ! Parfois, nous ne sommes que trois ou quatre. Il arrive aussi que nous devions nous serrer à huit ou neuf autour de la table. Gloria nous sert le café et nous gronde gentiment. Elle lance des phrases du genre : « Pourquoi ne cherchez-vous pas un emploi, espèce de délinquants ? » Nous rions et nous lui répondons que son mauvais café nous manquerait trop. Nous avons tous une tasse sur laquelle on peut lire « Les copains de Gloria » et qui est accrochée près de notre table.

Chaque jour, nous trouvons des solutions aux problèmes de la planète. On se donne sans cesse des conseils, mais c'est surtout pour rire, quoique nous étions sérieux quand nous avons dit à Robert qu'il levait peut-être un peu trop le coude. Il nous a remerciés de l'avoir aidé à arrêter. Nous étions là également quand Raymond ne savait plus quoi faire avec son fils rebelle et quand la femme de Jacques est décédée. À la maison, tout va beaucoup mieux. J'ai de nouveaux amis et de nouvelles activités.

Thomas, vendeur à la retraite

Pistes de réflexion

- Cherchez des amis et des activités qui n'ont pas de lien avec votre travail.
- Les bons amis nous apportent bonne humeur et énergie pour faire face aux tracas quotidiens.
- Faites-vous de nouveaux amis tout au long de votre vie.

Des liens qui comptent

Comment cultiver de nouvelles amitiés ? Pour commencer, faites un
effort pour rencontrer des gens. Si vous faites partie d'un groupe confessionnel, trouvez un moyen de faire connaissance avec les nouveaux
membres. La participation à des activités spirituelles offre le double
avantage de favoriser les amitiés et de procurer les bienfaits liés à la
croyance en une puissance plus grande. Vous pourriez amorcer une
tradition en invitant le vendredi des couples qui s'entendent bien pour
souper. Présentez-vous toujours à vos nouveaux collègues, en particulier
ceux qui n'ont pas le même âge ni la même expérience que vous. Vous
pouvez également développer des amitiés en participant à des rencontres ou à des cours concernant des activités qui vous plaisent, comme le
jardinage, la danse ou le bridge.

Faites un effort pour garder le contact avec vos amis d'enfance. Ce
sont ces personnes qui partagent vos expériences passées, même si
vous n'avez plus les mêmes intérêts. Traitez les membres de votre
famille comme s'ils étaient vos amis, en leur envoyant des cartes et en
n'oubliant pas les occasions spéciales. Grâce à Internet, il est maintenant possible de communiquer régulièrement avec nos proches par le
courrier électronique. On peut aussi s'en servir pour découvrir de
nouveaux compagnons qui partagent nos intérêts grâce aux babillards
électroniques, aux sites de clavardage et au réseau Usenet. Les nouveaux appareils sur le marché rendent de plus en plus facile l'accès à
Internet.

Ensuite, il y a le bénévolat. Des études sur les personnes âgées révèlent que celles qui donnent de leur temps sont en meilleure santé, se
sentent plus à leur place et moins seules que celles qui ne font pas de
bénévolat. Jusqu'à maintenant, les aînés canadiens ne s'y sont pas inté-
ressés en grand nombre. On estime que 23 % des aînés canadiens participent chaque semaine à des activités de bénévolat. Toutefois, selon
Statistique Canada, 69 % des aînés offrent une forme d'aide informelle à
des amis ou à des membres de leur famille.

Que vous passiez du temps avec de vieux amis, des membres de
votre famille ou des gens dans le besoin, il se crée un cercle d'amour.
Être avec d'autres, tout comme aider les autres, favorise l'intégration
sociale et l'estime de soi, chez vous et chez les autres participants. Lorsque vous amenez vos petits-enfants au zoo ou que vous accompagnez
l'un de vos parents chez le médecin, vous illuminez leur vie tout en
augmentez vos chances de vieillir en santé. C'est la même chose

lorsque vous livrez des repas aux pauvres et que vous apprenez à lire à un analphabète ; votre santé et votre bien-être sortent gagnants.

Donnez de votre temps

Le bénévolat constitue un moyen éprouvé pour faire votre part dans la communauté tout en augmentant vos chances de vivre plus longtemps et en meilleure santé. Nous avons tous des dons et des habiletés à partager, mais parfois, nous ne savons pas comment nous y prendre. Dans chaque ville et village, il y a des activités de bénévolat. Renseignez-vous auprès de votre municipalité, de votre CLSC ou de ceux qui font déjà du bénévolat. La plupart des écoles et des églises accueilleront avec joie vos propositions d'aide, tout comme les organismes voués à une maladie grave, comme le cancer ou l'Alzheimer. Les associations ci-dessous constituent également des ressources précieuses.

Bénévoles Canada
Site canadien de renseignements sur le bénévolat

> www.benevoles.ca
> info@benevoles.ca

Fédération des centres d'action bénévole du Québec
Organisme qui regroupe une centaine de centres d'action bénévole présents dans toutes les régions du Québec

> 2100, avenue Marlowe, bureau 236
> Montréal, Québec
> H4A 3L5
> 1 (800) 715-7515
> (514) 843-6312
> www.fcabq.org

Évolution et changements

Au fil du temps, les relations évoluent naturellement. En avançant dans la vie, vous assumez de nouveaux rôles, de l'adolescent indiscipliné qui oublie le couvre-feu, à l'adulte qui doit aller reconduire ses parents s'il fait noir ; du parent qui joue au ballon avec ses enfants au grand-père moins agile qui doit laisser son petit-fils tondre le gazon. Ces changements naturels sont accompagnés par la sagesse de l'âge ainsi que par un mélange d'amour et de devoir.

Comme l'espérance de vie a augmenté considérablement au siècle dernier, une autre transformation s'est effectuée dans l'univers des relations. Les familles de quatre générations prolifèrent et les arrière-grands-parents n'ont jamais été aussi actifs. Pour la première fois de l'histoire, un nombre incalculable de femmes peuvent être prises en photo avec leur mère, leurs filles et leurs petites-filles.

Toutefois, on ne peut rester en santé et actif éternellement. Comme la science a fait des progrès extraordinaires dans la prévention et le traitement des maladies qui raccourcissent la vie, mais qu'elle n'a pas fait de même avec de nombreuses maladies chroniques, en général les gens seront plus malades à la fin de leur vie qu'à n'importe quelle autre époque. Au lieu de profiter d'une retraite bien méritée, plusieurs personnes dans la soixantaine devront prendre soin de leurs parents âgés qui n'auraient pas vécu aussi longtemps s'ils avaient fait partie de la génération précédente.

Si vous êtes un Canadien moyen, vous êtes susceptible de passer plus d'années à prendre soin de vos parents ou de vos grands-parents âgés que de vos enfants. Croyez-le ou non, vos enfants passeront plus de temps à prendre soin de vous que vous, d'eux. C'est un moment tout à fait unique dans l'histoire humaine.

L'équation des soins

En 2002, 23 % des Canadiens âgés de 45 à 64 ans prenaient soin de personnes du troisième âge et 70 % d'entre eux occupaient également un emploi. Cependant, les gens ont de plus en plus recours à l'aide professionnelle. En 2002, environ 49 % des gens de plus de 65 ans recevaient seulement de l'aide informelle (soutien non payé apporté par les proches), alors que 19 % ne recevaient que de l'aide formelle (services de soutien à domicile et services d'hébergement). Environ 19 % de ces personnes recevaient à la fois de l'aide formelle et informelle. On assiste à une augmentation du recours à l'aide formelle.

Cela est dû en partie à l'effet « sandwich » car bien des gens doivent simultanément prendre soin de leurs parents et de leurs enfants, en plus, bien souvent, d'occuper un emploi. L'expression « génération sandwich » décrit les gens qui sont pris en sandwich entre les besoins d'enfants en bas âge et de parents vieillissants. Avec l'augmentation de l'espérance de vie, un grand nombre de personnes qui prennent soin de leurs parents sont âgées, et leurs enfants sont déjà adultes ou fréquentent l'université. L'effet sandwich est tout de même réel puisque ces personnes auront passé la majeure partie de leur vie adulte à répondre aux besoins des autres plutôt qu'aux leurs.

Des rapports complexes

L'aidant naturel est très souvent une femme, tout comme le parent qui survit. C'est ironique puisque les relations mère-fille sont parmi les plus complexes.

Pourtant, Karen Fingerman, Ph.D., auteure de l'étude *Aging Mothers and Their Adult Daughters : A Study of Mixed Emotions*, croit que la relation d'une femme avec sa mère est l'une de ses ressources les plus précieuses, car « Nous avons une relation formidable avec une personne qui a investi en nous ».

Si vous êtes une femme et que vous avez une mère ou une fille, voici quelques activités pour vous rapprocher.

- Regardez de vieux albums de photos et demandez à votre mère d'identifier les personnes qui s'y trouvent.
- Écoutez votre mère vous raconter son passé, c'est aussi votre histoire. Enregistrez ces histoires sur une cassette audio ou une vidéocassette. Lorsqu'elle ne sera plus de ce monde, vous n'aurez plus jamais cette chance.
- Racontez votre journée à votre mère, mais ne vous plaignez pas. Elle n'est plus là pour régler vos problèmes.
- Préparez une vieille recette de famille ensemble.
- Jardinez ensemble.
- Suivez un cours ensemble ou devenez membre d'un club de lecture.
- Voyagez ensemble.
- Confectionnez un coffre aux souvenirs. Écrivez des souvenirs qui concernent votre mère ou votre fille chaque jour et placez-les dans un coffre. À la fin de l'année, offrez-le-lui.
- Envoyez des fleurs à votre mère à votre anniversaire, c'est une journée spéciale pour elle aussi.

L'aidante naturelle type est une femme entre 45 et 55 ans qui travaille à temps plein et passe en plus 29 heures par mois à prendre soin d'un de ses parents, souvent la mère. Il arrive aussi que toute la famille participe aux soins. Près du quart des foyers aidants fournissent au moins 40 heures d'aide informelle non payées à un membre âgé de la famille. Ces statistiques sont étonnantes si on tient compte de la distance qu'il y a entre de nombreux parents âgés et leurs enfants adultes.

Lorsque l'on considère ce que ces soins valent, le manque de ressources pour ces personnes est d'autant plus surprenant. D'après Statistique Canada, si les millions d'aidants naturels canadiens devaient être rémunérés, il en coûterait plus de cinq milliards de dollars chaque année au système de santé du Canada.

Bien entendu, vous prenez soin de vos parents parce que c'est ce qu'il faut faire, parce que vous voulez leur rendre le temps, l'énergie et

Portrait partiel des aidantes et des aidants naturels

Qui prend soin de ses proches et comment le font-ils ? Voici ce que révèle un sondage de la National Institute on Aging, un organisme américain.

- Même si prendre soin d'une personne qui présente des déficiences peut être exigeant physiquement, le tiers des aidants naturels déclarent que leur santé est de passable à chancelante.

- Les aidants passent en moyenne 20 heures par semaine à prendre soin d'une personne âgée et encore plus lorsque la personne présente de multiples déficiences.

- Prendre soin d'une personne est une expérience exigeante affectivement, c'est pourquoi les taux de dépression, d'épuisement professionnel et de fatigue sont plus élevés que dans la population en général.

- Environ un tiers de tous les aidants de cette étude travaillaient en plus de donner des soins. De ce nombre, les deux tiers ont déclaré qu'ils vivaient des conflits lorsqu'ils devaient modifier leur horaire de travail, travailler moins d'heures ou prendre des congés sans solde.

l'argent qu'ils vous ont consacrés. Mais il y a un autre élément qu'il ne faut pas négliger : la manière dont vous prenez soin de vos parents quand ils en ont besoin donne à vos enfants une idée de ce qu'ils devraient faire pour vous un jour. « En prenant soin de nos parents, nous enseignons à nos enfants à prendre soin de nous. », écrit Mary Bray Pipher dans son livre *Another Country : Navigating the Emotional Terrain of our Elders,* publié en 1999. Elle poursuit : « En voyant nos parents vieillir,

Stratégies pour mieux vivre le rôle d'aidant

Si vous prenez soin de vos parents âgés, de votre époux ou d'un membre âgé de votre famille, vous vous sentez probablement à bout de souffle et vous manquez probablement de temps et aussi d'énergie. Voici quelques conseils pour les aidantes et les aidants.

- Prenez votre vie en main. Ne laissez pas la maladie ou la perte d'autonomie de l'être qui vous est cher être toujours votre priorité.
- Votre tâche est difficile, prenez du temps de qualité pour vous.
- Acceptez toute l'aide qu'on vous offre, puis proposez des tâches spécifiques aux volontaires.
- Le savoir, c'est du pouvoir. Renseignez-vous le plus possible sur l'état de la personne dont vous vous occupez.
- Vous n'avez pas à tout faire. Cherchez des moyens d'encourager l'autonomie du proche dont vous vous occupez. Ayez recours à des services de répit au besoin.
- Fiez-vous à votre instinct. La plupart du temps, il vous orientera dans la bonne direction.
- Pleurez les disparus, puis permettez-vous de poursuivre de nouveaux rêves.
- Soyez attentif aux signes de dépression chez vous (perte d'appétit, crises de larmes sans raison, insomnie, par exemple). Si vous avez besoin d'aide professionnelle, ne remettez pas le rendez-vous à plus tard.
- Profitez du soutien d'autres aidants. Savoir que l'on n'est pas seul donne de la force.
- Faites de l'exercice, dormez suffisamment, mangez sainement et voyez votre médecin régulièrement.

nous apprenons à vieillir avec courage et dignité. En s'y prenant bien, les vieux et les jeunes peuvent s'aider mutuellement à grandir. »

Être un aidant naturel

La plupart des familles n'ont rien à voir avec le clan familial idéalisé à la télévision dans les années 50, où régnaient vêtements parfaitement repassés, manières impeccables et échanges affectueux. Toutefois, lors des périodes difficiles, comme lorsque notre mère ou notre père a besoin de soins, on souhaiterait bien que notre famille soit un peu plus idéale.

C'est souvent à l'enfant adulte qui n'a pas déménagé qu'incombe la responsabilité de s'assurer que ses parents prennent bien leurs médicaments et ne ratent pas leurs rendez-vous chez le médecin. Cela crée généralement une relation plus intime avec les parents que les enfants qui vivent loin d'eux ne peuvent partager. Lillian S. Hawthorne, dans son livre *Finishing Touches*, publié en 1998, témoigne : « J'étais l'enfant qui vivait tout près et qui s'occupait de tout, alors que mes frères et sœurs ne venaient que deux fois par année. J'enviais ma sœur qui n'avait pas à subir les urgences, les paniques au téléphone, les activités sociales ratées et les vacances assombries que me faisaient vivre mes parents. »

Puis l'auteure s'est rendu compte qu'elle avait finalement le meilleur rôle. « Elle (ma sœur) était moins incommodée, mais on n'avait pas besoin d'elle ; elle ne vivait pas les problèmes de mes parents, mais elle ne faisait pas véritablement partie de leur vie. »

Que vous viviez près d'eux ou non, vous aurez sans doute à composer avec le vieillissement de vos parents d'une manière ou d'une autre. Si vous vivez dans la même ville, vous aurez probablement à donner un soutien quotidien et vous en voudrez peut-être à vos frères et sœurs qui ne peuvent vous aider. Si vous vivez loin de vos parents, vous échapperez aux soins de routine, mais vous vivrez probablement de la culpabilité et vous serez tenté de donner des conseils non sollicités à ceux qui procurent les soins.

La dure réalité

Admettons que vos parents habitent à quelques kilomètres de chez vous. Ils prennent de l'âge : votre père oublie tout, votre mère n'a plus d'énergie et semble avoir les mains pleines de pouces. Il n'est pas encore temps de les accueillir chez vous, mais ils ont de plus en plus besoin

Le jour où j'ai pris les clés de papa

Mon père achetait une nouvelle voiture haut de gamme tous les trois ans. C'était son seul luxe. Il était président de la banque de notre petite ville et tout le monde l'appréciait. Il avait commencé à y travailler à l'âge de 16 ans. Papa était petit, on voyait à peine sa tête dépasser lorsqu'il était au volant d'une de ses voitures racées.

Depuis ma plus tendre enfance, il a toujours aimé nous conduire, ma mère, ma sœur et moi, au restaurant après la messe du dimanche. J'ai des photos de mon père posant avec son air sérieux à côté de tous les modèles de voitures qu'il a eus. Il y a une photo où je suis sur ses genoux derrière le volant ; il sourit sur celle-là. J'ai appris à conduire dans sa Volvo 1962. Il m'a prêté sa 65 pour me rendre au bal des finissants. Il n'a pas apprécié que je m'installe sur le capot avec ma clarinette pendant qu'un de mes amis nous conduisait lentement sur la rue principale. (Mon père n'a jamais eu le sens de l'humour.)

Après la mort de ma mère, mon père n'a plus été le même. Je vis dans la province voisine, alors je ne savais pas s'il faisait une dépression ou si c'était parce qu'il ne prenait pas ses médicaments contre le diabète. Puis il a eu quelques accidents vasculaires cérébraux sans gravité. Les médecins m'ont assuré qu'il n'avait pas de séquelles, mais il me paraissait changé. Un soir de tempête, en décembre, j'ai reçu un appel des Brault, les voisins de mon père. Il était allé d'une maison à l'autre, dans la nuit froide et sombre, demandant aux voisins s'ils avaient vu Lorraine, ma mère.

Lors d'une de mes visites, il m'a emmené au restaurant dans sa BMW 1995. Nous avons pris l'autoroute, puisqu'il a toujours préféré ce trajet depuis la construction des voies rapides. La limite de vitesse était de 100, mais il roulait à 120 kilomètres/heure. Il zigzaguait d'une voie à l'autre et, à quelques reprises, il a dû donner un coup de volant parce qu'on s'est retrouvé sur l'accotement. Je le regardais du coin de l'œil et je voyais bien qu'il ne s'apercevait ni des zigzags ni de ses excès de vitesse.

Avant de partir, j'ai eu une conversation à cœur ouvert avec mon père et je lui ai dit que je ne voulais plus qu'il conduise. Marie, sa femme de ménage, m'a proposé de faire les courses à sa place. L'un de ses partenaires de poker, Roger, a offert de le conduire partout où il le désirait. Papa ne voulait rien entendre. Il est même devenu agressif. J'ai renoncé à le convaincre et je suis reparti chez moi. Quelle erreur! Il pouvait renverser un enfant.

Les coups de fil de Marie et des voisins de papa ne cessaient pas. Un jour, il a reculé dans les poubelles des Rioux. La fin de semaine dernière, un policier l'a arrêté parce qu'il avait omis de faire un arrêt près de la voie ferrée. Il y avait une longue égratignure sur la peinture du côté du passager. Personne ne savait ce qui était arrivé, mais un ami de Roger lui a dit qu'il avait vu de la peinture noire sur une rampe d'acier derrière la pharmacie.

Je suis arrivé chez lui le vendredi et dès l'après-midi du samedi, je savais ce que je devais faire. Je me suis juré que j'aurais assez de cran pour y arriver. J'ai emmené papa au restaurant dimanche midi, comme nous l'avions fait toutes les semaines de mon enfance. Il a insisté pour conduire. Dès que nous sommes rentrés à la maison et qu'il a coupé le contact, j'ai mis ma main sur les clés. Nous les tenions tous les deux. Il a compris ce que j'étais en train de faire et il a essayé de me les prendre. Je lui ai dit: «Papa, c'est le moment. Marie, Roger et la moitié de la ville s'inquiètent pour toi. Je t'en prie, faisons un essai. Fais-le pour nous.»

Je m'attendais à ce qu'il proteste. Il a simplement regardé vers moi. En fait, il regardait au loin, embarrassé. Puis il a dit d'un ton bourru pour sauver la face: «Prends-les si ça peut t'empêcher de me harceler. Mais si Marie ou Roger ne sont pas là et que j'ai besoin d'aller quelque part, tu peux être certain que je vais conduire.»

J'ai répondu: «Marché conclu.» Je savais très bien qu'il ne reverrait jamais plus ses clés.

Brian, un fils inquiet

Pistes de réflexion

- Nous restons toujours les enfants de nos parents, mais il vient un temps où les enfants doivent prendre soin des parents.

- Demandez à vos enfants adultes s'ils remarquent des problèmes lorsque vous conduisez.

- Apprenez à accepter de bonne grâce l'aide de vos enfants adultes et de vos amis.

- En reconnaissant vos limites, vous risquez moins de causer des accidents tragiques.

d'aide. Comment pouvez-vous partager les soins entre votre conjoint, vos enfants et vos frères et sœurs qui vivent au loin ?

Les experts recommandent de déléguer des tâches. Faites une liste des choses qui doivent être faites pour aider vos parents et voyez si des membres de votre famille peuvent vous aider. Vos enfants peuvent s'occuper du jardin ou faire des repas à l'avance. Votre conjoint peut faire l'inventaire de leurs biens et s'occuper des questions d'argent. Même vos frères et sœurs qui vivent au loin peuvent faire leur part en appelant vos parents tous les matins ou tous les soirs pour s'assurer qu'ils prennent leurs médicaments et que tout va bien. Avec le téléphone et Internet, on peut facilement garder le contact au quotidien.

Bien entendu, s'ils perdent de leur autonomie, leurs besoins augmenteront. Votre mère qui a de la difficulté à marcher peut tomber et se casser la hanche. Elle devra donc rester au lit et ne pourra plus s'assurer que votre père a bien éteint la cuisinière ou qu'il a coupé le moteur de la voiture. Si les oublis de votre père se transforment en un problème plus grave, la maladie d'Alzheimer par exemple, il peut se mettre à errer dans les rues. Que ferez-vous alors ?

Si les discussions avec vos frères et sœurs sur ce qui convient le mieux à vos parents n'ont pas encore commencé, le moment est arrivé. Les gens qui se chamaillaient souvent lorsqu'ils étaient enfants pour déterminer qui devait laver la vaisselle ou sortir les poubelles auront du mal à s'entendre. Ce qui importe, c'est l'amour et la compassion qu'il faut prodiguer à vos parents, que vous receviez ou non de l'aide de vos frères et sœurs. À la mort de vos parents, vous vous demanderez si vous avez fait tout ce que vous pouviez. Vous trouverez un grand réconfort si vous répondez par l'affirmative à cette question.

Aider à distance

Que pouvez-vous faire si vous êtes loin de la personne âgée qui a besoin d'aide dans votre famille ? Il existe de nombreuses façons de soutenir et d'aider les vôtres à distance et qui vous permettront de moins vous sentir coupable. En voici quelques-unes.

Appelez régulièrement. Prenez le temps d'appeler votre mère, votre sœur ou votre parent qui prend soin de la personne âgée. Proposez de faire ce qu'il est possible de faire à distance, comme le reprisage ou la recherche de spécialistes ou de services de répit. De plus, téléphonez à votre parent âgé régulièrement. Cet appel bienveillant peut devenir un remède extraordinaire pour cette personne.

Rendez-lui visite souvent. Essayez de lui rendre visite le plus souvent possible. Si vous projetez d'y aller, ne remettez pas le voyage. C'est difficile de se faire une idée de la situation à distance. L'aidant naturel et la personne âgée apprécieront cette aide et ce soutien.

Ne remettez pas en question les décisions de l'aidant trop rapidement. La personne qui fournit les soins concrets au quotidien est généralement la mieux placée pour savoir quand il faut voir le médecin ou à quelle fréquence votre père doit se lever de son lit. Essayez de ne pas donner d'opinion qui serait basée sur des informations limitées, l'aidant risque de mal le prendre. Soyez à l'écoute, ne jugez pas, mais agissez si vous considérez que quelque chose ne va vraiment pas.

Évaluer les besoins

Comment évaluer l'aide dont vos parents ont besoin ? Évidemment, vous ne voulez pas remplir leur congélateur de petits plats s'ils sont

Préoccupations des aidantes et aidants naturels

Lorsque la National Family Caregivers Association, un organisme américain, a sondé ses membres, plusieurs ont avoué être épuisés. Voici un résumé de ce que ce sondage a permis de découvrir.

Émotions prédominantes chez les aidantes et aidants naturels	
Frustration	67 %
Compassion	37 %
Tristesse	36 %
Anxiété	35 %

Difficultés rencontrées par les aidantes et aidants naturels	
Absence d'aide constante de la part des autres membres de la famille	76 %
Sentiment d'être seul et incompris des autres	43 %
Responsabilité de prendre des décisions majeures pour les êtres chers	33 %
Perte du temps pour soi et pour les loisirs	36 %

parfaitement capables de cuisiner. Pour vous donner une idée, sachez qu'environ 10 % de tous les gens âgés de 72 ans ont besoin d'aide pour des activités de base de la vie quotidienne, telles que faire des courses ou cuisiner. Ce pourcentage double tous les cinq ans. À 77 ans, environ 20 % de tous les gens ont besoin d'un peu d'aide et à 85 ans, c'est près de la moitié qui auront besoin d'une forme d'aide.

On peut également évaluer la situation autrement. On peut diviser les activités de la vie quotidienne en deux groupes : les activités personnelles et les activités générales. Peuvent-ils s'acquitter des activités générales : préparer les repas, faire les courses, payer les factures, utiliser le téléphone, faire le ménage, lire ? Il est plus facile pour une autre personne de s'occuper de ces tâches, mais lorsque vous devez en faire une grande partie, vous pouvez considérer que vos parents ont perdu leur autonomie. Lorsqu'ils ne seront plus en mesure de faire seuls les activités personnelles, comme s'habiller, se laver, se nourrir, passer du lit à une chaise ou marcher, vous aurez probablement besoin d'aide venant de l'extérieur.

Tant que vos parents sont en mesure de le faire, les études démontrent qu'il est préférable qu'ils restent le plus autonomes possible. Les gens qui continuent à exercer un certain contrôle sur leur vie se disent plus alertes, plus actifs et plus vigoureux. Vous pouvez ressentir de l'impatience lorsque votre mère prend un temps fou pour balayer le plancher, mais si elle est capable de le faire, vous devriez lui laisser cette tâche. Par contre, si elle fait des chèques à tous les fraudeurs de la ville, c'est sûrement le moment de lui aider à gérer ses finances.

En résumé, selon les experts, lorsque vous évaluez les besoins de vos parents, il faut donner des soins adéquats tout en encourageant l'autonomie. Même des actions qui peuvent vous sembler anodines, comme les prendre au sérieux et les écouter lorsqu'ils parlent, vont leur donner le sentiment qu'ils ont encore du contrôle sur leur vie.

Centres d'hébergement et de soins de longue durée et résidences avec services

Il arrive parfois un moment où vos parents doivent envisager (ou vous devez le faire pour eux) d'emménager dans une résidence ou dans un centre d'hébergement et de soins de longue durée (CHSLD). S'ils vivent déjà dans une résidence avec services, ils ont probablement déjà pensé à cette éventualité. Par contre, s'ils vivent encore dans la maison qu'ils ont achetée il y a de nombreuses années, un tel changement peut provoquer un stress indicible. Après tout, les transitions sont déjà difficiles lorsqu'on est jeune et en santé. Imaginez comment on doit se sentir lorsqu'on doit quitter une maison que l'on aime, dans laquelle on a passé parfois des décennies, pour aller dans un environnement que l'on redoute, surtout lorsqu'on est prisonnier d'un corps qui nous trahit.

Moins de 7 % des personnes de 65 ans et plus ne vivent plus dans leur maison. Malgré tout, environ 43 % des personnes âgées de 65 ans et plus risquent d'être admises dans un centre d'hébergement et de soins de longue durée à un moment de leur vie, en général lorsqu'elles sont très âgées. Auparavant, lorsqu'il y avait plus d'enfants que de parents, que les femmes travaillaient moins à l'extérieur de la maison et que les familles étaient plus rapprochées, c'était tout simple pour les grands-parents d'emménager avec un de leurs enfants. Aujourd'hui, cette situation n'est plus réaliste.

Ressources pour l'hébergement

Au Québec, le meilleur endroit pour se renseigner sur l'hébergement à long terme et à court terme des personnes âgées ou sur les services de répit est le CLSC de votre territoire. Certains organismes peuvent également vous aider.

Les Publications du Québec ont publié : *Vivre en résidence privée pour personnes âgées*, ministère des Relations avec les citoyens et de l'immigration, 1997, 88 pages. (5,95 $)

Aînés Hébergement

Tour l'Industrielle-Vie
2000, rue McGill College, suite 200
Montréal (Québec)
H3A 3H3
(514) 644-8314
revue@aineshebergement.com
www.aineshebergement.com

Visavie

Service gratuit de référence en habitation et en hébergement pour retraités et personnes âgées.

1443, rue Fleury Est, suite 3
Montréal (Québec)

H2C 1R9
1 888 847-2843
info@visavie.com
www.visavie.com

On peut aborder ce sujet difficile de diverses façons, en voici quelques-unes.

Faites-le d'un commun accord. Si c'est possible, parlez ouvertement des diverses options à vos parents. (C'est toujours préférable de le faire avant qu'ils ne soient trop malades.) Laissez-leur une part importante du processus de décision et demandez leur avis sur tous les détails. Rappelez-leur que vous voulez ce qu'il y a de mieux pour eux. Si l'endroit choisi ne leur plaît pas, ils doivent savoir que vous êtes prêt à examiner d'autres possibilités.

Faites vos devoirs. Il y a diverses façons de dénicher un bon centre d'hébergement et de soins de longue durée ou une résidence dans votre secteur. Avant de prendre une décision, faites le plein d'informations. Parlez aux personnes de votre entourage qui ont été dans la même situation, ils vous diront ce que leurs recherches leur ont appris.

Faites une visite. Visitez les centres d'hébergement et de soins de longue durée ou les établissements qui vous paraissent les plus intéressants. Faites participer vos parents si c'est possible. Examinez les chambres individuelles, tout comme les espaces communs, comme la cafétéria et les salles de séjour. N'hésitez pas à poser des questions. Faites en sorte que vos parents puissent prendre un repas au centre et accompagnez-les. Le CHSLD ou la résidence devrait être assez près de votre domicile pour vous permettre d'y aller souvent.

Soyez affectueux. Souvenez-vous, c'est un moment terrifiant pour vos parents. Parlez-leur, touchez-les, partagez vos souvenirs et rapprochez-vous. La culpabilité sera sûrement au rendez-vous, elle fait partie de ce processus. Les psychologues expliquent que dans cette situation, les aînés peuvent réagir comme les personnes qui survivent à un stress extrême, en criant, en pleurant ou en se repliant sur eux-mêmes. Il faut éviter de se sentir visé et apporter le plus de soutien et de tendresse possible.

C'est votre tour

Vous avez pris soin de vos parents avec tout votre cœur et votre âme, et vous êtes en paix. Mais avant même de le réaliser, c'est votre tour. Vous avez maintenant besoin de l'aide de vos enfants ou de proches plus jeunes. Pensez-vous que ce sera facile? Dans son livre *Another Country*, Mary Bray Pipher écrit: «Plusieurs préféreraient payer des étrangers, se passer d'aide et même mourir plutôt que de dépendre des personnes qu'ils aiment. Ils ne veulent pas être un fardeau, le pire crime en Amérique.»

En vieillissant, nos rôles et nos relations nous soutiennent, parce que nous éprouvons de l'amour pour d'autres et que nous bénéficions de leur amour. Lorsqu'il est temps d'abandonner une part de notre contrôle, nous avons peur de devenir un fardeau. Comment peut-on laisser les autres nous aider tout en conservant notre dignité? Comment laisser aller un peu de notre autonomie et dépendre des générations plus jeunes?

Commencez maintenant. D'abord, les experts suggèrent de commencer tout de suite. Renoncez à plus petite échelle à avoir le contrôle sur tout avant la vieillesse pour ne pas éprouver un trop grand choc plus tard. Par exemple, laissez vos enfants ou d'autres proches plus jeunes vous apprendre des choses. Lorsque vous vieillirez, leur connaissance des sujets qui vous intéressent s'élargira.

Des amis chers. Traitez vos enfants adultes comme vous traiteriez un ami fidèle. Faites-leur confiance et lorsque cela vous convient, acceptez l'aide qu'ils vous offrent. Soyez affable lorsqu'ils vous apportent un litre de lait sans que vous l'ayez demandé. Lorsque les enfants sont grands, vous n'avez plus seulement le rôle de parent qui prend soin d'enfants dépendants et sans défense. Visez une relation de réciprocité basée sur la confiance et la camaraderie; encouragez-les à faire de même. Soyez positif, appuyez leurs décisions même si vous n'êtes pas toujours d'accord.

Montrez de la sérénité. Les spécialistes suggèrent aussi d'adopter une attitude positive, peu importe ce qui arrive. Le sens de l'humour et l'amour de la vie vous permettent d'accepter plus facilement l'aide lorsqu'elle est nécessaire en plus de donner une belle image de la vieillesse à ceux qui prennent soin de vous. Comme vos parents vous ont montré ce que vieillir pouvait être, vous pouvez en donner un aperçu à vos proches plus jeunes.

Sachez dire non. Ne renoncez pas à trop de choses. À votre âge, il peut être plus rapide et plus facile pour les autres de brosser vos cheveux, de faire le lavage ou de ranger la maison. Vous devez rester à la barre de votre vie. Tant que vous êtes en mesure d'effectuer les activités de la vie quotidienne, faites-le. Se résigner à ne plus pouvoir se débrouiller seul est démoralisant.

Le secret d'une longue vie

Bien sûr, les relations englobent beaucoup plus que les personnes qui prendront soin de vous lorsque vous aurez atteint un âge vénérable. Elles sont l'essence même de la vie. Enfant, on apprend la vérité sur les bonnes et les mauvaises relations : la joie de savoir que nos parents nous aiment, la douleur lorsqu'un camarade nous trahit. Comme parent, on en apprend un peu plus sur notre place dans l'univers. Quand on a la chance d'avoir un conjoint aimant, on entre dans une intimité qui représente ce qui peut nous arriver de mieux dans la vie.

Bien que les rôles et les relations évoluent tout au long de la vie, une chose est sûre : vous vivrez plus longtemps et en meilleure santé si vous vous entourez de gens que vous aimez et qui vous rendent la pareille. Comme le poète du XVIIᵉ siècle John Donne l'a si bien dit : « Personne n'est une île. »

C'est grâce à des relations profondes et tendres que nous pouvons, d'une certaine manière, transcender le vieillissement.

Ressources pour les aidants naturels

Encore une fois, au Québec, le lieu privilégié pour trouver de l'information et de l'aide est le CLSC de votre territoire.

La Coalition canadienne des aidantes et aidants naturels

constitue la voix d'expression nationale pour les besoins et les intérêts des aidantes et aidants membres de la famille.

> 110, avenue Argyle
> Ottawa (Ontario)
> K2P 1B4
> 1 888 866-2273
> Info@ccc-ccan.ca
> www.ccc-ccan.ca

Liens gouvernementaux d'intérêt pour les aidantes et aidants naturels

> Agence du revenu du Canada
> www.cra-arc.ca

Banque de données sur les politiques et les programmes touchant les aînés

www.sppd.gc.ca

Ministère des Finances du Canada

www.disabilitytax.ca

Santé Canada

www.hc-sc.gc.ca

Ressources humaines et développement des compétences – Assurance-emploi et prestations de compassion

www.hrsdc.gc.ca

Ministère d'État Famille et aidants naturels (Développement social Canada)

www.sdc.gc.ca

Qui prendra soin de maman ?

Je croyais que j'allais toujours être là pour ma mère. Lorsque la maladie d'Alzheimer lui a dérobé sa capacité de prendre soin d'elle, j'ai fait appel aux services de soins à domicile et j'ai fait aussi ma part. Je l'emmenais à l'église et à ses rendez-vous médicaux tout en m'occupant de mes trois enfants d'âge scolaire. Puis mon mari a été muté dans une autre ville. Nous avons pensé emmener ma mère avec nous, mais elle ne voulait pas venir. Certains jours, elle nous assurait qu'elle n'aurait pas de problèmes. À d'autres occasions, elle jouait sur notre culpabilité.

Comme si je ne me sentais pas assez coupable, l'état de ma mère s'est détérioré. Elle a dû emménager dans une résidence. Elle s'est égarée à trois occasions. Physiquement, elle était de plus en plus frêle, nous l'avons fait admettre dans un centre d'hébergement et de soins de longue durée, où il n'y avait pas assez de personnel. Lorsqu'elle était lucide, et c'était de plus en plus rare, elle ne faisait que se plaindre. J'essayais de prendre soin de ma famille tout en faisant la navette pour voir ma mère. C'était affreux. Elle est décédée 18 mois après son arrivée au CHSLD.

J'aurais aimé que cela se passe mieux, mais j'ai appris bien des choses dans cette épreuve. J'ai appris que si je ne pouvais pas être là en personne, je pouvais faire certaines choses qui faisaient comme si j'y étais. Je connaissais le nom de ses médecins et des employés qui s'occupaient le plus d'elle et je leur parlais souvent. J'ai appris que j'aurais dû demander à ma mère qu'elle me parle de sa situation financière avant que tout cela n'arrive. J'aurais dû m'informer sur les soins à long terme bien avant qu'elle en ait besoin.

J'ai appris à prendre soin de moi. J'essaie de faire de l'exercice, de bien manger et de dormir suffisamment. En clavardant sur Internet, j'ai appris que d'autres personnes rencontraient des difficultés similaires. Il est bénéfique de partager ses inquiétudes et ses peines. Je n'ai jamais cessé de me sentir coupable, mais cela m'a aidée de savoir que je faisais tout ce que je pouvais et que je n'étais pas seule dans cette épreuve.

Diane, une fille préoccupée

Pistes de réflexion

- Parfois, les parents vieillissants ont besoin de soins que la famille ne peut donner.
- Cherchez une résidence qui vous convient avant d'en avoir besoin.
- N'oubliez pas de prendre soin de vous.

Chapitre 8

Votre autonomie

Messages à retenir

- **Veillez intelligemment à votre sécurité.**
- **Tout le monde a besoin d'un coup de main à l'occasion.**
- **Prenez le temps de bien choisir votre logement.**

Si vous êtes comme la majorité des gens, votre autonomie est l'essence même de votre vie. Plus que tout, vous chérissez votre liberté. Le vieillissement, toutefois, représente un véritable défi à l'égard de cet aspect de votre vie. Avec les années, votre corps et votre esprit continueront à changer et pourraient menacer votre sécurité. Ce besoin de base doit passer en priorité, même s'il faut sacrifier une part de votre autonomie pour y arriver.

Cette priorité entraînera des répercussions profondes. Pouvez-vous rester dans votre maison à laquelle vous attachez beaucoup de prix? Est-ce que votre capacité physique et les lieux vous permettent d'effectuer des tâches aussi simples qu'ouvrir un tiroir et vous protègent de dangers graves comme les chutes et les incendies? Sans rien changer de votre style de vie, êtes-vous en mesure d'appeler de l'aide, de prendre vos médicaments et de vous rendre chez le médecin seul?

De nos jours, un Canadien qui vit jusqu'à 65 ans a une espérance de vie supplémentaire moyenne de 15 ans. Il vivra probablement 12 de ces années en jouissant d'une pleine autonomie et au cours des trois autres, il sera plus ou moins dépendant. Une femme du même âge aura encore 19 années ou plus à vivre en moyenne et elle peut s'attendre à vivre 14 de ces années en toute autonomie.

Heureusement, les solutions qui assureront votre bien-être sont de plus en plus nombreuses. Diverses entreprises développent des moyens pour que les aînés aient plus de choix et qu'il y ait moins d'atteintes à leur autonomie.

Cependant, pour que votre autonomie reste appréciable, vous devez être prêt à évaluer objectivement toutes les limites physiques et psychologiques qui peuvent se présenter et à vous y adapter. Vous devez connaître les solutions d'adaptation qui existent. Vous devez également trouver le moyen de vous adapter aux changements inéluctables du vieillissement à mesure qu'ils se présenteront.

Ce chapitre traitera des sujets suivants :

- les solutions à envisager ;
- les façons de veiller sur votre santé, votre bonheur et votre bien-être à la maison et à l'extérieur ;
- les outils qui facilitent les tâches quotidiennes, comme l'ouverture des portes ou le brossage des cheveux ;
- les types d'hébergement qui conviennent à vos besoins et à vos préférences.

Le vieillissement n'a pas à être synonyme de choix restreint. Avec l'âge, il faut surtout faire un usage judicieux des choix qui s'offrent à nous de manière à assurer notre bien-être et notre autonomie.

Penser sécurité

Quel est l'élément essentiel pour rester autonome ? Votre sécurité, bien sûr. Plus vous serez en mesure de garantir votre sécurité longtemps, plus vous jouirez de votre liberté. Dans la plupart des cas, les efforts que vous déployez pour vous assurer d'un niveau de sécurité raisonnable sont si automatiques que vous ne vous rendez pas compte que vous êtes constamment en train de passer des informations au crible pour déceler les menaces potentielles et éviter les dangers à mesure qu'ils se présentent. Si votre sécurité n'était pas déjà primordiale pour vous, vous n'auriez probablement pas survécu jusqu'ici.

La vieillesse en soi ne demande pas une sécurité accrue, seulement une attention plus marquée quant aux comportements sécuritaires. Vous pouvez devenir plus faible qu'une personne qui aurait les deux tiers de votre âge, par exemple. Votre acuité mentale peut diminuer, ce qui ralentit votre temps de réaction. De plus, les médicaments provoquent parfois des effets néfastes sur votre équilibre, votre toucher, votre goût, votre odorat et votre ouïe.

C'est une sorte de cercle vicieux. Vous devez garantir votre sécurité lorsque vous prenez de l'âge, mais en vieillissant, il est plus difficile d'assurer votre sécurité. Chaque année, des milliers d'aînés canadiens sont traités aux urgences pour des blessures associées à des produits et à des objets qu'ils utilisent tous les jours ou qui sont présents dans leur environnement. De même, les chutes sont responsables de 78 % des décès pour cause de blessure chez les 65 ans et plus au Canada. Comment faire de la sécurité votre priorité ? La réponse se divise en trois volets.

- Accentuez votre conscience du danger. Autrement dit : anticipez-le.
- Adoptez des comportements sécuritaires.
- Lorsque c'est nécessaire, demandez de l'aide afin d'accroître les mesures de sécurité.

Dans votre foyer

Ironiquement, votre foyer, le lieu même où vous vous sentez le plus en sécurité, est statistiquement l'un des endroits les plus dangereux. Ce n'est pas étonnant, puisqu'on retrouve généralement dans un logement de l'électricité, des sources de chaleur, de l'eau, des surfaces glissantes, des escaliers et de nombreux autres obstacles redoutables.

Il est donc très important d'évaluer votre logement (que ce soit une maison unifamiliale, un logement dans une résidence avec services ou tout autre type d'habitation) en fonction de la sécurité.

Relevez les objets et les zones qui pourraient causer des pertes d'équilibre : les escaliers, les tapis, les cordons électriques, les liquides renversés, les escabeaux, les cabines de douche, ainsi que les parois élevées de la baignoire.

Faites l'inventaire des appareils qui peuvent causer des incendies ou des brûlures : les cuisinières, les fours, les grille-pain, les cordons électriques usés, les prises de courant et les rallonges électriques surchargées ou défectueuses, les installations électriques désuètes, les produits du tabac, les chandelles et les conduits de cheminée. Les peignoirs aux longues manches qui prennent facilement en feu sont également dangereux.

De même, un choc électrique peut être causé par des cordons électriques défectueux, des prises de courant surchargées, ou des outils et des appareils électriques très usés utilisés près de l'eau ou dans l'eau.

Vérifiez les sources potentielles d'émanations toxiques, comme les cuisinières et les fours à gaz, ainsi que les garages qui communiquent avec la maison.

Soyez particulièrement attentif dans les endroits où vous êtes souvent et qui renferment des menaces multiples, comme l'eau et l'électricité ; la cuisine et les salles de bains constituent des pièces particulièrement dangereuses.

Prévention des chutes

Trente pour cent des personnes de plus de 65 ans font au moins une chute par an. Les trois quarts de ces chutes surviennent à la maison et seulement 5 à 10 % d'entre elles surviennent lors d'une activité dangereuse (monter dans une échelle ou sur une chaise). Il y a donc de nombreuses chutes causées par des pertes d'équilibre ou des faux pas dans les escaliers, en butant sur des cordons électriques ou en glissant sur des tapis ou des carpettes. Ces chutes entraînent souvent des blessures. Au Canada, en 1993, il y a eu 23 375 fractures de la hanche et on estime que ce nombre atteindra 88 214 en l'an 2041. Le taux de mortalité dans l'année qui suit une fracture de la hanche est extrêmement élevé.

À la maison. Vous devez faire attention lorsque vous vous déplacez dans la maison. Des rampes d'escalier bien solides et des barres d'appui dans la salle de bains peuvent être très utiles. De plus, songez à remplacer ou à déplacer les chaises et les petites tables qui peuvent se dérober sous votre poids si vous prenez appui dessus.

Dégagez le passage de tout meuble bas, décoration ou encombrement, comme les tabourets de pied, les poufs, les plantes et les jouets de vos petits-enfants. Ils peuvent vous faire trébucher, surtout si le passage n'est pas bien éclairé. Ne laissez jamais les cordons des lampes, des téléphones ou des ordinateurs là où vous marchez. Placez votre téléphone à un endroit accessible ou munissez-vous d'un téléphone sans fil pour réduire le risque de chute.

Les veilleuses ne coûtent pas cher et s'installent facilement sur les prises de courant de la salle de bains ou des couloirs.

Les rallonges électriques s'avèrent particulièrement encombrantes. Les cordons qui peuvent amener le courant électrique en toute sécurité à toutes sortes de distances sont larges et plats, ou épais et ronds. Ces deux types de cordons peuvent poser problème sur un tapis. Sur un plancher de bois franc ou de céramique, les cordons ronds deviennent des rouleaux miniatures qui peuvent vous faire perdre l'équilibre.

Ne laissez jamais d'objets dans l'escalier. Vérifiez la surface et le rebord des marches, et remplacez tout revêtement détaché ou glissant par du tapis fixé solidement, de la peinture saupoudrée de sable ou tout autre revêtement antidérapant. Un meilleur éclairage peut également accroître la sécurité dans les escaliers.

Les rebords arrondis et le tissage des carpettes les rendent glissantes et particulièrement dangereuses. D'abord, vérifiez si la carpette est moins glissante que le plancher nu. Si la carpette est sur un tapis et ne sert qu'à décorer, éliminez-la.

Si vous devez utiliser un tapis à un endroit particulier, prenez-en un qui possède un dessous en caoutchouc antidérapant. Pour que le tapis reste stable et à plat, vous pouvez utiliser un filet antidérapant, du ruban de fibre de verre, un sous-tapis ou tout autre revêtement antidérapant. Un bon éclairage près du tapis réduit aussi le risque que vous trébuchiez.

Cuisines et salles de bains. Les cuisines et les salles de bains posent des problèmes tout à fait particuliers quand il s'agit de prévenir les chutes. La combinaison d'éléments tels que l'eau, le savon et les petits objets qui tombent facilement rendent la vie difficile aux personnes âgées. Le bon sens et la résolution d'aller moins vite peuvent faire toute la différence. Si vous laissez tomber quelque chose ou si vous renversez un liquide, ramassez-le tout de suite. Si vous attendez, vous pourriez glisser et tomber.

Enjamber la paroi d'une baignoire peut déséquilibrer bien des gens, peu importe leur âge. Pour favoriser votre stabilité, vous pourriez installer une barre d'appui ou une barre en forme de « u » qui s'accroche à la paroi de la baignoire. Vous pouvez également augmenter l'adhérence à l'intérieur de la baignoire en y installant un tapis à ventouses ou des bandes adhésives en caoutchouc.

Finalement, pensez à ce qu'il faut faire en cas de chute. En suivant votre élan et en roulant sur la hanche ou l'épaule, vous pouvez amortir votre chute et prévenir des fractures. Les dislocations d'épaule et les fractures de l'avant-bras surviennent souvent lorsqu'on tente d'arrêter la chute trop abruptement. Apportez un téléphone près de vous lorsque vous grimpez dans une échelle ou sur un escabeau. Si vous tombez, vous pourrez ainsi appeler les secours. Si vous êtes seul et que vous devez accomplir une tâche qui comporte beaucoup de risques, planifiez-la avec soin.

Illuminez votre vie

Le vieillissement affecte votre vision. En prenant de l'âge, vous devez vous attendre à moins bien voir les détails, à avoir un champ de vision moins large et à voir beaucoup moins bien lorsque la nuit tombe. À 70 ans, vous aurez besoin de trois fois plus de temps pour que vos yeux s'ajustent à l'obscurité que lorsque vous aviez 25 ans.

L'éclairage est le moyen le plus simple et le plus pratique d'augmenter la sécurité chez vous. Il vous faudra plus qu'une lampe ou deux de plus. À 40 ans, la plupart des gens ont besoin de 145 watts d'éclairage pour voir clairement ce qu'ils font. À 60 ans, il faut 230 watts, et à 80 ans, plus de 400 watts.

Commencez par augmenter la puissance des ampoules des lampes que vous utilisez déjà. Ne dépassez pas le nombre maximal de watts recommandé par le fabricant pour chaque lampe ; il est inscrit dessus. Ajoutez de l'éclairage direct près des tables de travail, des chaises de lecture, des établis et des comptoirs de cuisine. Disposez les espaces de travail de manière à profiter au maximum de la lumière naturelle qui vient des fenêtres et des puits de lumière.

Essayez de combiner des éclairages incandescents, fluorescents et halogènes. L'éclairage fluorescent produit moins d'ombre, l'éclairage incandescent plus de contraste et l'éclairage halogène ressemble le plus à la lumière du soleil. Méfiez-vous cependant, car un éclairage trop fort et mal utilisé peut aveugler.

Parmi les zones de votre domicile qui nécessitent un éclairage accru, on retrouve les escaliers, les placards, le garage, le hangar, les couloirs, les voies d'accès extérieures et les endroits où le plancher change de hauteur, comme un salon en contrebas ou une salle à manger surélevée.

Demandez à un électricien d'installer des interrupteurs à trois ou quatre voies dans les pièces les plus utilisées. Ces interrupteurs vous permettent de contrôler l'éclairage de plus d'un endroit, ce qui vous évite de traverser une pièce dans la noirceur. La technologie de ce type d'interrupteur s'est beaucoup améliorée et le coût de ces dispositifs de sécurité a diminué.

Finalement, les luminaires détecteurs de mouvement à l'extérieur font bien plus que décourager les intrus. Ces lampes automatiques augmentent la sécurité lorsque vous vous garez et que vous marchez de la voiture à la maison.

Prévention des brûlures

Les brûlures causent un nombre considérable de blessures et de décès chez les personnes âgées. À titre d'exemple, 42 % de tous les décès liés à un incendie qui prend naissance dans un matelas ou de la literie surviennent chez les personnes âgées. On estime que 70 % des décès liés à des vêtements qui prennent en feu surviennent chez les 65 ans et plus.

Les objets familiers et les habitudes quotidiennes déclenchent la majorité de ces accidents tragiques. Les fours, les cuisinières, les plaques de cuisson, les radiateurs électriques portatifs, les séchoirs à cheveux, les fers à friser et même les couvertures électriques ou les coussins chauffants peuvent vous brûler ou provoquer un incendie.

Les brûlures s'avèrent souvent beaucoup plus graves que la perte des biens. Vous aurez du mal à oublier une brûlure superficielle, tandis qu'une infection grave peut s'installer si des brûlures au deuxième et troisième degré sont mal soignées. Le mieux, c'est encore d'adopter des habitudes sécuritaires pour éviter les blessures.

Soyez prudent lorsque vous utilisez des appareils de cuisson dans la cuisine. Devez-vous allonger le bras au-dessus d'un brûleur allumé qui pourrait enflammer votre manche ? Est-ce que les poignées que vous utilisez pour prendre les plats chauds sont en contact avec une flamme ? Avez-vous éteint le four lorsque vous avez sorti le poulet rôti ?

À l'évier de la cuisine, comme à tous les robinets de la maison, rappelez-vous que de l'eau bouillante peut jaillir en quelques secondes. Réglez votre chauffe-eau, au besoin, pour limiter la température à 49 degrés Celsius. Rappelez-vous que si quelqu'un utilise l'eau ailleurs dans la maison (en tirant la chasse d'eau ou en prenant une douche), la température de l'eau peut changer aux autres robinets. Un plombier peut installer des dispositifs contre les brûlures sur les robinets ou les pommes de douche pour réduire le risque de brûlures.

Évitez d'utiliser une rallonge électrique avec des petits appareils comme les séchoirs à cheveux et les grille-pain. Les rallonges de petit calibre que l'on retrouve généralement dans les foyers ne sont généralement pas appropriées pour ces appareils.

Le vieillissement affecte parfois le système circulatoire, ce qui occasionne un refroidissement et un engourdissement des extrémités. Pour cette raison, beaucoup de personnes âgées utilisent des radiateurs portatifs pour se réchauffer. Ces appareils peuvent être utilisés sans danger si vous prenez les précautions qui s'imposent. La plupart de ces radiateurs sont légers, on peut donc facilement les faire basculer. Choisissez un modèle avec un dispositif d'arrêt automatique qui s'enclenchera si l'appareil se renverse.

Vous pouvez aussi trébucher sur ces petits radiateurs portatifs ; vous risquez alors de tomber et de vous brûler. Ne placez pas le radiateur

Planifier, c'est payant

Il y a quelques années, lorsque notre plus jeune enfant a reçu son diplôme universitaire, il me vint tout à coup à l'esprit que nous étions des parents dans un nid vide. Nos bébés avaient grandi, nous avions payé notre maison et il ne restait à mon mari qu'à terminer en beauté une carrière florissante.

Notre comptable a fait quelques calculs pour nous et il a conclu qu'il n'y avait pas d'avantages financiers appréciables à ce que mon mari reste au travail jusqu'à 65 ans. L'idée d'une retraite anticipée plaisait à mon mari, mais il voulait travailler à temps partiel après, car plusieurs de ses amis ont rapidement dépéri à leur retraite.

Un soir, nous nous sommes assis dans notre coin préféré et nous avons commencé à planifier notre avenir sérieusement. Voulons-nous continuer à vivre dans notre ville natale ? Dans notre maison ? Voulons-nous vivre ailleurs seulement en hiver ? Si nous nous installons ailleurs, est-ce que notre ville va nous manquer ? Allons-nous acheter une maison ou un condo ? Serions-nous heureux dans un endroit où il n'y a que des retraités ? Préférons-nous vivre dans un milieu où il y a des gens de tous âges ?

Nous sommes tous les deux en bonne santé et nous nous intéressons à beaucoup de choses, dont le ski de fond et le ski alpin que nous adorons. Nous aimons aussi jouer au golf, toutefois ni l'un ni l'autre n'aimons la chaleur et l'humidité excessives. Ici au Québec, les hivers sont froids et il neige beaucoup, mais ce peut être une saison extraordinaire. Tout de même, si nous vivions dans un climat plus tempéré, nous ne nous plaindrions pas.

Nous avons convenu que ce coin de pays où nous avons grandi nous manquerait beaucoup : les forêts, les feuillages colorés de l'automne et tout ce qui fait de chaque saison un moment unique.

Pendant cinq ans, nous avons visité plusieurs villes et villages à la campagne dans diverses régions de la province. Nous nous sommes mêlés aux résidents pour découvrir quels genres de personnes y vivaient. Nous cherchions une ville ou un village avec un collège et un

près des endroits passants et laissez-le toujours à la même place (dans un coin si possible) pour savoir où il se trouve en tout temps.

Les poêles à bois et les foyers sont également des sources potentielles de brûlures et d'incendies accidentels. Même si cela fait des années que

bon hôpital à proximité Nous avons eu l'idée de louer un condo ou une maison pendant une saison à différents endroits.

Mon mari a décroché des entrevues dans quelques compagnies. À la fin, nous avions réduit notre choix à trois endroits. Pendant les dernières années de travail de mon mari, nous avons loué un condo pendant une semaine ou deux aux trois endroits. Nous nous sommes abonnés au journal du dimanche de chaque localité et avons surfé sur Internet pour connaître les activités qui se déroulaient dans ce qui allait peut-être devenir notre nouvelle ville.

Nous avons finalement fait notre choix. Mon mari a pris une retraite anticipée à 62 ans et nous avons déménagé, comme nous l'avions prévu. Il n'a pas pu trouver d'emploi à temps partiel (il dit que c'est en raison de son âge), mais il fait profiter de son expertise un organisme à but non lucratif voué à l'art. Je suis en train de faire un deuxième baccalauréat, celui-ci est en histoire de l'art.

Nous avons de nombreux amis et nous adorons notre nouvelle vie. Ici, nous trouvons tout ce que nous aimons.

Lise et Jean, retraités et heureux

Pistes de réflexion

- Il faut penser à la retraite longtemps à l'avance. Faites l'inventaire de vos finances, des activités qui vous intéressent et de vos préférences géographiques.

- Renseignez-vous sur les lieux où vous pourriez vous installer. Visitez-les à des moments différents dans l'année. Restez-y un bon moment. Parlez aux gens de la place. Louez un appartement pendant quelque temps.

- La retraite peut avoir un effet néfaste sur la santé. Pensez à trouver un travail à temps partiel ou une activité de bénévolat qui vous convienne. Restez actif... raisonnablement.

vous vous chauffez au coin du feu, rappelez-vous que votre vue et votre odorat sont moins vifs. Ainsi, une étincelle ou un tison pourrait se transformer en une flamme vive avant que vous ne vous en aperceviez.

N'essayez jamais d'allumer un poêle ou les bûches du foyer avec de l'essence pour briquet, de l'essence, du diluant pour peinture, de l'allume-barbecue liquide ou tout autre liquide inflammable. De plus, assurez-vous que tous les liquides inflammables ou volatils se trouvent à l'extérieur de la maison ou, du moins, loin des flammes nues, comme la flamme veilleuse du chauffe-eau ou du foyer.

Si vous fumez, vous savez certainement que le feu prend facilement lorsque du tabac couve. Peut-être n'avez-vous jamais songé à la facilité avec laquelle on peut s'endormir en fumant au lit ou au ralentissement causé par le vieillissement dans votre capacité de réaction si un incendie se déclare.

Que ce soit pour vous prévenir qu'un feu de cigarette accidentel couve ou que de la graisse brûle dans un poêlon, chaque foyer devrait être muni de détecteurs de fumée en bon état de marche. Ces alarmes sensibles et sonores s'avèrent particulièrement utiles si vos sens sont émoussés par l'âge ou les médicaments. Placez un détecteur à chaque étage de votre logement et des appareils supplémentaires près des chambres. Vérifiez vos détecteurs chaque printemps et chaque automne. Changez les piles une fois par année. Placez un extincteur dans un endroit accessible à chaque étage de votre résidence.

Prévention de l'asphyxie

Comme lors d'un incendie, l'asphyxie peut vous frapper avant que vous n'ayez le temps de réagir. Même si vous vous apercevez du problème, vous pouvez être trop faible pour réagir.

Le gaz naturel et les autres combustibles utilisés pour la cuisson et le chauffage doivent être entreposés de manière sécuritaire en tout temps. L'oubli d'éteindre complètement un brûleur de cuisinière figure parmi les causes d'accumulation de gaz toxique les plus courantes. Prenez l'habitude de vérifier deux fois si vous avez éteint complètement la cuisinière ou le four à gaz lorsque vous cuisinez. N'utilisez jamais ces appareils pour chauffer la pièce.

Les chauffe-eau et les foyers sont parfois alimentés au gaz. Si vous avez des inquiétudes au sujet de vos appareils, faites-les vérifier par un technicien. Demandez à ce même technicien d'inspecter les conduits de sortie et les pièces des brûleurs une fois par an. Chaque fois que vous utilisez la sécheuse, nettoyez le filtre à charpie, sinon il pourrait y avoir des problèmes d'évacuation, ce qui augmente le risque d'incendie.

On trouve sur le marché de nombreux radiateurs portatifs alimentés au kérosène ou au propane liquide plutôt qu'à l'électricité. Lisez toutes les directives du fabricant de ces appareils, en particulier les mises en garde quant à la ventilation. N'utilisez pas de tels appareils à moins de bien comprendre les risques potentiels d'asphyxie.

En plus du risque d'incendie, les foyers et les poêles à bois libèrent parfois du monoxyde de carbone, ce qui peut être mortel. De plus, les vapeurs d'essence, de peinture à l'huile et d'autres liquides inflammables peuvent causer des problèmes respiratoires.

Comme de nombreuses maisons possèdent un garage attenant, on ne peut passer sous silence le risque d'intoxication par le monoxyde de carbone qui émane des voitures. Si vous faites tourner le moteur pour le réchauffer un jour d'hiver, les émissions d'échappement peuvent s'infiltrer dans la maison. Plusieurs décès de personnes âgées ont été causés parce que ces dernières ont garé leur voiture dans le garage et ont oublié de couper le moteur avant de fermer la porte.

On retrouve divers types de détecteurs de monoxyde de carbone sur le marché. Certains s'installent directement sur le système électrique, d'autres fonctionnent à piles ou peuvent être branchés dans une prise murale. Vous devriez en installer un à chaque étage et près de chaque appareil alimenté au gaz.

Prévention des chocs électriques

Malgré sa puissance, le système électrique est l'un des plus sécuritaires dans votre foyer. Toutefois, on peut facilement subir un faible choc électrique ou même s'électrocuter.

Une utilisation normale de votre système électrique devrait vous permettre d'éviter la plupart de ces dangers. Ne surchargez pas les prises électriques. N'utilisez les rallonges électriques que lorsque c'est absolument nécessaire. Lorsque vous ne pouvez l'éviter, choisissez des rallonges dont la puissance et l'intensité sont adéquates.

Soyez prudent lorsque les interrupteurs et les prises de courant sont anormalement chauds. Il y a probablement un problème dans l'installation électrique. Des chocs électriques peuvent également être causés par des fils à vue dont le revêtement isolant est craqué. Demandez à un électricien de procéder à toutes les réparations.

Soyez particulièrement prudent lorsque vous utilisez l'électricité dans la cuisine ou la salle de bains. Dans ces deux pièces, on peut facilement surcharger les prises électriques. De petits appareils tels que les séchoirs à cheveux ou les mélangeurs peuvent causer des chocs s'ils sont employés près des endroits mouillés, comme l'évier ou la baignoire. Les prises de courant près des sources d'eau tout comme les prises extérieures devraient toutes être munies d'un disjoncteur de fuite de terre. Demandez à un électricien si ces coupe-circuits très sensibles sont présents chez vous. Ils réduisent grandement le risque de choc électrique.

De même, méfiez-vous des gros électroménagers et de l'eau. Si votre évier déborde pendant que vous répondez à la porte par exemple, le réfrigérateur pourrait se retrouver dans une mare d'eau au moment de votre retour. Dans un tel cas, appelez de l'aide. Si vous tentez de résoudre le problème vous-même, vous pourriez vous électrocuter.

En dehors de votre foyer

Même si, statistiquement, le risque d'accident est plus élevé à votre domicile, à l'extérieur la sécurité des personnes âgées est aussi menacée. Que vous marchiez jusqu'à la bibliothèque de votre quartier ou que vous visitiez le Grand Canyon, vous devez connaître les dangers liés à l'âge. Voici les plus importants.

Les véhicules motorisés. Le nombre de blessures et de décès causés par des accidents automobiles augmente considérablement chez les aînés. En 1995, plus de 46 % des personnes de 65 ans et plus détenaient un permis de conduire et, bien évidemment, ce nombre ne cesse d'augmenter. Au Québec, en 2004, il y a eu 105 décès et 525 blessés graves chez les personnes âgées de 65 ans et plus.

Cela signifie qu'en vieillissant, vous devez vous rappeler que votre vue, votre niveau d'énergie, votre ouïe et vos réflexes peuvent être plus faibles. Cela affecte directement votre performance au volant. Si vous doutez de vos capacités de conduite, évitez les autoroutes. Évitez également tout comportement qui pourrait nuire à la conduite, comme utiliser votre cellulaire, manger ou tenter d'atteindre un élément éloigné du tableau de bord. Envisagez l'achat d'équipements qui peuvent améliorer votre conduite, tels que des rétroviseurs grand angle ou un dispositif de rappel des clignotants. Certaines écoles de conduite offrent des cours conçus pour les personnes âgées afin d'actualiser leurs connaissances.

La marche. Bien que ce soit l'un des meilleurs exercices pour vous, la marche comporte certains risques pour les aînés. En 2001, au Canada, le tiers des piétons décédés étaient âgés de 65 ans et plus. Les piétons plus âgés ont également beaucoup d'accidents. Des études ont démontré que les accidents automobiles impliquant des piétons de 65 ans et plus étaient l'une des causes importantes de blessures chez les aînés. Marchez seulement lorsque vous vous sentez dispos et alerte. Restez sur les trottoirs ou dans les ruelles. Soyez prudent dans les courbes ou devant les obstacles si vous ne connaissez pas bien la route. Portez des vêtements clairs et réfléchissants lorsque vous marchez s'il fait noir. Optez pour des chaussures légères avec des semelles en caoutchouc.

En voyage. De nombreux aînés ont le temps et l'argent pour voyager beaucoup. Vous ramènerez de bons souvenirs de vos périples si vous suivez ces recommandations.

- Avant de partir, renseignez-vous sur votre destination auprès d'une clinique santé-voyage.

- Demandez à votre médecin qu'il vous donne un résumé de votre dossier médical, contenant, entre autres, vos allergies et le nom des médicaments que vous apporterez avec vous.

- Faites des copies de vos documents de voyage.

- Lorsque vous voyagez, restez vigilant face aux personnes et aux situations que vous rencontrerez.

Voyager seul comporte des avantages certains pour ceux qui préfèrent être libres. Si vous doutez de votre capacité à organiser et à faire un voyage important, optez pour un voyage de groupe. Ainsi, vous éviterez la majeure partie des complications tout en élargissant le cercle de vos amis.

Aides fonctionnelles : à votre service

Pourquoi se compliquer la vie quand il existe des solutions ingénieuses pour nous la simplifier ? Les aides fonctionnelles vous permettent de vivre plus intelligemment en facilitant vos activités quotidiennes, que ce soit peler une pomme ou boutonner votre chemise. Ils peuvent avoir la forme d'un long manche pour améliorer l'effet de levier ou encore être sortis du cerveau d'un ergonome inspiré par le génie spatial.

Vous vous dites peut-être : « Je ne veux pas utiliser un tas de béquilles tous les jours ! » Cette réaction est typique et même compréhensible. Mais avant de décider aveuglément que les aides fonctionnelles constituent une faiblesse ou une capitulation physique, pensez à tous les objets et les appareils que nous utilisons tous pour faciliter notre vie.

Vous n'hésitez probablement pas lorsque vous devez prendre votre voiture pour vous rendre à l'épicerie. Une voiture, c'est une aide fonctionnelle. Le véhicule vous aide à atteindre votre but, qui est d'aller du point A au point B, plus rapidement et plus confortablement.

Toutes les aides fonctionnelles jouent un rôle similaire à un degré ou à un autre. Que ce soit pour les activités quotidiennes, comme se peigner les cheveux, ou pour les activités occasionnelles, comme déplacer des objets lourds dans votre jardin, ces aides fonctionnelles sont à votre service. Les aides de locomotion, comme la canne et le déambulateur, vous permettent d'être plus mobile, moins sédentaire. Avec ces aides, vous marchez plus loin, plus vite et d'un pas plus sûr.

Les magasins de fournitures médicales, les sites Web, les cliniques de physiothérapie et même les quincailleries regorgent d'appareils, de dispositifs et d'outils qui peuvent simplifier votre quotidien. Ces aides fonctionnelles augmentent votre confort, votre sécurité, votre confiance, vos capacités et votre autonomie.

Les aides fonctionnelles, une question d'attitude

Pour ceux qui ont besoin d'outils pour pallier les changements physiques liés au vieillissement, l'attitude fait toute la différence quant à l'autonomie dont ils jouiront plus tard.

Prenons deux hommes de 75 ans qui ont besoin d'une canne pour se déplacer. Le premier voit dans ce bâton à bout de caoutchouc la confirmation que son corps l'a abandonné et que les prouesses physiques sont chose du passé. La canne lui servira quelques années, mais il se voit déjà en fauteuil roulant ou, pire encore, cloué au lit.

Le deuxième, lui, voit sa canne comme un instrument de liberté. Grâce à elle, il peut garder l'équilibre lorsqu'il se déplace, sans avoir besoin de l'aide de sa femme ou de son fils. Il a même montré à sa petite-fille comment elle peut se transformer en tête de cheval et il lui raconte les aventures extraordinaires de cet étalon fougueux. Elle en redemande encore et encore.

Deux hommes, la même situation, mais des attitudes totalement opposées à l'égard du vieillissement.

Nos attitudes façonnent la réalité.

Aides fonctionnelles pour les besoins quotidiens

Les tâches quotidiennes peuvent grandement être facilitées par l'utilisation d'un outil approprié.

Dans la salle de bains, on retrouve les sièges de bain pliants, les planches de bain, les barres d'appui, les toilettes surélevées, les pommes de douche ajustables, les robinets à levier unique, entre autres. On vend également des brosses, des peignes et des éponges avec des poignées plus longues, ainsi que des brosses à dents et des miroirs à main dont le manche est entouré de caoutchouc pour une meilleure prise.

Dans la cuisine, vous utilisez sûrement déjà des petits appareils électriques. Ils peuvent être encore plus utiles si vous trouvez une façon de les adapter à vos besoins. Les fabricants donnent des trucs à cet effet. Par exemple, vous pouvez acheter un ouvre-boîte qui s'installe sous le comptoir ou dans une armoire basse. Utilisez une pince à long manche, comme celles dont se servaient les épiciers autrefois, pour atteindre les objets hors de votre portée.

Aides fonctionnelles à la mobilité

Plus de 775 000 Canadiens utilisent une aide fonctionnelle pour pallier une incapacité liée à la mobilité. Une canne, des béquilles, un déambulateur ou un fauteuil roulant peuvent augmenter considérablement votre autonomie.

Ces aides se retrouvent en une multitude de tailles, de poids et de modèles, il vaut mieux qu'un professionnel de la santé vous indique lequel est le plus approprié pour vous. Demandez-lui également de bien l'ajuster et de vous montrer la meilleure façon de l'utiliser.

À titre d'exemple, il arrive souvent que l'on choisisse une canne trop longue. Ainsi, le bras et l'épaule sont poussés vers le haut, ce qui cause une tension musculaire dans cette région et dans le dos. La canne à poignée courbe (en forme de canne de Noël) ne sera probablement pas le modèle le plus confortable si vous l'utilisez tous les jours. Optez pour une canne à poignée droite, ainsi votre poids sera directement sur la hampe.

Il est tout à fait naturel d'être maladroit lorsqu'on commence à utiliser une aide fonctionnelle. Rappelez-vous lorsque vous avez fait de la bicyclette pour la première fois ou vos premiers lancers de canne à pêche. L'aisance vient avec l'usage.

Grâce à la technologie, de nombreux dispositifs rendent la conduite plus facile. Par exemple, des commandes manuelles peuvent être installées

Une petite crique

À l'un de nos premiers rendez-vous, Marie m'a fait découvrir son endroit favori : une petite crique donnant sur la rivière qui coule près de la ville. Nous avons enlevé nos vêtements, puis nous nous sommes baignés. C'est là que je suis tombé en amour. Depuis, chaque été, nous retournons voir ce lieu magique.

Pendant 35 ans, j'ai fait mon chemin dans la compagnie où je travaillais et je suis devenu ingénieur en chef. Marie enseignait la chimie à l'école secondaire. Nous vivions bien, mais sans extravagance, préférant les simples plaisirs de la vie, comme se baigner dans la rivière, passer du temps avec nos enfants ou lire un bon livre. Lorsque le temps de la retraite est arrivé, nous étions prêts à nous envoler pour découvrir le monde. Puis tout s'est effondré.

Marie devenait un peu moins vive, plus distraite. Elle a oublié l'anniversaire de l'un de nos petits-enfants, ce qui n'aurait pas été étonnant venant de moi, mais pas de Marie, une grand-mère si attentionnée. À quelques reprises, elle s'est retrouvée enfermée dehors, sans clé. Puis, elle a oublié d'éteindre un élément de la cuisinière et les aliments brûlés ont déclenché le détecteur de fumée. Tous ces incidents ne sont pas arrivés en même temps et nous riions de ces « folies de vieux ».

Ce fut moins drôle lorsque la robe de nuit de Marie a pris feu à cause d'une chandelle. Un jour, elle m'a appelé du centre commercial parce qu'elle ne trouvait plus la voiture. Elle m'a avoué par la suite qu'elle cherchait une voiture que nous n'avions plus depuis des années. Pire encore, elle était allée au centre commercial en autobus.

Notre voisine nous a conseillé de faire passer des examens à Marie. Notre médecin de famille l'a examinée et m'a dit que cela pouvait être la maladie d'Alzheimer, mais que rien n'était certain. Nous avons vu un spécialiste qui a effectué d'autres examens. Il a testé sa mémoire, fait analyser son sang et son liquide céphalo-rachidien, ensuite il lui a fait passer un examen en imagerie par résonance magnétique. Ils ont tenté de nous encourager en nous disant qu'elle aurait encore de belles années et que nous pouvions trouver facilement de l'aide. Marie ne s'est pas laissé berner par ces belles paroles, moi non plus. L'inconnu, le vide nous attendait. Nous étions abasourdis par le choc.

Nous vivons un jour à la fois. Je l'aide à s'habiller le matin et je lui fais manger son petit-déjeuner. Certains incidents sont drôles et tristes à la fois. Par exemple, elle ne veut pas mettre son pyjama le soir. C'est comme si le jour et la nuit n'existaient plus. L'heure de la journée ou le jour de la semaine n'ont plus aucune signification. On se dispute. Mais la moitié du temps, je la laisse dormir avec ses vêtements puisque c'est ce qui la garde calme. Lorsqu'elle est plus lucide, le souvenir d'un vieil ami ou d'une vieille anecdote refait surface. Elle essaie de me poser des questions, mais les mots se sont envolés. C'est un « adieu qui n'en finit plus ».

Nous avions prévu voir Paris, les Rocheuses et bien des pays exotiques. Maintenant, quelques heures au centre commercial nous suffisent. Ça va quand même bien. Marie n'est pas sujette aux accès de colère que vivent bien des victimes d'Alzheimer. Parfois, elle pleure et elle traverse de longues périodes de dépression, mais la plupart du temps, elle se promène dans le jardin, regarde des photos ou s'assoit à la fenêtre du salon.

L'été dernier, comme à l'habitude, j'ai emmené Marie à la rivière. Je l'ai aidée à avancer dans l'eau tiède. Nous sommes restés près du bord. Pendant un court instant, la joie a illuminé son visage maintenant inexpressif. Nous sommes restés un moment, puis je suis sorti le premier pour l'aider à remonter sur le rivage. Elle a pris ma main et là, j'ai vu de la terreur sur son visage. Elle s'est raidie. Je suis parvenu à la faire monter doucement sur le rivage en sachant très bien que c'était la dernière fois que nous venions ici. J'ai compris qu'elle avait probablement oublié comment nager.

Je ne veux pas rester seul. J'ai peur qu'un jour, son esprit disparaisse et qu'il ne reste plus que son corps. Au cours des 40 ans que nous avons passés ensemble, nous avons eu de bons moments et des moments plus difficiles. Maintenant, je chéris chaque instant.

Marcel, ingénieur à la retraite

Pistes de réflexion

- Les imprévus font partie de la vie. Il faut parfois modifier nos attitudes.
- La vie que vous avez est préférable à l'absence de vie.
- Ne gâchez pas le temps que vous avez, il ne reviendra jamais.

sur le volant. Les élévateurs de fauteuil roulant ou de camionnettes facilitent l'accès aux véhicules. Le coût de ces équipements spécialisés est parfois élevé, mais la mobilité qu'ils procurent, elle, n'a pas de prix.

Appareils de mise en forme

Les randonneurs se servent souvent de bâtons de ski ou de bâtons de marche pour marcher en terrain difficile. Vous pouvez faire de même pour marcher dans votre quartier. Vous pouvez vous servir de petits haltères qui tiennent dans la main pour ajouter de la résistance à vos entraînements. Vous pouvez également utiliser des bracelets lestés à la cheville ou au poignet.

Les bicyclettes stationnaires, les escaladeurs et les tapis roulants constituent de bons appareils pour la mise en forme à la maison. Ils apportent de la constance à votre entraînement. Si vous avez accès à une piscine, il existe une panoplie de dispositifs de flottaison que les fervents de l'aquaforme utilisent. Ils peuvent être bénéfiques pour votre programme d'exercices. Optez pour des activités et des appareils qui ménagent vos articulations.

Appareils pour s'informer

«Le vrai pouvoir, c'est la connaissance», disait sir Francis Bacon. Et il aurait pu ajouter que le pouvoir est synonyme d'autonomie. L'une des aides fonctionnelles les plus utiles à votre disposition est sans conteste l'ordinateur et l'accès qu'il vous procure à Internet, le moyen de communication dont la croissance s'effectue le plus rapidement dans notre histoire.

Si vous profitez déjà de cette technologie, tant mieux pour vous. Mais si vous y résistez toujours, vous passez à côté d'un outil qui peut amener le monde entier dans votre demeure. Internet peut vous transporter partout, de la Grande Bibliothèque du Québec à l'office de tourisme de la région que vous comptez visiter.

Si vous le voulez, vous pouvez utiliser l'ordinateur pour acheter des cadeaux qui seront livrés à votre domicile, pour faire l'épicerie, pour regarder ou envoyer des photos de famille, ou simplement pour bavarder avec un ami qui vit à l'étranger. L'abondance des informations sur Internet et la facilité avec laquelle il nous permet de communiquer peuvent vous aider dans presque tous les domaines, que ce soit pour vous informer sur une maladie dont vous souffrez ou pour trouver un plombier compétent.

Si vous ne connaissez rien aux ordinateurs, inscrivez-vous à un cours. En plus d'apprendre à vous servir de cet outil formidable, vous pourrez y rencontrer des gens qui partagent les mêmes intérêts que vous.

L'ouverture d'esprit

Les aides fonctionnelles ne peuvent ni tout faire ni aider tout le monde. Pourtant, la réaction la plus courante chez ceux qui en font l'usage est l'émerveillement, tant leur vie est grandement facilitée par ce petit supplément d'aide. Pour maintenir votre autonomie, il faut constater avec objectivité vos limites physiques et être ouvert aux outils qui peuvent vous aider à les surmonter.

Où vivre

L'un des avantages les plus appréciables d'un maintien prolongé de l'autonomie, c'est que vous serez en mesure de décider où vous allez vivre. Vous ne serez pas surpris d'apprendre que la vaste majorité des personnes âgées préfèrent vivre et mourir dans leur maison. Même si la plupart des gens craignent de se retrouver un jour sans défense dans un centre d'hébergement et de soins de longue durée, au Canada, environ 10 % seulement des aînés sont institutionnalisés. Donc, 90 % des personnes âgées vivent encore chez elles ou avec un de leurs proches.

Rester où vous habitez actuellement n'est qu'une des options qui s'offrent à vous. En gros, on peut diviser ces options en quatre catégories : la vie autonome, la cohabitation, la cohabitation avec certains services et les résidences où tout est pris en charge. En fin de compte, l'endroit que vous choisirez pour vous et l'aide dont vous aurez besoin dépendront de votre état physique et mental, de vos préférences, de vos intérêts, de vos ressources financières, de votre famille et de votre volonté à vous adapter au changement.

Vivre de manière autonome

Chez soi. Ce mot évoque bien des images : la maison où vous avez grandi, votre premier appartement, le petit bungalow que vous avez acheté après votre mariage et la grande maison où vous avez élevé vos enfants. C'est probablement l'endroit au monde où vous vous sentez le mieux, le plus en sécurité.

Faire ce qu'il faut

Je suis chanceuse d'avoir une mère si positive et si enjouée malgré tout ce qu'elle a vécu. Deux accidents vasculaires cérébraux légers, l'ostéoporose en plus de la dégénérescence maculaire rendent sa vie difficile, mais elle ne se laisse pas abattre.

Une ergothérapeute lui a montré comment se servir de divers outils qui l'aident au quotidien. Je n'oublierai jamais à quel point elle était contente de me montrer ses nouveaux «jouets». Avec l'un d'eux, elle arrive à mettre ses bas de soutien le matin. Avec un autre, elle peut prendre des objets difficiles à atteindre, comme ses pantoufles, et des objets placés en haut des armoires.

Elle a reçu de l'aide financière pour faire installer des barres d'appui dans la baignoire et une rampe dans le couloir. Nous avons fait enlever les tapis pour ne pas qu'elle trébuche parce que ses pieds frottent. Elle profite maintenant de son beau plancher en érable. Nous avons transformé un placard en salle de lavage pour ne pas qu'elle ait à descendre au sous-sol. Nous avons également amélioré l'éclairage, surtout dans les couloirs.

Ma mère ne voulait pas non plus arrêter de lire ou de faire des mots croisés. Elle a découvert les livres audio et la section des livres en gros caractères à la bibliothèque municipale. Nous lui avons procuré une loupe munie d'une lampe qui, paraît-il, est merveilleuse. En deux clics de souris, ma fille a fait grossir les caractères de son ordinateur. Elle lui a aussi montré à surfer sur Internet. Bien sûr, elle ne conduit plus depuis des années, mais elle achète sa carte d'autobus tous les mois. Lorsqu'elle doit se rendre à un endroit qui n'est pas desservi par le transport en commun, elle profite du transport adapté pour les personnes handicapées.

Maintenant, elle a tout ce qui lui faut, y compris une attitude extraordinaire, pour garder son autonomie.

Nancy, une fille présente

Pistes de réflexion

- Encaissez les coups et restez optimiste. Les gens positifs vivent plus longtemps et en meilleure santé que les pessimistes.

- La plupart des municipalités offrent un éventail de services pour permettre aux personnes souffrant d'un handicap de conserver leur autonomie.

- Acceptez vos limites avec dignité. Ne songez pas au passé avec colère.

Votre domicile actuel peut être le choix tout désigné pour les dernières années de votre vie. Vous avez peut-être fini de payer votre hypothèque et vous n'avez qu'à payer les taxes et l'entretien. Vous louez peut-
être un appartement depuis des années, vous vous y sentez chez vous et
vous ne pouvez vous imaginer vivre ailleurs.

Mais avant de dire « Ils devront me sortir d'ici les pieds devant »,
examinez objectivement votre domicile pour vous assurer que c'est le
meilleur choix à long terme. La grande majorité des logements sont
conçus pour des occupants bien portants, alors qu'un segment de plus
en plus grand de la population aura bientôt besoin de logements
adaptés.

Serez-vous en mesure d'utiliser les escaliers de votre maison à deux
étages en toute sécurité au fil des ans ? Est-ce que l'unique salle de bains
se trouve à l'étage ? Est-ce que le vaste jardin présente encore un intérêt
ou est-ce que son entretien devient un fardeau ?

Plus de la moitié des personnes âgées vivent dans des logements qui
ont plus de 20 ans. Les réparations majeures s'accumulent avec l'usure
des systèmes principaux, comme la plomberie ou le chauffage.

Quel que soit l'âge de votre logement, la maison ou l'appartement
doit être adapté à votre degré de mobilité, comprendre des systèmes de
sécurité tels que des rampes solides et des détecteurs de fumée, être
suffisamment éclairé, ainsi qu'être pourvu de cadres de porte assez
larges pour qu'un déambulateur ou un fauteuil roulant puisse passer.
Dans ce logement, tout ce qui demande une opération manuelle ou un
effort physique devrait être réduit au minimum.

Faire des modifications. Si vous effectuez des modifications à la maison où vous habitez, vous pourrez y rester un plus grand nombre d'années. Il vous faudra faire ces rénovations vous-même ou engager quelqu'un pour les faire.

Que ce soit remplacer les poignées de porte par des poignées de type
bec de canne qui se manœuvrent plus aisément, installer une rampe à la
place des marches devant votre maison ou refaire la cuisine pour en
faciliter l'accès, des rénovations bien pensées offrent la possibilité
d'adopter un nouveau style de vie dans une maison. En même temps,
les éléments de sécurité peuvent être grandement améliorés. Des recherches indiquent que plus de 50 % des accidents à la maison peuvent être
prévenus grâce à des modifications apportées au domicile ou à des
réparations. Informez-vous auprès d'une association d'architectes, du
centre pour personnes âgées de votre région, des organismes commerciaux

et des fournisseurs de matériaux de construction afin de trouver un entrepreneur qui se spécialise dans de telles modifications.

Changer de maison. Un examen objectif de votre maison peut vous convaincre qu'il est temps de déménager pendant que vous êtes encore en forme. Peut-être qu'une maison à un étage serait plus pratique ou que vous n'avez plus besoin d'autant de pièces. Réduire la taille de votre maison peut également entraîner une diminution de vos dépenses et des besoins d'entretien, que vous le fassiez vous-même ou que vous engagiez quelqu'un pour le faire.

Si vous envisagez l'achat d'une nouvelle maison pour votre retraite ou la rénovation complète de celle que vous possédez, vous devriez jeter un coup d'œil à un nouveau concept qu'on appelle habitat universel,

Soins à domicile

Les soins à domicile sont une solution intéressante si vous voulez rester dans votre maison ou votre appartement. Certains services sont offerts par la Régie de l'assurance maladie du Québec, alors que d'autres sont payants. Le meilleur endroit pour vous informer est encore une fois le CLSC de votre région. Ces soins et services peuvent être synonymes d'autonomie.

Les soins à domicile se divisent en trois catégories.

Les soins de santé sous la supervision d'un médecin sont fournis par des professionnels de la santé comme les infirmières et les physiothérapeutes. Ils comprennent également des traitements comme la dialyse à domicile, le service social médical ou la physiothérapie, entre autres. Ils sont généralement couverts par l'assurance maladie.

Les services d'aide domestique comprennent le ménage, les courses, la préparation des repas. Souvent, vous n'avez besoin que de ce type d'aide pour continuer à vivre de façon autonome dans votre domicile. Certains services sont payants, mais des programmes d'aide financière existent pour les gens à faible revenu.

Une combinaison des deux. Vous pourriez avoir besoin de soins prodigués par des professionnels de la santé et avoir besoin aussi d'aide domestique. Selon vos besoins, vous pourriez avoir la visite d'un médecin, d'un travailleur social, d'une infirmière, d'une femme de ménage, d'un service de popote roulante, etc.

maison évolutive ou Bâti-Flex. Ce concept assez récent met de l'avant des habitations qui s'adaptent aux besoins des occupants tout au long de leur vie. Contrairement au concept d'habitation accessible, qui englobe les logements qui ont des portes plus larges, des rampes et d'autres dispositifs d'aide, les habitations universelles ou évolutives sont construites en pensant dès le départ aux besoins futurs des divers occupants ; elles peuvent se transformer et s'adapter au fil du temps, ainsi que changer de dimension.

Autres options pour personnes autonomes. Si vous décidez de déménager, il existe de nombreuses solutions pour vous simplifier la vie tout en restant autonome. Les appartements, les condominiums et les maisons en rangée fournissent l'espace dont vous avez besoin pour vivre sans entretien extérieur exigeant. La proximité des voisins offre des avantages au plan social et sécuritaire qu'on ne doit pas négliger.

La cohabitation

Malgré la liberté que cela procure, pour certains vivre seul n'est pas souhaitable. Vous pouvez tirer bien des avantages, autant pour votre bien-être émotionnel que pour votre sécurité physique, à partager votre logement, à emménager avec un proche ou à partager un logement avec des gens qui vous ressemblent.

Habitation partagée. Partager votre maison avec une autre personne ou plusieurs, ou encore vous installer dans la maison de quelqu'un d'autre peut être un bonheur, un désastre ou quelque chose entre les deux. Avant de vous engager, faites toujours une première expérience à titre d'essai et prenez le temps de discuter du loyer, de la cuisine, du ménage et de l'espace qui est dévolu à chacun. Il est également recommandé de mettre par écrit les règles de votre accord.

En famille. Auparavant, la plupart des personnes âgées qui quittaient leur maison allaient vivre chez un membre de leur famille. Aujourd'hui, la distance et le mode de vie des familles font que ce n'est plus une option pour la majorité des gens. Cependant, si vous voulez vivre avec vos enfants ou s'ils vous le proposent, parlez ouvertement des attentes de chacun. Discutez de la relation du couple, des finances, de l'espace dont vous bénéficierez et de votre participation à la vie des enfants avant de commencer à faire vos boîtes.

Habitation communautaire. Dans ces habitations, des gens qui ne sont pas parents profitent des avantages de la vie de famille. On y retrouve des gens en assez bonne santé, c'est-à-dire qu'ils sont capables de marcher et de prendre soin d'eux sans aide. Chacun possède un appartement individuel et profite de pièces communes. Un employé, qui parfois y vit, s'occupe de l'entretien.

Habitation à loyer modique. Ce programme permet à des personnes à faible revenu, dont des aînés, d'occuper un logement subventionné par l'État. Ces logements se retrouvent souvent dans un immeuble ou un regroupement d'immeubles où il y peut y avoir certains services.

Autres solutions. Vous pourriez également vivre dans un petit appartement complet à l'intérieur de la grande maison d'un de vos enfants. Il existe aussi des pavillons-jardins (ou studios pour grands-parents), qui sont de petites maisons autonomes installées sur le terrain de la résidence habitée par des membres de la famille.

Résidences pour personnes âgées semi-autonomes

Si vous pensez avoir besoin d'aide pour vous laver, vous habiller, préparer vos repas et faire le ménage, les résidences avec services peuvent constituer une solution si vous ne voulez pas engager de personnel chez vous.

Les résidences pour personnes âgées, les appartements avec services, les chambres avec service d'hôtellerie et les pensions familiales offrent divers éventails de services selon les endroits et les besoins des résidants.

Ces résidences offrent souvent un éventail d'options pour vous permettre de choisir les services et les coûts selon vos besoins. Il arrive également que d'autres services soient offerts par des organismes externes.

Plusieurs résidences facturent un montant mensuel de location pour un appartement avec commodités, les repas, le ménage, la lessive et un service d'appel d'urgence. Des services supplémentaires peuvent être proposés moyennant un supplément.

Ces habitations supervisées conviennent aux personnes qui présentent des difficultés moyennes de fonctionnement. Depuis peu, on commence à voir des installations conçues pour accueillir une clientèle spécifique, comme les gens atteints de la maladie d'Alzheimer par exemple. Aucun de ces établissements ne peut remplacer les centres d'hébergement et de soins de longue durée, qui fournissent tous les soins et services, mais ils représentent une solution raisonnable pour les gens qui n'ont besoin que d'une certaine forme d'aide.

Résidences offrant tous les soins et services

Pour la plupart des aînés, les centres d'hébergement et de soins de longue durée (CHSLD) constituent le dernier recours. On a l'impression qu'être admis dans un tel établissement signifie non seulement un déclin physique et mental considérable, mais aussi une perte d'autonomie radicale. Malgré cette perception négative, selon les circonstances, ce type d'établissement peut s'avérer une solution formidable.

La peur de se retrouver dans un centre d'hébergement et de soins de longue durée est l'une des moins fondées chez les aînés. Entre 25 et 50 % des personnes de 65 ans et plus auront besoin de soins de ce type, et la moitié de celles-ci n'ira que pour un court séjour. Le nombre d'options qui existent aujourd'hui (celles décrites plus haut) signifie également que ceux qui auparavant auraient envisagé un séjour en CHSLD pourront très bien vivre dans une résidence avec services.

Si vous envisagez la possibilité d'être admis dans un centre d'hébergement et de soins de longue durée un jour et que vous voulez avoir votre mot à dire, c'est le moment d'agir. Parlez-en avec les proches en qui vous avez assez confiance pour qu'ils prennent des décisions à votre place. Visitez les gens que vous connaissez qui vivent déjà dans ce type d'établissement. Soyez prévoyant, vous aurez ainsi l'âme en paix plus tard.

Vous pouvez choisir le centre d'hébergement et de soins de longue durée qui vous convient s'il y a des places disponibles. Pour avoir des renseignements sur les services offerts dans votre région, contactez votre CLSC. On ne peut légiférer sur les soins qu'à un certain degré, prenez le pouls du centre en parlant au personnel lorsque vous choisirez un centre d'hébergement et de soins de longue durée ou une résidence.

Sur le plan de l'autonomie, vous éprouverez certainement un sentiment de compromis si vous devez un jour vous installer dans un établissement pour personnes en perte d'autonomie importante. Mais vous aurez quand même la liberté de choisir la façon dont vous accueillerez ce nouveau défi et votre attitude face à l'avenir.

Finalement, les centres d'hébergement et de soins de longue durée ont souvent des listes d'attente. Si votre nom est sur une telle liste, cela ne vous engage à rien, mais vous aurez la possibilité d'y emménager lorsqu'une place sera libérée.

Ressources pour vieillir en santé

Division du vieillissement et des aînés du gouvernement du Canada
www.phac-aspc.gc.ca/seniors-aines

Santé Canada
www.hc-sc.gc.ca
1 866 225-0709

Développement social Canada
www.dsc.gc.ca
1 800 277-9915

Conseil consultatif national sur le troisième âge
www.naca-ccnta.ca
(613) 957-1968

Agence du revenu du Canada
www.cra-arc.ca

Banque de données sur les politiques et les programmes touchant les aînés
www.sppd.gc.ca

Ministère des Finances du Canada
www.disabilitytax.ca

Ressources humaines et développement des compétences
Assurance-emploi et prestations de compassion
www.hrsdc.gc.ca

Gouvernement du Québec
Services aux citoyens
pour les 55 ans ou plus
www.55ans.info.gouv.qc.ca/fr/index.asp

Régie des rentes du Québec
www.rrq.gouv.qc.ca
1 800 463-5185

FADOQ – Mouvement des aînés du Québec
www.fadoq.ca
1 800 888-3344

Portail des Aînés du Québec
www.aines.qc.ca

Société canadienne du cancer
www.cancer.ca
1 800 277-9915

Société Alzheimer
www.alzheimer.ca
1 800 616-8816

Fédération Québécoise des Sociétés Alzheimer
www.alzheimerquebec.ca
1-888-MÉMOIRE

Fondation des maladies du cœur
ww1.fmcoeur.ca
1 800 567-8563

Diabète Québec
www.diabete.qc.ca
1 800 361-3504

L'Association pulmonaire du Québec
www.pq.poumon.ca
1 800 295-8111

Société Parkinson du Québec
www.infoparkinson.org
1 800 720-1307

Institut national canadien pour les aveugles
www.cnib.ca
(514) 934-4622

La Société d'arthrite
www.arthrite.ca
1 800 321-1433

**Association québécoise
de la dégénérescence maculaire**
www.degenerescencemaculaire.ca
(450) 651-5741

Bénévoles Canada
www.benevoles.ca
info@benevoles.ca

**Fédération des centres
d'action bénévole du Québec**
www.fcabq.org
1 800 715-7515
(514) 843-6312

**Société canadienne d'hypothèques et
de logement (SCHL)**
www.cmhc-schl.gc.ca
(514) 283-2222

Aînés Hébergement
www.aineshebergement.com
(514) 644-8314

Visavie
Service gratuit de référence en habitation et en hébergement pour retraités et personnes âgées.
www.visavie.com
1 888 847-2843

**Association canadienne
de soins à domicile**
www.cdnhomecare.ca
(613) 569-1585

**Association canadienne
des soins palliatifs**
www.acsp.net
1 877 203-4636

Réseau de soins palliatifs du Québec
www.aqsp.org
(514) 282-3808

**La Coalition canadienne
des aidantes et aidants naturels**
www.ccc-ccan.ca
1 888 866-2273

Clinique Mayo
www.mayoclinic.com
200 1st St. S.W.
Rochester, MN 55905
507-284-2511

Index